es 1478

edition suhrkamp

Neue Folge Band 478

W9-DAJ-105

»Was Volker Braun vor fünf Jahren geschrieben hat, ist nichts anderes, als was Gorbatschow heute verlangt« – diese zeitdiagnostische und -prognostische Qualität, die *Die Zeit* Volker Brauns Theaterstück *Die Übergangsgesellschaft* attestiert, ist im Gesamtwerk dieses Autors anzutreffen. In den Stücken wird sie am deutlichsten, da hier konkrete Personen auftreten, die – auch wenn sie zuweilen aus anderen Zeiten zu sein scheinen – in akute Situationen gestellt sind, auf die sie reagieren müssen – und zu denen sich die Zuschauer und Leser verhalten müssen. Die eine solche Poetik leitende Einstellung: »Wovon die Literatur spricht, ist endlich als Mangel bewußt. Dieses Bewußtsein ist ein Reichtum, und es bewirkt Politik. Die unvermutete Not und unvermutete Chance am Ende des Jahrhunderts werden eine neue solidarische Gattung brauchen.«

Volker Braun
Gesammelte Stücke

Erster Band

Suhrkamp

edition suhrkamp 1478
Neue Folge Band 478
Erste Auflage 1989
© Suhrkamp Verlag Frankfurt am Main 1989
Erstausgabe
Satz: Hümmer, Waldbüttelbrunn
Druck: Nomos Verlagsgesellschaft, Baden-Baden
Umschlagentwurf: Willy Fleckhaus
Printed in Germany

1 2 3 4 5 6 – 94 93 92 91 90 89

Inhalt

Lenins Tod
7

Der Eisenwagen
9

Lenins Tod
13

T.
69

Totleben
119

Schmitten
129

Guevara oder Der Sonnenstaat
159

Großer Frieden
211

Lenins Tod

Der Eisenwagen

Es war ein Wagen, auf den ich kletterte, in einem Schuppen in der Vorstadt, ein flaches unbequemes mit Tarnfarbe gestrichnes Wägelchen, das wir jetzt aus dem Gerümpel zogen. Wir: wenige davon- und heruntergekommne Männer, die wußten wo der Weg lang geht. Ich stand auf der Deichsel und sah in das Gedränge, aufsässige begeisterte Ansässige, wir luden sie zum Mitfahren ein, sie lachten über die Karre, hingen sich an den Wagenboden und ließen sich mitschleppen. Oder wichen zurück vor unsern ausgebreiteten Armen – bekannte Geste, die wir übernahmen, um ihnen (überflüssigerweise, meinten wir) mitzuteilen, daß wir für sie dasind. Habe ich Weg gesagt, es war Sandboden, Lehmboden, noch oder schon wieder vereist oder im Regen ersaufend, nicht markiert in der Steppe. Jedenfalls unbefahren. Wir mußten sehn, wie wir die Räder durch das Grundwasser drehten. Aus den Büschen begrüßten uns Schüsse, die verwirrend in unsre Hände schlugen, in das Fleisch. Ich wurde in die Lunge getroffen, ein Steckschuß, keine Zeit, die Kugel zu entfernen. Andre stürzten kopfüber, mit verwunderten weißen Gesichtern, in den Acker. Wir mußten den Wagen umbaun, mit Eisenplatten bestücken, im Innern Deckung suchen nur durch Luken herauslugend -rufend -schießend. Schießen auf wen? wen rufend? In diesen dröhnenden Panzer verpackt, den wir uns nicht ausgesucht hatten. In dem wir verbleiben mußten, solange dieser Kampf dauerte. Immerhin erstaunlich, daß der Wagen hielt, zerschossen, zerbeult, unsern Bewegungsraum äußerst einschränkend, so daß wir unwillkürlich auch das Denken aufs Minimum einschränkten, aufs Überleben. Jetzt lernten wir das primitive Vehikel schätzen, jetzt zahlte sich aus, daß es einmal für konspirative Zwecke geschustert worden war. Ein Unikum, das nicht mithalten konnte mit irgendwelcher Leute Vorstellung von rasanten Fortbewegungsmitteln, phrasenhaftes Geschwätz. Als aber das Bombardement geendet hatte, stiegen wir nicht heraus. Ich dachte nicht daran, den Posten vorzeitig zu verlassen. Er hatte seine Meriten, und ein Blick aus dem Sehschlitz genügte, uns zu belehren, daß die Gegend nicht problemloser wurde. Trümmer Rauch schwarze Felder. Undurchdringliche Mienen. Stille, die mir die Reden verschlug. Ich saß am Steuer, ein Lenkrad aus einem

Ford (das einzige Teil, das dem modernen Standard entsprach) und hatte plötzlich ein seltsames Gefühl: ich lenke, aber der Wagen fährt nicht dorthin, wohin ich ihn lenke, er fährt hin, wohin ihn andre lenken. Wer, wohin. Ich ahnte für Augenblicke, daß ein andrer Kampf beginnen würde, aber kein Schimmer, wer die Gegner waren. Ich vergaß es im nächsten Schlammloch. Ich mußte das Augenmerk auf gleichgültige Gestalten lenken, die in zunehmenden Haufen am Wegrand lagerten. Sie waren kaum vom Schlamm zu unterscheiden, an dem sie hafteten. Auf Knien, die Mützen gezogen. Stumpf grinsend, zu uns auf. Wie zu einer herrschaftlichen Karosse. Unsinn, schrie ich in meinem Alptraum, feindliche Parolen! Was wissen die da draußen? Die Lokomotive der Geschichte, meine Herren Arbeiter und Bauern. Aber sie war ein Panzerzug. Ihre Waffe der Schrecken. Wir darin: gefangen, verborgen, abgeschirmt. Anonyme, eiserne Gestalt. Wo wir einfuhren, lag ein eisernes Gleis, und rotweiße Schranken wie in jedem beliebigen zivilisierten Land. Was für eine Rolle spielte ich – des Befreiers oder Unterdrückers? Es war nicht das Jahrhundert, darüber zu diskutieren. Aber natürlich diskutierten wir, wie die Blöden, wie die besoffnen Kommis, als wenn die Menschen nicht frören vor Hunger zusammensackten im Fieber verröchelten. Wir stießen uns die Argumente in den Leib. Theorie, »Prinzipien«. Du hast recht, sagte ich, Verräter. So eng wie wir beisammensaßen, einer auf den Schultern, auf der Brust des andern, mußte der härter Angepackte freilich gleich aus dem Wagen kippen. Das war ein echter Mangel in der Konstruktion, die ja bei Benutzung nicht elastischer geworden war, im Gegenteil. Alle Verräter, die recht hatten, kippten aus dem Wagen. Wir spürten das Knirschen unter den Rädern. Ein internes Problem; es war nur eine Blutspur, die wir hinterließen, an die sich die Außenwelt zu gewöhnen hatte. Eine Spur, die sich verlief in Kanälen, im Beton, in Spuren, die sich verzettelten, durch unwirkliche Landschaft und unwirkliche Zeit. Zwei Schritte vor einen zurück, wie gesagt, wer wußte, was gehaun und gestochen war. Über den Schotter. Blind in die Menge. Angesichts der Lage war es erforderlich, daß wir uns nach vorn orientierten. Den Leuten Mut machten. Ein frohes Grinsen, statt in der Wunde zu bohren. Weiter so, immer voran. Gut gesagt; neben mir, mitten im Applaus, ein Gerangel um die Sitze und Fensterplätze. Ein Streit um Formulare und Rubel. Ein Krieg um die Trittbretter, um mit von der Partie zu sein. Man wollte DRIN-

NEN sein – das bedeutete aber wohl, daß draußen nichts recht ging. Der Gedanke verblüffte mich, war das mein Gedanke? Das war der Gedanke des Feinds. War ich mein Feind? Ich entfernte mich experimentell von mir, d. h. ich stellte mir einen Mann vor, der mir von draußen zusah. Wo befand ich mich? War das ein Wagen. Traktor Pflug Jauchekutsche, Drehbank Schrottberg Höllenmaschine. Ein sagenhaftes ominöses Gefährt. Eine Apparatur, die alle Funktionen aller Geräte in sich vereinigte und knirschend krachend rasselnd öl- und kottriefend vom Zentrum bis an die ferne reine Küste ratterte. Ein kybernetisches Ungetüm, das alle Zwecke in sich hat, das also nicht allemal nach dir fragen muß, das dich wenn du dumm dastehst überfährt zermalmt. So sah das der Feind, d. h. der Mann, den ich mir draußen vorstellte, der Mann, um den es ging. So gräßlich diese Vorstellung war: jetzt wurde ich froh, daß ich sie hatte. Ich betrachtete sie als einen kostbaren Fund, aber ich kam nicht dazu, weiter zu wühlen, weil der Bombenhagel wieder einsetzte. Wir bewegten uns, ich weiß nicht ob vorwärts oder rückwärts, durch tosende schlingernde Erde, unter Tage oder über Nacht, unter stürzenden Wäldern, durch Flüsse, die hinter uns stinkend tot verlandeten, Luft wie aus dem Kalksack gerieselt. Ein Kampf, der »alle Ressourcen verschlingt«, wie man leicht reden hat, solange man atmen kann. Abgelenkt, die zerdroschnen Armaturen geradezubiegen, konnte ich mich kaum der Freude erinnern, die irgendwie mit der Vorstellung an den Mann draußen zusammenhing. (Schwaches Gedächtnis der Isolierten: weshalb wir längst unsre Anschauungen auswendig gelernt hatten.) Mit der Kraft der Verzweiflung versuchte ich mich durch die Panzerplatten zu zwängen. Die Maschine hielt mich umklammert, hakte sich in meine Rippen; die Gliedmaßen, gerade die beweglichsten Teile schienen an dem Eisen festgewachsen oder das Metall klebte infolge eisiger Temperatur am Fleisch. Vor Anstrengung, die Augen offen zu halten, verfiel ich in einen trancehaften Zustand, in dem ich sah, was ich geahnt hatte. Der andre Kampf war der Kampf gegen uns. Der Feind hatte sich vervielfältigt. Zu den Unterdrückern traten die Befreier. Zu den Lebenden traten die Toten. Zu den Kriegen traten die Landschaften, die wir gebaut und zerstört hatten. Die Frage wer wen, aus dem Spielchen der letzten Jahrtausende, hatte eine Antwort vorweggenommen, die keine ist. Eine Antwort, die eine ist, mußte nach allen fragen. In einem Anfall von Freude fühlte ich meine Haut brennen, bleiern und skrofel, und ich entdeckte mit Entsetzen, daß sie die Wand des Wagens war. Richtig, sagte ich mir, es hat seine Richtigkeit. Ich bin mein Gegner. Aber ich war ein kranker Mann, die Lunge schmerzte, das Blut faulte, bleierne Müdigkeit auf den Augenlidern. Ich fiel in den Wagen zurück, sah in die kühlen Augen der Freunde, die auf meinen Posten lauerten, und legte mir folgende Worte zurecht: MIT DIESER EISERNEN GEGEBENHEIT LEBEN UND GEGEN SIE, SIE BENUTZEND UND ZERBRECHEND. Doch ich konnte mich nicht verständlich machen, meine Zunge von dicken Drähten umwickelt wiederholte automatisch alte Sätze. Mein Sterben hatte begonnen. Ich kam hier nicht mehr heraus. In diesem Augenblick empfand ich es als gerecht, daß die Zeit, in der ich es begriff, die Zeit meines Todes war. Der Wagen würde mein Mausoleum sein, mein Grab. Eine ehrliche, eine eindeutige Lösung, was mich betraf; die andern mußten die ihre finden.

Lenins Tod

Personen

Ein Händler · Jungen · Händlerin · Markin, Kusmin, Petrow – Demobilisierte · Leute · Lenin · Radek · Dsershinski · Kutusow, Arbeiter · Sinowjew, Kamenjew, Trotzki, Stalin, Bucharin, Tomski, Rykow – Mitglieder des Politbüros · Nadeshda, Lenins Frau · Guétier, Foerster – Ärzte · Zentralkomitee, in ihm u. a. Pjatakow, Molotow, Lunatscharski · Anja · Direktor · Arbeiter · Ärzte · Fotijewa, Sekretärin · Mitro, Bettler · Junge Dame · Bauer · Frau des Direktors · Berija, Archivar · Beamtin · Lasarew, Physiker · Meyerhold, Regisseur · Tretjakow, Dichter · Ein Schuster · Hebamme · Anjas Mutter · Alter Mann · Alte Frau · Heiserer Mann · Junge Frau · Betrunkner Mann

Die Darsteller der Führer sollten zugleich das Volk spielen, so daß jeder in beiden Ebenen auftritt: im Apparat und auf der Straße. (Das Volk, das sind die bedächtigen Denker, die Führer die raschen, erregten Reagierer.) Dieses »doppelte Spiel« ergäbe ein poetisches Bild der Widersprüche – der Kämpfe in der Brust.

Revolutionsplatz. Ein Haufen Jungen, verwahrlost, stürzt sich auf die Auslagen.

EIN HÄNDLER Halt. Teufel.
Wirft sich auf einen schmächtigen Jungen. Die andern verschwinden.
HÄNDLERIN Zerreiß ihn, Herr. – Jetzt weine vor Gott.
DER HÄNDLER Banditen. Piroggen stehlen. *Schlägt ihm die Pirogge aus der Hand.* Da, iß!
Der Junge steht zitternd.
Friß.
Der Junge hebt die Pirogge aus dem Dreck, beißt ab.
Hast Hunger, wie. Hundesohn. Friß!
Schlägt ihm wieder auf die Hand, der Junge hebt wieder die Pirogge auf.
Bist du stumm? Wo wohnt deine lausige Mutter?
DER JUNGE Wolga.
DER HÄNDLER Wolga! – Ausgerissen.
DER JUNGE Fortgegangen.
DER HÄNDLER *schlägt ihm wieder die Pirogge aus der Hand:*
Friß. Nichts mehr los im Dorf, wie.
DER JUNGE *stockend, aber unberührt:* Du weißt nichts. Erst noch, Eicheln und Wurzeln – dann waren alle zu schwach, haben nicht ausgesät – Der alte Wanka, im Kopf verrückt wurd er, hat die ganze Nacht die Glocken geläutet –
DER HÄNDLER *sanfter:* Friß.
DER JUNGE Dann ist Vater fort. Den Kleinen hat Mutter – die Händ festgebunden, weil, sie haben sie sich – angefressen.
DER HÄNDLER *erregt:* Friß doch, friß doch.
DER JUNGE Na und so. Im Winter, Mutter ging drauf. Ich vertrag Hunger.
DER HÄNDLER *schreit:* Iß, iß!
Drischt plötzlich auf ihn ein. Markin, Kusmin, Petrow, demobilisiert, abgerissen, hinten vorbei. Petrow schlägt schwach und unrhythmisch auf eine Trommel. Markin, der Jüngste, hat eine Fahne um den Leib.
MARKIN, KUSMIN *singen:*
Um gleich zu sein mit seinesgleichen

Setzten sie herab die hohen Herrn
Und um die Steine zu erweichen
Bleiben stehn. Der Junge entwischt.
DER HÄNDLER *ängstlich:* Er war ein Dieb.
MARKIN Zulassung.
KUSMIN Bist du kein Dieb?
DER HÄNDLER Meine Kasse ist leer, leer wie ein Mädchenleib –
KUSMIN Ja, kommst dazu wie die Jungfrau Maria!
DER HÄNDLER *klatscht ergeben:* Wie die Jungfrau –
MARKIN Weißt du, was dein ist. *»Liest«.*
HÄNDLERIN Da, Piroggen duftend – werden nichts gefrühstückt –
KUSMIN Wir frühstückten Kulaken und Spekulanten.
Die Händlerin bekreuzt sich.
DER HÄNDLER Recht so! Schlagt die Konter, ins Grab mit ihr.
MARKIN *wirft das Blatt weg:* Dein sind deine Knochen. *Stößt ihn an den Bauch:* Poltawaspeck, *an die Wangen:* die Püfferchen, selbst deine Seele – selbstgebrannt, das Blut – Tee mit Konfitüre –
PETROW *trommelnd:* Überzeug ihn, Markin.
MARKIN Stinkst werstweit nach Lavendel, jetzt kriechst du vor aus deinen Zimmerchen, Burschui, und schacherst die Limonen –
KUSMIN Millionen!
DER HÄNDLER *lacht:* Frieden is. *Bescheiden:* Alles gesetzlich, ihr Mächtigen.
Markin und Kusmin werfen ihn in den Laden, der krachend zerbricht. Markin greift ins leere Koppel.
MARKIN An die Wand.
Es sammeln sich Leute. Lenin, Radek, Dsershinski.
RUFE Lenin! – Radek! – Dsershinski?
Stille.
DSERSHINSKI *zum Händler:* Zeigen Sie her.
Liest das Blatt. Der Händler verbeugt sich mehrmals. Zu Markin:
Name.
MARKIN *militärisch:* Markin, Lew.
DSERSHINSKI Regiment.
MARKIN Sonderabteilung, demobilisiert.
DSERSHINSKI *reißt ihm die Fahne vom Leib:* Bolschewik?
MARKIN Sympathisant.

LENIN Und Sie können nicht lesen.

MARKIN – Sympathisant.

RADEK Unsere Zivilisation – seit Peter dem Großen nicht mehr geleistet, als den Bojaren den Bart abzuschneiden.

DSERSHINSKI Hat dir Genosse Trotzki nicht befohlen, lesen und schreiben zu lernen?

Markin kratzt sich am Kopf.

Das ist dein letzter Befehl.

RADEK Der Rückzug in Polen, Pjatakow drohte, er wolle alle Panikmacher erschießen lassen; der Prolet am Telegrafentaster gab durch, daß die Panikmacher, die Haarschneider, erschossen würden, und ein andrer Prolet, Haarschneider und Kommandeur der Brester Front, war für den Rest des Kriegs beleidigt.

Dsershinski und Radek lachen, wollen gehn.

LENIN *zu Markin:* – Das ist dumm. Sympathisant? Können Sie nicht brauchen. – *Dicht vor ihm:* Unsere Feinde sagen: die Revolution habe das Volk nicht reicher gemacht sondern ärmer, nicht satt sondern hungrig –

RADEK Ja, schon Nikolai der Erste sagte: er müsse den Krieg vermeiden, der zerrütte nur die Armee.

LENIN Unsere Feinde haben recht. Aber wir sind reicher geworden an dem Recht, über uns selbst zu bestimmen.

RADEK Und Mister Lloyd George, als wir in Genua nicht zu Kreuze krochen, dämmerte es: die Sowjetmacht sei nicht frei vom Einfluß der öffentlichen Meinung, diese aber werde vom Volk gemacht.

LENIN Aber was ist das für ein Recht? – Der Aufstand der unglücklichen Kronstadter, es war nur Theaterfeuer – um so besser was zu sehn. Da sahn wir uns – hier, und dort die Masse. Wir konnten die Stellungen nicht halten, die wir im Sturm erobert hatten... Statt kommunistischer Güterverteilung – Naturalsteuer, Privathandel, Staatskapitalismus.

Der Händler beginnt, seinen Laden wieder aufzustellen.

RADEK Ha! daß wir die NÖP-Leute aus ihrem Mottenpulver steigen lassen, bedeutet nicht, ihr würdet nun aus dem kommunistischen Paradies vertrieben. Dies Paradies hat es nur in unsern Träumen und Broschüren gegeben.

LENIN Aber was machen wir mit dem Staat?

DSERSHINSKI *mit Zeitungen:* Lies, was Iljitsch auf dem Parteitag sagte!

RADEK Ach, er kann nicht lesen.

LENIN Es kann jeder wissen. Von den verantwortlichen Kommunisten – neunundneunzig von hundert nicht an dem Platz, für den sie taugen. Da hat einer die ganze Revolution glänzend durchlaufen und hat nun – einen Gummitrust am Hals, und begreift nicht mehr was er treibt, und die Gauner treiben mit ihm ihr Spielchen. Sein breiter Rücken – hindert uns nurmehr, die Wahrheit zu sehn.

RADEK Da! *Liest vor:* »Betrachte die Dinge nüchterner, lege den Flitter, das kommunistische Festgewand ab, lern einfach eine einfache Sache tun, und dann werden wir den Besitzer schlagen...«

LENIN *vertraulich:* Jeder gewöhnliche kapitalistische Kommis, in einer Mehlhandlung, versteht sein Fach tausendmal besser als der Genosse, der Kerker und Kugeln nicht fürchtete, und nicht kapiert – daß er arbeiten l e r n e n muß. Wir kapieren das nicht, weil es den kommunistischen Hochmut gibt – Komtschwanstwo, in der schönen russischen Sprache. *Lacht. Laut:* Entweder wir kapieren es jetzt – oder die Sowjetmacht kann nicht fortbestehn.

Unruhe.

MARKIN Nicht – fortbestehn?

RADEK »Das Volk hat uns jeden möglichen Aufschub gewährt, es hat uns soviel Kredit gegeben wie keiner Regierung je. Aber das sind, in der Sprache der NÖP, Wechsel, aber Termine sind auf diesen Wechseln nicht vermerkt. Entweder wir lösen sie jetzt ein, oder man wird uns zum Teufel jagen...«

LENIN Ja, man wird uns zum Teufel jagen. *Laut:* Alle revolutionären Parteien sind daran gescheitert, daß sie überheblich wurden und nicht sahn, was ihre Kraft ist – *taumelt und* Angst hatten, von ihren Schwächen – *hält sich an Markin* von ihren Schwächen zu reden. Entweder wir lernen es jetzt, oder wir werden zugrundegehn.

MARKIN Zugrundegehn.

Kutusow, mit einem Kasten Feuerzeuge, beginnt mit dem Händler zu feilschen. Die Menge umringt Lenin.

EINE FRAU Lieber Genosse, wir hören dich, deine Worte sind so gut – wie lange sollen wir noch leiden!

EIN MANN Euer Wohlgeboren, wann kommt die Weltrevolution!

ALTE FRAU *mit geballten Fäusten:* Es leben... unsere guten Herrn Lenin und Trotzki.
Ihre Stimme versagt, sie stürzt an Dsershinskis Brust, bricht in Tränen aus. Lenin, Radek, Dsershinski mit der Menge ab.
KUTUSOW *kippt den Kasten auf die Fahne:* Was ich produziere, also, kann ich auch verkaufen.
DER HÄNDLER Recht so! Recht so!
KUTUSOW Das ist: Recht auf das volle Produkt der Arbeit.
DER HÄNDLER Recht so!
KUTUSOW Das ist: die Rivaluzion. Der Arbeiter will leben.
DER HÄNDLER Ja, Revolution. Mause furchtlos und fromm, es gibt keine Herrn mehr.
KUTUSOW *tritt zurück:* Verflucht sollst du sein. Ich bin der Herr. Wenn ich will, bleibt von dir und deinesgleichen nur Staub da. *Entreißt ihm die Fahne.*

2

Politbüro.

LENIN *am Tisch stehnd, die Uhr in der Hand:* Da mich meine Krankheit – hindert, bald an die Arbeit zurückzukehren –
SINOWJEW Sie werden sehr bald zurückkehren!
LENIN *rasch:* und da die Kluft zwischen der Größe der Aufgaben und der – Art, wie sie gelöst werden, nicht noch mehr aufreißen darf, ist die richtige Besetzung der höchsten Sowjet- und Parteistellen eine unaufschiebbare Sache. – Es gab Kritik, daß Genosse Stalin in zwei Volkskommissariaten sitze. Na, wer von uns ist ohne Sünde. Und wer von uns hat Autorität und kann noch zuhören, wenn ein Kleingütler aus Twer oder ein Sekretär aus Tiflis etwas ausführlicher seine Seele ausbreitet? Daß wir ihm noch den Posten des Generalsekretärs aufgehalst haben, ist nicht seine Schuld. Keiner bezweifelt – er hat die feste Hand, die organisatorische Arbeit zu leiten. – Es gibt keinen Besseren dafür. – Um aber den Staatsapparat ebenso stark wie den Parteiapparat zu machen und einen Ausgleich zwischen beiden zu garantieren, schlage ich Ihnen dringlich vor, Genossen Trotzki zu meinem Stellvertreter im Rat der Volkskommissare zu ernennen.

TROTZKI Mich? Es ist mir unersichtlich, wozu dieser Aufwand an Stellvertretern nötig ist.

LENIN Zjurupa ist krank. Rykow – wär besser ganz im Volkswirtschaftsrat. Genosse Kamenjew arbeitet wie ein Gaul vor drei Wagen –

KAMENJEW Wahr.

LENIN Ja, es war mein Fehler, daß ich praktisch allein die Verbindung zwischen dem Politbüro und dem Rat aufrechterhielt! Jetzt greift beides nicht mehr ineinander. Alles wird aus dem Rat ins Politbüro geschleppt. Und wir werfen den andern Wirrwarr vor, Stumpfsinn, Dummheit. Moskau – 4700 verantwortliche Kommunisten; und dieses bürokratische Ungetüm, dieser Haufen, wer leitet da und wer wird geleitet? Wir müssen die ganze Gefahr der NÖP erkennen. Ich werde dieses Gefühl nicht los: das Steuer entgleitet den Händen – Ich sitze im Wagen und lenke ihn, doch der Wagen fährt nicht dorthin, wohin ich lenke, er fährt hin, wohin ihn andere lenken – andre, die illegal handeln, die von gottweißwoher kommen, Spekulanten und Gauner. Ein Jahr der Rückzug. Wir haben gesagt: genug. Ich bestehe darauf, daß Trotzki meine Stellvertretung annimmt.

TROTZKI Ich sagte: nein. Die Stellvertreterwirtschaft ist selber verworren, und die Kompetenzen des Staats und der Partei sind höchst unklar. – Aber ich weiß zwischen dem Wesen und dem Schatten eines politischen Einflusses zu unterscheiden.

STALIN Wie meinen Sie das?

TROTZKI *nicht zu ihm:* Genosse Stalin dürfte nicht so fragen, da ich annehme, daß er begreift.

Stalin erhebt sich halb.

LENIN *rasch:* Genossen, ohne unsere Schuld ist ein Zustand eingetreten – daß alles was geschieht von uns Wenigen verantwortet werden muß. Marx sagte: die Revolution macht das Proletariat, mit seiner Partei. Wer ist bei uns das Proletariat? Warum liegt die Industrie wie tot? Was für ein Proletariat ist das? Kann es bei dieser Industrie Proletarier geben?

BUCHARIN *lacht:* Ja, Schljapnikow johlte: gratuliere euch! ihr seid die Avantgarde einer nichtexistierenden Klasse!

LENIN Marx schrieb nicht über Rußland. Das ist alles richtig für fünfhundert Jahre, trifft aber auf unser Rußland nicht zu. Die Proletarier haben die Macht erkämpft. Aber der Kampf hat sie dezimiert, der Hunger hat sie demoralisiert, der Verwaltungsapparat aufgesogen. Die proletarische Politik der Partei – wird jetzt nicht durch ihre Klassenzusammensetzung bestimmt sondern durch die ungeteilte Autorität jener sehr dünnen Schicht der, sogenannten, alten Garde.

Sie lachen nach und nach sachte, greifen einander in die Bärte, in die Mähnen.

Eine Frage: was wird sein, wenn ein kleiner innerer Kampf in dieser Schicht, *laut:* ein kleiner innerer Kampf, ihre Autorität schwächt, ja untergräbt? Dann wird die Entscheidung schon nicht mehr von uns abhängen.

TROTZKI Es versteht sich, daß ich gerade davon ausgeh, wenn ich mein Bedenken äußere.

LENIN *erregt:* Ich verstehe es nicht!

TROTZKI – Ich muß in den Militärrat, Genossen.

Hinaus. Lenin taumelt, setzt sich.

KAMENJEW *lacht:* Er hat größre Projekte.

SINOWJEW Einen Gesamtwirtschaftsplan – und sich als Leiter.

STALIN Und nicht nur das...

BUCHARIN *dagegen:* Geschwätz!

Lenin beobachtet die Szene, die Hand über den Augen.

TOMSKI Er versteht sich auf Strategie und Taktik, aber nicht auf Strategie und Takt.

KAMENJEW *lacht:* Lew Dawidowitsch braucht keinen Posten. Er ist die Revolution selber.

SINOWJEW Die Geschichte ist seine private Arbeit, er läßt sich nicht hineinre –

Sie fühlen Lenins Blick, verstummen. Lachen.

3

Winziges dunkles Zimmer. Lenin in einem Bett. Vor der Tür Nadeshda auf einem Stuhl, Guétier, Foerster im Reisemantel, großer Koffer.

GUÉTIER Guétier.

FOERSTER Foerster. *Wirft den Mantel ab, reißt Geräte aus dem Koffer.*

GUÉTIER Wie lange, von Breslau bis hier?

FOERSTER Volle fünf Tage.

GUÉTIER Die Anfälle lassen nach. Erbrechen hat aufgehört, Kopfschmerz hält an. Extremitäten rechtsseitig lähmungsartige Schwäche, Störungen des Sprechvermögens.
Blicken zu Nadeshda, die reglos dasitzt. Foerster geht ins Zimmer, ist von dessen Kargheit betroffen. Guétier wartet.
Nadeshda Konstantinowna –
Sie antwortet nicht. Er geht mit Foersters Mantel ab.
LENIN Wir können... deutsch sprechen.
Foerster tritt ans Bett, von Lenins Anblick gepackt.
Sind Sie... wohlauf?
FOERSTER – Sie können hier nicht liegen. Das Zimmer ist hygienisch völlig unzureichend.
LENIN Es ist hier... sehr gut.
FOERSTER Sie werden unseren Anweisungen folgen.
LENIN Und sind... gut untergebracht?
FOERSTER *verblüfft:* Ich?
LENIN Sorgt man für Sie?
FOERSTER Sophienkai, Kommissariat für Auswärtiges.
LENIN *richtet sich auf:* Sagen Sie mir, was ich habe!
FOERSTER Ich bitte Sie, sich völlig ruhig zu verhalten.
Foerster will ihn auskleiden. Lenin läßt sich nicht helfen, es dauert lange.
LENIN Was haben Sie zu Mittag bekommen?
FOERSTER Ich habe Sie zu fragen.
LENIN *nickt:* Schwarze Grütze.
FOERSTER Was ist das?
LENIN *beginnt, das Hemd wieder anzuziehen:* Hören Sie, ich bin kein Fall für die Medizin. Die letzte und schlimmste Form der Unterdrückung, des einzelnen durch sich. Ich muß sehr rasch wieder arbeiten können. Ich werde meinem Körper die Machtfrage stellen: wer wen?
FOERSTER *konsterniert:* An Arbeit dürfen Sie nicht denken!
LENIN Das Denken können Sie mir nicht verbieten.
FOERSTER Ihr Gehirn ist völlig überanstrengt.
LENIN *kämpft mit dem Hemd:* Sie müssen sich wärmer anziehen, Galoschen. Man muß nach Ihnen sehn.
Versucht, etwas auf einen Zettel zu schreiben. Foerster wirft die Instrumente unwillig auf den Tisch.
Ich bin sehr froh, daß Sie dasind. Nadeshda gibt mir keine Zeitungen. Ich werde Sie von der Notwendigkeit der Politik für

meinen Organismus überzeugen. *Lacht:* Er ist das Herz- und Kapillarsystem des Sowjetstaats.

FOERSTER Unzweifelhaft.

LENIN *liest den Zettel vor:* »Es sind alle Maßnahmen zu treffen, damit das Verlangen der Bauern aus den Dörfern Gorki« – da sind wir – »und Sianow nach elektrischem Licht erfüllt wird. Kontrollieren.« Die größten Pläne gescheitert, nur weil in der Exekutive... eine Stockung – *Lacht:* Die halbe Industrie durch solche Zettel gebaut. – Sie sind ja ganz müde?
Fällt aufs Kissen zurück. Foerster zieht die Vorhänge zu.
Wir sind Analphabeten –
mühsam, stockend, während Foerster in der offenen Tür verharrt:
aber kleben an Programmen... die sich nicht halten lassen. Weil der vorausgesagte prinzipielle Inhalt – unsern Möglichkeiten nicht entspricht. Einer unserer fähigsten... will, für Rußland, einen absoluten Plan. Wir sind arme, elende, nackte Wesen. Bürokratische Utopie. Aus der Zeit, in der jeder für sich stand... alles gegen den Staat mußte. Wenn einer seine Natur herauskehrt... Während der Apparat, dem man vorwirft, er hätte zuviel Macht, nicht einmal mit sich selbst fertig wird. Wenn man Trotzkis Fantasie – auf das ganze ZK verteilte! Man muß noch maßhalten mit seinen Fähigkeiten, sonst fliegt man... mit Adlerflügeln... in Dreck. Den Kommunismus – mit den Händen der Kommunisten aufbaun... ist eine kindliche, ganz kindliche Idee. In der Volksmasse – sind wir nur ein Tropfen im Meer! können nur regieren, wenn wir ausdrücken, was das Volk erkennt!

FOERSTER *zu Nadeshda:* Er ist erschöpft. Er fantasiert!

NADESHDA Nein. Er spricht ganz klar.

LENIN Rußland... Bei Hegel steht... der Mensch, seiner Wirklichkeit und der Unwirklichkeit der Welt gewiß. Ja, der Mensch ist von der Welt nicht befriedigt, der Mensch beschließt, sie zu verändern. Ja, unwirkliche Welt.

NADESHDA *plötzlich, vor Foerster auf die Knie:* Sie müssen ihn retten, Professor. Sie müssen ihn vor sich retten.

4

Zentralkomitee. Gedrückte Stimmung.

KAMENJEW Mir ist, als sei meinen Gedanken der Kopf genommen.

SINOWJEW *panisch:* Ohne ihn, ohne Iljitsch sinkt Rußland ins Nichts.

KAMENJEW Sein Auftreten entschied zu neunzig Prozent jede Sache... Selbst meine Handschrift, wenn ich sie jetzt seh, hat sich fast Lenins angeglichen.

SINOWJEW *murmelt:* Ohne ihn sind wir tote Gestirne, denen das Licht der Sonne erloschen ist.

DSERSHINSKI Der Alte – ist kräftig. Er wird die Attacke des Feinds überstehn.

SINOWJEW *springt auf, plötzlich entflammt:* Genossen, wir werden Iljitschs Fahne unterdessen in unsern Fäusten halten. Er soll es wissen. Noch nie war eine solche Einmütigkeit unter uns, noch nie stand die Partei so geschlossen auf dem Schlachtfeld. – Was hoffen sie, die Tintenknechte der Weltbourgeoisie, die ihre Mikroskope in unser Staatsgebäude bohren, um den Spaltbazillus zu finden, dessen Verheerungen es stürzen machen soll? Ihre Optik spiegelt nur ihre eigne erblaßte Visage. Was hofft sie, die Arbeiteropposition, die mit den Stirnfalten des Radikalismus und der Ungeduld einherstolziert? Wir haben ihr die ausgedienten Latschen der Menschewiki von den Hacken getreten. Selbst die Streiks in den Fabriken haben längst ihren politischen Charakter verloren, es sind häusliche Angelegenheiten, die rauhe Sprache der Arbeiter mit ihrem Staat. Wir, wie wir hier sitzen, rücken um Iljitschs Stuhl zusammen und legen die Hände inander zu einträchtigster Arbeit. *Schreit:* Wie die Muschiks sich vor den Pflug spannen, wenn das Pferd gestürzt ist, spannen wir uns vor die Maschine des Staats und reißen sie über den Acker der Geschichte.

Wirft seine Arme um Stalin und Trotzki. Schweigen.

TROTZKI Die greifbar nahen revolutionären Aussichten rücken in die Ferne. Der Kampf ist langwieriger geworden. Er spezialisiert sich. Wir können nicht mehr von den Zinsen des alten theoretischen Kapitals leben. Systematische Arbeit, wissenschaftliche Organisation, Senkung der Selbstkosten der Indu-

strie, Akkumulation, Planung – das sind jetzt die Namen der Parteiarbeit. Alles andere ist vorsintflutliche Agitation.
Schweigen.
Aber – was würden die ökonomischen Erfolge sein, wenn sie alles wären? Selbst sie würden die Partei schwächen, wenn sich im Alltag Praktizismus, Amtseselei, Nullität breitmacht. Das theoretische Denken muß, wie bei Lenin, neue Stellungen stürmen. Nicht nur der Dreischritt des Denkens – sondern der Dreisprung. Es droht uns die Gefahr der Versimpelung, wenn wir nicht den Kampf der historischen Kräfte aufspüren und durch eine Weltorientierung beflügeln.

STALIN Gewiß!

TROTZKI Anders kann sich unsere Revolution nicht selbst erhalten. Die Wirtschaft, dieses historische Hauptlaboratorium der Menschheit, muß die Musterung der Streitkräfte für die Weltrevolution beschleunigen. Wir, wir, müssen mit dem Seziermesser der Analyse in das Gefüge der Gesellschaft eindringen, sozusagen mit kollektivem Schnitt, um unserer Sache, unser selbst sicher zu bleiben!

RYKOW Sie reden von Ihrem Gesamtplan?

TOMSKI Was will er noch!

BUCHARIN Nach der Diktatur der Armee – die Diktatur der Wirtschaft?

MOLOTOW *lacht:* Er macht mir angst. Er hat ein Messer im Kopf.

TROTZKI *kühl:* Was sagt Molotow?

MOLOTOW Genosse Trotzki, nicht jeder kann ein Genie sein.

EINE GENOSSIN *zu Lunatscharski, leise:* Was ist das für ein seltsames Schauspiel?

LUNATSCHARSKI *ebenso:* Schauspiel, ja; aber was für eins. Nicht nur von Leidenschaften, hier kämpfen politische Tendenzen.

DIE GENOSSIN Was, Lunatscharski, ich seh bloß Leute.

LUNATSCHARSKI Leidenschaft – die konnt man in sich selber schlagen. Aber eine Tendenz, die dich zum Sprecher hat, stürzt aus dir in den Kampf, öffnet deine Brust, hängt alle Eingeweide auf die Gasse!

DIE GENOSSIN Ich hoffe, Sie übertreiben.

KAMENJEW *nur zu Sinowjew und Stalin:* Will Trotzki Cäsar spielen, mit Legionen von Thesen.

STALIN Er will Iljitschs Krankheit nutzen. Er fühlt sich als Ibsenscher Held, meint sich berufen, Rußland durch eine Lebenslüge zu retten. Wir müssen Iljitsch warnen.

5

Alexandrowsche Werkstätten. Markin und Anja, lieben sich. Kusmin. Petrow.

KUSMIN Nennt ihr das arbeiten, miteinander.

MARKIN Solln wir es nebeneinander tun.

PETROW Auseinander! Auseinander!

KUSMIN Heißt das: die Fabrik befestigen. Das heißt sie verunsichern.

MARKIN Anjuscha ist mir sicher.

KUSMIN So, besitzt du sie. Sagt das dein Verstand.

MARKIN Ich liebe sie, und das sagt mir mein Herz.

PETROW
Schärfer als des Feuers Glut
Brennt mein junges Herz für dich –
Sag mir eines nur, du Hure
Warum sabotierst du mich?
Markin springt auf. Anja weint herzzerreißend.

KUSMIN Du kommst auf den Hund, Markin. Wirst ein Burschui. Konzentriere dich! Lieben ist – wie ein Glas Wasser trinken. Bist du vom Aberglauben angesteckt?

PETROW Wie ein Glas Wasser.

KUSMIN Ausgetrunken! Das Frauenproblem – löst die Elektrizität.

PETROW Konzentriere dich!

KUSMIN *ballt die Faust:* Wenn sies nicht einsieht –
Markin schüttelt den Kopf. Kutusow.

KUTUSOW Laßt sie! Sollen Sie liebeln, sollen sie dübeln. Das bessert das Leben.

DIREKTOR *kommt:* Genossen – Lenin ist krank.
Viele Arbeiter.

ARBEITERIN Er ist krank –

ARBEITER Er hat uns alles gegeben.

ZWEITE ARBEITERIN Wo immer ein Kampf war, er hat mit einer bloßen Fahne die Feinde verjagt!

ZWEITER ARBEITER In Sibirien, die Weißen waren stärker, da kam er in einem Flugzeug geflogen und schlich sich verkleidet zu den Unseren, und die Bösen wurden in die Flucht geschlagen.

DRITTER ARBEITER Wer wird jetzt für den Arbeiter sorgen?

KUTUSOW Geht nachhause, Rechtgläubige. Laßt uns den Schmerz auskosten.

Fällt auf Knie und Hände. Die Arbeiter wenden sich zum Gehn.

DIREKTOR Was redet ihr? – Iljitsch ist krank! – Unsre Fabrik ist auch krank. Ihr laßt sie verwesen, reißt sie entzwei. Ihr sorgt selbst für euch. Aber so, daß ihr daran krepieren sollt.

Die Arbeiter bleiben stehn.

Ich sage euch, es geht nicht darum, ob unser Leben besser wird. Wir müssen, wie im Kriege, bei der Arbeit Blut und Nerven geben!

KUTUSOW Striemt ihn! Laß seinen Leib verdorren, Gott.

JUNGER ARBEITER Die Töne kennen wir.

PETROW Ja, das hat unser Kommissar Trotzki gesagt.

ARBEITERIN Wer hat es gesagt?

KUSMIN Er hat es gesagt.

KUTUSOW *ehrfürchtig:* Ah? – Dann hat es Lenin gesagt... Lenin hat es gesagt.

ALTER ARBEITER Nein, Kutusow, so haben die Herrn gesprochen.

DIREKTOR *ballt die Faust:* Ja, weil ihr die Herrn seid.

MARKIN *zu Anja:* Verschwinde, Mädchen. Lauf zu deiner Mutter. Mein Schwanz war blind... Lauf, die Tränen sind Wasser. *Lacht:* Ein Glas Wasser!

ANJA – Dich will ich nie mehr sehn!

KUTUSOW Blut und Nerven, ja... Aber das heißt ja: sich selbst ausbeuten. *Bekreuzt sich:* Heiliger Wladimir. Das ist nicht das beßre Leben.

6

Kremlhof. Lenin. Trotzki. Radek.

LENIN Ein Genosse, der aufgibt, der sich an den Rand stellt und zuschaut, über den geht die Geschichte hinweg. – Sind wir denn verloren, nur weil unsre Methoden versagen? Können wir nicht von vorn beginnen? – Wir verteidigen uns nicht mehr gegen Waffen sondern gegen die Apathie. Wir können nicht mehr angreifen. Geben Sie Ihre reinen Vorsätze auf – statt sich selber!

TROTZKI Ich habe immer wieder meine Vorsätze verleugnet und mein Herz an die Zügel genommen – haben Sie mich nicht gespornt, das Transportwesen aus dem Schlaf zu peitschen? Haben Sie mir nicht jegliche Vollmacht für jeden Zwang gegeben, die Massen an die vierzehn Fronten zu reißen und die Feinde mit Schwefelsäure und glühendem Eisen auszubrennen? Nannte man mich nicht den Retter in der Not? – Es ist nicht loyal, jetzt öffentlich zu schrein, man verteidige gegen mich das demokratische Prinzip.

LENIN Wir können den Sozialismus nicht durch Erlasse von oben schaffen; wir hören auf, Sozialisten zu sein, wenn wir die Fragen der Demokratie und der Freiheit als belanglos abtun. Wir können persönlichen Gedankenreichtum nicht brauchen, wenn er nicht drauf zielt, den Reichtum der Massen zu befreien. Sie können nicht länger den Zuchtmeister spielen.

TROTZKI Entweder man will eine Revolution, oder man will sie nicht. Wer das Ziel will muß die Mittel wollen; das Mittel zur Befreiung der Arbeiter ist die revolutionäre Gewalt. – Der Mensch ist von Natur aus faul. Er wird nicht als Held der Arbeit geboren. Auf der Faulheit beruht zum guten Teil der menschliche Fortschritt; weil der Mensch darauf aus ist, seinen Körper zu päppeln und mit der kleinsten Handbewegung möglichst viel hervorzuschleudern, entwickelt sich die Technik und Kultur. Der wirtschaftliche Druck setzt der Faulheit spontan Grenzen. Wir müssen sie bewußt in Grenzen bringen. Daß wir die Arbeit im Interesse der Mehrheit organisieren, heißt nicht, daß die staatliche Nötigung verschämt von der Bühne der Geschichte abtritt. Die Bourgeoisie hat betrogen. Wir pfeifen auf die liberalen und kautskyanischen Märchen. Im Gegenteil, wir müssen die Fiktion der freien Arbeit aus den Köpfen schlagen und das Prinzip der Pflicht einhämmern, das den Zwang einschließt. Der Plan selbst setzt die Unterordnung, die Selbstverleugnung, die militärische Disziplin voraus. Die Menschewiki wollen auf einer Milchstraße zum Sozialismus, unsere Straße hat hartes Pflaster, Zäune und Polizei.

LENIN Ihre Worte sind stark, aber haben ein machtloses Echo. Wir würden die Menschen verlieren. Die Bourgeoisie hält einen

Staat für stark, der mit seinem Regierungsapparat die Massen auf jeden beliebigen Platz dirigieren kann. Wir haben einen andern Begriff von Stärke. Nach unsern Begriffen ist es die Bewußtheit der Massen, die den Staat stark macht. Sollen wir sie gängeln, bevormunden, oder sie bei jeder Arbeit, Schritt für Schritt, zum Gefühl ihrer Fähigkeiten, ihrer Kraft bringen?

TROTZKI Wir, wir, also doch wieder wir! Ihre Worte sind schön, verhüllen aber die Realität.

LENIN Ja, wir sind es, die sie dazu bringen – aber zu sich selbst. Trotzki, Sie sind zu wenig – »Opportunist«, um diesen Widerspruch zu ertragen; Sie sind zu gradlinig, um die Realität mehr als nur zu tangieren. Die Partei hat die Aufgabe, die Tätigkeit der Massen zu lenken, nicht sie zu ersetzen – sie selber muß sich ersetzbar machen. Das ist ihre tiefste Funktion. Eben weil sie ein so ungeheures Experiment mit dem Körper des Volks ist, muß sie mit äußerster Vorsicht vorgehn, immer in Fühlung mit ihm, jede seiner Regungen aufnehmen, ihn nicht fesseln sondern seine gewaltigen Glieder nach deren eingeborenem Gesetz zur Bewegung lösen. Wir wollen kein lebloses, automatisiertes, dumpfes Volk – sondern es lebendig machen.

TROTZKI Wir wollen, wir werden, wir müssen. Lauter Richtzahlen und Wegzeichen! Wo bleibt dazwischen Raum für die Freiheit?

LENIN Unsere Freiheit ist das Vorankommen aller. Eben deshalb gilt mir der Witz und Tiefsinn des einen nicht mehr, als er in den Köpfen der andern einschlägt. Es interessiert nicht das Individuum; das Individuum ist das Volk. Wir müssen unsere Vorstellung von Benehmen und Bildung umwerfen und in uns selbst den Aristokraten stürzen und die Klasse einsetzen. In der Brust – lange genug kämpften zwei Seelen darin.

TROTZKI Sie glauben mich zu treffen; doch von solchen Gedanken bin ich durchlöchert. – Aber sagen Sie mir: verwirklicht denn die Partei in sich selbst die Demokratie? *Lacht, dann:* Was ist der einzelne in ihr?

LENIN *lächelnd:* Stellen Sie sich vor: das beginn ich auch zu fragen. – Es ist wie im Staat: die Demokratie kommt nicht von allein, und man kann sie nicht administrieren. Wir sind Verschworene, und es liegt alles am einzelnen.

TROTZKI Das ist eine schwache Gewähr. Das ist eine Gefahr. *Mit Nachdruck:* Und wie wird sie verwirklicht?

LENIN *geht nicht darauf ein:* Aber das ist ihre Chance, das ist ihre Berechtigung. An jedem einzelnen – aber das ist doch ein Fortschritt. Das ist die Zukunft.

RADEK – Ich für mein Teil wär da froh, wenn der einzelne, an dem alles liegt, immer Iljitsch wär.

TROTZKI *spöttisch:* Wladimir Iljitsch antwortet mir nicht!

LENIN *unvermittelt grob:* Wie ists, werden Sie jetzt mein Stellvertreter! Was Kamenjew zu wenig administriert – Sie gleichen es aus.

TROTZKI Daß mich die Bürokratie erstickt.

LENIN Da können Sie sie »durchrütteln«. Bilden wir einen Block.

TROTZKI Ich meine auch die Bürokratie – des Sekretariats.
Lenin schweigt.

RADEK »Stalin macht was er kann!« – »Eben, eben.«

LENIN *entschlossen:* Beginnen wir – mit dem Außenhandelsmonopol. Flachs kostet in England vierzehn Rubel, in Rußland viereinhalb. Die Öffnung der Häfen – und wir werden nicht mehr gegen die Berufsschmuggler sondern gegen die gesamte Bauernschaft zu kämpfen haben. Noch eh wir Gewinne aus dem Handel ziehn, zieht er uns den Strick um den Hals ... Vertreten Sie unsern Standpunkt, von mir aus auf Ihre Art, Lew – wie ein Löwe.

TROTZKI Das will ich tun.
Lenin rasch über den Hof ab.

RADEK Hat Iljitsch mit jemandem Ärger, so liest er ihm alle jene Gebrechen an der Zunge ab, die in dem berühmten medizinischen Buch stehn, das er über die Kinderkrankheiten verfaßt hat.

TROTZKI Meinst du, er ist noch böse auf mich? – Er ist der Größre, der einzige, dem ich mich anschließen kann. Ich habe auch einen großen Nachholbedarf an Unterordnung – seit unsern Emigrationskrawallen!

RADEK Die fällt dir gewiß schwer, da du, scheints, den Stock verschluckt hast, mit dem du deine Armee geprügelt.

TROTZKI *stolz:* Ich würde sagen: ich habe den Stock verschluckt, mit dem die Bourgeoisie das Proletariat geprügelt.

RADEK Mein Robespierre. »Wie verfährt die Natur, um Hohes und Niedres im Menschen zu verbinden? Sie stellt Eitelkeit zwischen hinein.« Schiller.

TROTZKI Mein St. Just – »Die Eigenliebe läßt uns sowohl unsere Tugenden als auch unsere Fehler viel bedeutender, als sie sind, erscheinen.« Goethe.

RADEK »Aus einem kleinen Fehler kann man einen ungeheuerlich großen machen, wenn man auf ihm beharrt, wenn man ihn tief begründet, wenn man ihn zuendeführt.« Lenin.

TROTZKI »Was kann dem festen Willen des Menschen widerstehn? Der Wille erfaßt die ganze Seele, wollen heißt hassen, lieben, bedauern, sich freuen, leben; der Wille ist die Macht, die aus dem Nichts Wunder erstehen läßt.« Lermontow.

RADEK Ich sehe, du siehst nicht nur in der Geschichte, auch in der Literaturgeschichte nur dich selbst. Radek. Weißt du auch, was Demjan Bedny von dir sagt? »Ich liebe ihn, aber ich fürchte mich vor ihm.«

TROTZKI Das ist Poesie.

RADEK Die Russen lieben die Poesie.

TROTZKI – Übrigens, Lenin hat doch recht, Karl. Habe ich nicht immer auch das gesagt? Wie wir mehr von uns einbringen – das ists. Mir war, als spräch ich selber jedes Wort! – Vielleicht treib ich alles auf die Spitze, weil mir schon bei dem Ansatz unwohl ist –. Und, es macht mir Spaß zu widersprechen, um meine eignen Zweifel antworten zu hören – und meiner Gewißheit gewisser zu werden.

RADEK *zum Himmel:* O Gott, was hast du mit diesem jetzt vor?

Die Kremlglocken läuten dumpf. Sie schweigen, lachen dann.
Die alte Zeit verfolgt uns. – Sie zählt unsere Stunden.

TROTZKI Aber... wer den Durchbruch will, kann sich nicht mit dem Mittelmaß einlassen.

RADEK Dann wird er einsam sein.

7

Arbeitszimmer. Lenin in einem Stuhl, gezeichnet von einem zwei-
ten schweren Anfall. Foerster, Guétier und andere Ärzte umstehen
ihn. Im Vorraum Nadeshda, hält Stalin auf.

NADESHDA Er darf nicht sprechen.

STALIN Sehn – !

NADESHDA Es ist nicht erlaubt. Der zweite Anfall war furcht-
bar...

STALIN Haben Sie Trotzki vorgelassen?

NADESHDA Aber Josif Wissarionowitsch –

STALIN *gibt ihr etliche Blätter:* Ein Artikel, über Strategie und
Taktik. Nichts Aufregendes! Ich erhebe natürlich keinerlei Anspruch, irgendetwas Neues zu sagen. Ist vielmehr ne kurze und
schematische Darlegung seiner Ansichten.

NADESHDA *überrascht:* Von Ihnen! –

LENIN Es ist diesmal schlimm, wie? Sagen Sie die Wahrheit...
Das ist doch Paralyse? – Und das geht doch... weiter?
*Die Ärzte wollen ihn gewaltsam ins Bett heben. Er klammert
sich an den Tisch.*

FOERSTER Sie müssen vernünftig sein.

LENIN Das geht doch weiter – vernünftig, weiter? Ihr Idioten!
Die Ärzte rasch hinaus.

GUÉTIER Er ist geistig schon wieder frisch. Es ist erstaunlich.

FOERSTER *ergrimmt:* Frisch fromm fröhlich frei.
*Die Ärzte ab, Stalin mit ihnen. Nadeshda und durch eine andere
Tür Fotijewa ins Zimmer.*

LENIN Schnell, schnell; ich muß... die Zeit... stehlen.
Fotijewa schreibt.
Trotzki. Wie mir scheint, ist es gelungen, die Positon... Außen-
handel... ohne einen Schuß zu nehmen, durch ein einfaches
Manöver. Ich schlage vor, nicht stehnzubleiben und den Angriff
fortzusetzen.
*Versucht, den Arm zu bewegen, richtet sich halb auf. Nadeshda
hebt abwehrend die Hände.*
Stalin hat den georgischen Fall aufs Korn genommen. *Lacht
kurz.* Er will alle Republiken in die russische... aufnehmen.
Das wär ja das alte Völkergefängnis, rot angestrichen. Ordsho-
nikidse – zu physischer Gewaltanwendung hinreißen lassen.
Brechreiz. Fotijewa sieht bestürzt auf.
Die »Einheit des Apparats« sei nötig gewesen. Wer sagt das?
Doch derselbe... Apparat, den wir vom Zarismus, und nur
oberflächlich mit Sowjetöl... gesalbt haben. Soll der sowjeti-
sche Arbeiter... in dieser Flut... ersaufen, Fliege in der Milch?
Erschöpft: Trotzki sagt vorsichtig: das Sekretariat... Stalin,
ausgerechnet Stalin? Seine Eilfertigkeit, Befehlen... Wut. Ist in
der Politik – überhaupt von größtem Übel. Das ganze georgi-

sche ZK abgedankt. Während er selbst... ein wahrer und echter großrussischer Haltsmaul!

Erbricht sich. Nadeshda bettet ihn zurück.

NADESHDA Du darfst nicht sprechen, Wolodja – nicht sprechen.

LENIN *dagegen:* Ich habe alles... nicht zuende... gedacht. Man muß dem... auf den Grund gehn. Was ist mit der Staatsmacht? *Überlegt angestrengt.* Die Partei übt sie jetzt praktisch allein aus, durch keinerlei Kräfte kontrolliert. Da die Arbeiterklasse... schwach ist, herrscht die Partei über sie, auch über die Arbeiter... in ihren Reihen. Gut. Der Apparat... leitet die Arbeit, wählt die Kader... wird ebensowenig kontrolliert durch die Partei wie die Partei durch das Volk. *Hält seinen Kopf.* Wir konnten das... noch nicht studieren. Das Sekretariat besetzt alle... Posten, transportiert die Unbequemen... an den Rand. Der Parteitag, die Union – damit alles überhaupt... leben kann – Wir müssen die politische Struktur... ändern, die Vormacht... brechen? Das ist ein »Staatsstreich«. Ich kann nicht denken.

Sein Kopf fällt auf den Tisch. Fotijewa sitzt starr.

NADESHDA *nach einer Weile, ernst lächelnd:* Wir können nicht fragen, was es uns kostet. – Unsere Körper sind wahrhaftig eingerichtet für eine bessere Welt, die Natur war optimistisch; sie hat uns ein Herz in die Brust gesetzt statt einer Maschine, und Blut statt Eisendraht. Sie hat uns vorausentworfen – in eine Zeit, in der sich die Last verteilt auf viele und der Harmonie unsres Körpers eine Harmonie der Gesellschaft entspricht, in der jeder gleiches wert ist an seinem Platz, und ein gleiches Wort mitspricht, mit gleicher Energie schlägt! Und da es schon kein Plan war, müßt man doch gerührt sein von diesem Muster an Organisation, das ohne jeden Zwang, ohne blutige Opfer lebt. Wir müssen uns mit diesen Körpern durchschlagen... in eine Gesellschaft, die sich selbst fühlt, und bewußt hinschreitet mit ihren Gliedern, wie eine schöne Gestalt!

LENIN *zerknirscht:* Warum bin ich so wichtig – der Eine? Jeder einzelne... aber der Eine. Meine Hände – fast gelähmt... Wie soll ich den Staat fahren? Schljapnikow sagt: der Wagentyp ist gut, aber die Chauffeure... aus Hochmut, die Chauffeure sind schlecht. – Ich behalt den Posten... An die Wand mit mir.

LIED DER GLEICHEN

Um gleich zu sein mit unsresgleichen
Setzten wir herab die hohen Herrn
Um nicht mehr um ihren Tisch zu schleichen.
Denn wir sitzen mit am Tische gern.
    Bolschewik, lauf voran.
    Rauf die Dummheit aus dem Land.
    Lern einfach eine Sache tun
    Und den Hochmut an die Wand.

Um gleich zu sein mit unsresgleichen
Gilt uns auch der Letzte als Genoß –
Und wir müßten vor uns selbst erbleichen
Wenn nicht seine Tat in unsre floß.
    Bolschewik, lauf voran.
    Rauf die Dummheit aus dem Land.
    Lern einfach eine Sache tun
    Und den Hochmut an die Wand.

Um gleich zu sein mit unsresgleichen
Paßt sich nimmer jeder jedem an:
Denn zu leichte sich die Zeiten gleichen
Reißt nicht jeder aus sich, was er kann.
    Bolschewik, lauf voran.
    Rauf die Dummheit aus dem Land.
    Lern einfach eine Sache tun
    Und den Hochmut an die Wand.

Um gleich zu sein mit seinesgleichen
Um nicht mehr um den Tisch zu schleichen
Und nicht mehr vor uns zu erbleichen
Damit die Zeiten sich nicht gleichen
Und um uns so nun auszuzeichnen
Und um die Steine zu erweichen.

8

Straße. Menschenmenge. Mitro. Direktor, eine junge Dame am Arm.

MITRO Bürger, einen Zehner, um aufs Wohl der Union – Selbstge-
brannter nur . . . Herr Direktor. Alle fünfzig Nationen, ohne
Knute. *Beäugt die Dame:* Noch ein Scheinchen, um auf das
Heil der Seele –
DIREKTOR Verzieh dich, Mitro.
MITRO Ja, wir sind alle eine Familie, die Länder.
DIREKTOR Nicht eine Familie, eine Klasse.
MITRO Nein, eine Familie. Es sind unsere Brüder.
DIREKTOR Ja, es sind unsre Genossen.
MITRO Nein, ergebensten Respekt – es sind unsere Brüder.
DIREKTOR Das ist dasselbe.
MITRO Nein . . . Seine Brüder kann man sich nicht aussuchen.
DIREKTOR Hast getrunken, Dummkopf.
MITRO *verbeugt sich:* Deine Seele – auf einem Schlitten soll sie
dahinfliegen, Herr. – Da streiten sie, ob Union oder Föd- Föd-
Föderation, meine Brüder! Wir lieben uns. Und wenn sie nicht
wollen, werden wir sie aufs Haupt schlagen.
Markin und ein Bauer.
MARKIN Paß auf, Muschik, wie ich schreiben kann. Du mußt es
lernen.
DER BAUER Zeig mir, zeig mir.
MARKIN Das ist das A – Arbeiter. Das ist das B – Bauer.
DER BAUER Na, das ganze Wort. Hier auch, das Wort.
MARKIN Das genügt.
DER BAUER Es genügt nicht. A – das kann auch heißen – Aussau-
ger.
MARKIN Was sagst du, willst du mich provozieren? B – das kann
auch heißen: Be – Betrüger! Burschui!
DER BAUER Siehst du?
Kusmin und Kutusow.
KUTUSOW Ja, weißt du, die Masse, sie werden den Platz ganz
dünn trampeln.
KUSMIN Stalin hat die Gründung der Union verkündet.
KUTUSOW Ja, weißt du, die Scheibe, sie wird hier auseinanderbre-
chen.

KUSMIN So? Hast du heut nicht Trotzkis Truppenparade gesehn? Der Rote Platz war schwarz davon.

KUTUSOW Ja, Stalin und Trotzki, die beiden werden sich festhalten, aber die vielen werden hinunterstürzen.

KUSMIN Eine Scheibe? Weißt du, daß die Erde eine Kugel ist?

KUTUSOW Wer sagt das? – Das hätte Gott nicht getan.

KUSMIN Du bist doch Materialist – Arbeiter! Die Naturgesetze, sie haben den himmlischen Vater ... nun, verjagt. Die Elektrizität. Bist du schon im Zirkel gewöhnlichen Typs?

KUTUSOW Das ja – aber wer weiß, vielleicht gibt es einen Gott, es wird besser sein, sich mit der Macht und mit der Allmacht gutzustellen, damit es uns gutgeht.

KUSMIN Und statt der Kirche, Genosse – glaub ans Kino. Du mußt in den Zirkel höheren Typs.

KUTUSOW Gut, gut. Ich werde so ein künstliches Lämpchen an das Muttergottesbild machen.

KUSMIN Häng Lenin dazu.

Der Direktor und seine bejahrte Frau, die einen Brief schwenkt.

DIREKTOR Was willst du, Sinaida? Warum kommst du zurück?

DIE FRAU Dein Brief – was hast du für Brief geschickt – *bricht in Tränen aus.*

DIREKTOR Es steht alles drin. Was soll ich noch tun?

DIE FRAU Schickst mich zu meinen Eltern – und schreibst einen Brief. Ich Unglückliche.

DIREKTOR Das ist kein Unglück. Denk an mich!

DIE FRAU Liebst mich nicht mehr? Hab ich nicht alle Jahre mit dir verbracht, in die Verbannung ... und im Hunger? Willst mir Rubel schicken – du Lump. Hast das Flittchen.

DIREKTOR Wie läufst du herum. Wie siehst du aus! Laß uns gehn.

DIE FRAU Verlaß mich nicht, Wanka. *Fällt auf die Knie.* Zwanzig Jahr war ich dir –

DIREKTOR Du bist zurückgeblieben. Wirfst dich hin. Steh auf, Liebe. – Geh zum Teufel!

Markin und der Bauer.

MARKIN Aber du – bist ein politischer Analphabet.

DER BAUER Siehst du, ich sag: warum vor den fremden Kapitalisten verbeugen? Verbeugen wir uns vor unserm Mütterchen Erde.

MARKIN Und warum liefert ihr zu wenig Korn? *Packt ihn an der Brust.*

DER BAUER Ja, Herr – Bruder – siehst du, die Macht sagt: zahlt jetzt Steuern, aber der Bauer denkt: das Unheil hat wollene Socken.

MARKIN Das sagst du, Kulak-Kulakowitsch?

DER BAUER Ja, ich sag es nicht – ich denk bloß. Bist du ein Befestiger? Aber ich hab einen Mund, dem geb ich zu essen, der muß reden was ich will. Ja, ihr seid gut, ihr macht es kommunistisch, ihr seid vielleicht Heilige, ihr solltet schon bei Lebzeiten in Himmel kommen – aber, hol euch der Teufel, im Agrarkodex ist ein Fehler. Die neuen Läden, siehst du, ein kleines Säckchen Knaster – kost mich ein Pud Roggen. Ein Arschin Kattun –

MARKIN Aber, kannst ihn in Frieden rauchen.

DER BAUER Das sag ich doch, Herr. Sag ich was anderes? Aber man sollt nicht elektrifizieren, man sollt pferdifizieren. Da sagt Iwan Petrowitsch: siehst du, der Hammer liegt auf der Sichel –

MARKIN Ja, Iwanuschka der Tölpel!

Sie ringen. Böllerschüsse.

Da, wir feiern den Zusammenschluß. Die Einheit.

DER BAUER Die Einheit. Die Menschenheit.

Umarmen sich. Anja und der Händler.

MARKIN Anjuscha, was treibst du? *Ballt die Faust.*

ANJA Wir gehn aus.

MARKIN Mit ihm. Mit dem NÖP-Mann? – Wir werden dich in die Produktion eingliedern!

ANJA Eingliedern –? Was redst du für Schweinerei? *Lacht.* Du meinst, bei dem Stand der Dinge –

MARKIN Dich will ich nie mehr sehn.

ANJA Solls mir nicht gutgehn – willst du das, he? Wo ist das Paradies – na? Ich will leben. – Ach, lauf auf dem Schwanz.

9

Das Arbeitszimmer. Lenin im Bett. Nadeshda.

LENIN *wieder mühsam, leise:* Die Einheit. Und wenn es gerade diese »Einheit« ist ... wenn Stalin – die uns lähmt? Die Einheit heißt nicht ... einer – würde die Partei reglos, sprachlos.

Foerster, Guétier. Lenin sinkt zurück.
FOERSTER Eine Disziplin.
LENIN Meine deutsche Großmutter.
GUÉTIER Nein, Ihr Verstand. Was Sie jetzt schweigen, nutzt den Genossen Jahre.
FOERSTER Wir ruhen, Exzellenz.
Die Ärzte ab.
LENIN Wenn er... Herr sagt, hat er mich nicht gemeint.
Nadeshda hält ihn nieder. Fotijewa. Nadeshda verstellt ihr den Weg.
Was steht in deinen Schulfibeln? »Der Frau den Weg frei.«
NADESHDA Es steht auch drin: »Alle zum Kampf gegen die Zerrüttung.«
LENIN Entweder Sie... schreiben, oder ich lasse mich... nicht heilen.
FOTIJEWA Wie?
LENIN An den Parteitag.
Fotijewa setzt sich, steht wieder auf, setzt sich wieder.
Ich rate zuerst... Zahl Mitglieder ZK auf einige Dutzend... oder sogar hundert –
Nadeshda setzt sich überrascht, spricht erregt die Sätze zuende.
Dem ZK droht sonst... große Gefahr, wenn nicht
NADESHDA der Gang der Ereignisse ganz günstig verliefe.
LENIN Damit müssen wir aber rechnen. Weil Konflikte kleiner Teile in ihm
NADESHDA eine zu große Bedeutung bekommen könnten.
LENIN Ausschlaggebend... solche Mitglieder wie Stalin und Trotzki. Die Beziehungen... zwischen ihnen – sind
NADESHDA der größere Teil der Gefahr, und
LENIN Nein, schreiben Sie: mir scheint, mit der prinzipiellen Frage... allzu eng
NADESHDA die persönliche Frage verflochten.
LENIN Unsere Partei auf zwei Klassen, und Sturz... wenn zwischen beiden Klassen – Unwahrscheinlich. Ich meine... Gefahr in allernächster Zeit, wenn nicht Maßnahmen – insoweit
NADESHDA solche überhaupt getroffen werden können.
Lenin sieht zum erstenmal Nadeshda an. Sie ist kalkweiß.
LENIN *zu Fotijewa, laut:* Rufen Sie Foerster.
Foerster und Guétier herein.

Sehen Sie Nadeshda an.

Nadeshda bricht in Tränen aus. Foerster und Guétier führen sie hinaus. Fast lautlos:

Genosse Stalin hat, nachdem er Generalsekretär, eine unermeßliche Macht... in seinen Händen... konzentriert! Nicht... vorsichtig genug Gebrauch macht.

Fotijewa will aufstehn.

Anderseits Trotzki – schon sein Kampf gegen das ZK... wegen Plankommission und... nicht nur hervorragende Fähigkeiten. Persönlich... ist er der fähigste Mann, aber... ein Übermaß an Selbstbewußtsein.

Fotijewa krümmt sich zusammen.

Diese zwei Eigenschaften beider hervorragender Führer können... unbeabsichtigt... zur Spaltung führen.

Fotijewa steht auf, läuft steif, wie benommen, immer schneller, zu ihrer Tür.

10

Politbüro.

STALIN Lenin ist krank und braucht ne Ablösung. Sie kennen seinen Zustand: schlimm. – Warum lehnt Trotzki seine Stellvertretung ab? Wir wollen die Arbeit zügig fortsetzen, an der Industrie und auf dem Land. Warum drückt er sich vor der Pflicht? – Sie glaubten nie, uns zu brauchen, Lew – vor 1917 nicht und nach 1917 nicht. Sie vertrauen auf die Logik der Geschichte, nicht auf die Moral der Truppe. Weil man das Mandat der Geschichte hat, braucht man nicht noch das des Rats der Volkskommissare! – Er will nicht der Stellvertreter Lenins sein, will er seinen Posten? Ja, warum streiten Sie es nicht ab? Warum schreien Sie nicht aus voller Lunge, wenn so was behauptet wird? Haben wir keine Zeitungen? Ich würd das, gottbewahre, nicht auf mir sitzen lassen. Schert Sie nicht, was der Bodensatz empfindet?

TROTZKI *im Sitzen:* Die etwas verworrenen Ausführungen des Genossen Stalin enthalten einen wahren Punkt. Meine Ernennung würde mich im Moment politisch ausschalten. Warum? Weil das Sekretariat, da es selbst schlecht arbeitet, sich jetzt schlecht in die Regierungsgeschäfte mischt und über die Köpfe anweist. Stalin hat schon in der Arbeiter- und Bauerninspektion gepfuscht und gezeigt, wie ers macht. – Wozu die Aufregung? Ich will nur sachlich erläutern. Solange die Produktion nicht streng rational läuft, lebt das Unbewußte in ihr fort. Wie nun leiten, ohne in die bürokratischen Räder zu kommen? Im Staatsapparat ist einer dem andern untergeordnet. In der Partei sind wir alle gleich, das heißt, die Partei kann die Erfahrungen der Dreher, der Direktoren, der Ladenschwengel und der Erfinderinnen berücksichtigen und vereinen. Das ist ihr einmaliger Vorzug, der sie instandsetzt, die Linie der Führung festzulegen. Dazu ist selbstverständlich Demokratie erfordert.

RYKOW Das sagen Sie!

TROTZKI Wenn aber, erwäge ich, die Methoden des Staatsapparats auf die Partei übergreifen und sich eine kleine Gruppe für alle abstrampelt, muß sie zu einer Verwaltung ihrer Vollzugsorgane werden, vom organisatorischen Kram erstickt und von den täglichen Sorgen lebend. Weil die Partei, erwäge ich, klüger ist als jedes Staatsorgan, so doch nicht der einzelne Sekretär oder – der Generalsekretär. Wenn er sich, erwäge ich, mit seinem untergeordneten Apparat eng an den Staatsapparat bindet, kann ihn das von der lebendigen Partei trennen, und es passiert, wie die Deutschen sagen, daß du zu schieben glaubst, aber geschoben wirst. Dann, erwäge ich, müssen wir die Partei erneuern.

SINOWJEW *sofort:* Wann, dann.

TROTZKI Wenn sie nicht mehr den Gemeinsinn der Führung spürt. Wenn das ZK nicht geistig arbeitet und dadurch den Staatsapparat schwächt. Wenn es die Posten von oben besetzt und dadurch Inaktivität und Duckmäusertum fördert! Wenn es für sich zu leben beginnt und dadurch das größte Übel, Fraktionen, provoziert.

KAMENJEW *sofort:* Das ist unerhört. Sind Sie vom Saulus zum Paulus geworden?

TOMSKI Er ist vom Revolutionsplatz zum Kropotkinufer gelangt.

STALIN Das ist eine Entstellung des leninschen Organisationsplans. Lenin will das ZK erweitern, Sie wollen es – spalten.

TROTZKI Warum weigern Sie sich dann, Lenins Plan zu drucken? Wollen Sie mich zwingen, auf dem Parteitag darüber zu sprechen? Sie werden mich zwingen. – Nichts wäre schlimmer als

die automatische Bewegung im alten Gleis. Man muß die Notwendigkeit einer Wende erkennen, muß sie wollen und – vollbringen. Starrheit war nie ein Merkmal des Erfolgs. Sie würde uns machtlos machen – in Minuten, die alle Konzentration des Bewußtseins und des Willens fordern!
Schweigen.

SINOWJEW *erhebt sich:* Eine solche Komödie, Genossen, haben wir hier noch nicht gesehen... Die Partei hat mit der NÖP die Massen zum zweitenmal erobert. Das Volk streckt seine mageren Glieder. Es fühlt, daß es in einem genesenden Land lebt. Die Industrie hebt sich aus der Kreide heraus. Das Brot ist nicht mehr das brennendste Thema in den Betten. Die Bauern zahlen das Korn fast ohne Zwang. Selbst die Dichter melden, das Schlimmste sei vorüber... Wer wagte das vor einem Jahr zu hoffen? Arbeiter spendieren einen Stundenlohn, eine Fahne für die Revolution zu kaufen! Das Volk denkt nicht mehr wir und sie. In seinen Augen könnt ihr einen Funken sehn, den ihr im Blick der unterdrückten Proleten nicht findet – einen Funken, den das gigantische Erleben schlug und aus dem der Realismus der erwachten Klasse sprüht. *Schreit:* Aber Genosse Trotzki spricht von Gefahr und Verderben. Das ist eine pyramidale Übertreibung. Seine rationalen Pläne werden in der Luft zerreißen wie sein Befehl Nr. 1042 über die Reparatur der Eisenbahnwaggons. Was sagt denn Trotzki? Erst will er die Gewerkschaften zu einem willenlosen Brei stampfen – jetzt stachelt er die Arbeiter gegen die Willkür an. Erst preist er das Personalprinzip und verdrischt die Kollegialität zu leerem Stroh – jetzt verlangt ihn, mit Jepischka und Mikeschka die Dekrete in der Kneipe auszuhandeln. Erst spornt er den Staat, vor seinem Verschwinden, wie eine Kerze vorm Ausgehn, noch einmal hell aufzulodern und die Bürger rücksichtslos zu umfassen – jetzt denkt er ihn umzuwandeln in einen freizügigen Klub. Erst treibt er eine Politik zum Zähneknirschen – jetzt läuft er in den unschuldigen Kleidern der Demokratie einher.

BUCHARIN *schreit verwirrt:* In den Kleidern, die er der Arbeiteropposition vom Leibe riß!

Trotzki springt auf, stürzt zur Tür, will sie aufreißen, sie öffnet sich nur langsam, will sie hinter sich zuschlagen, sie schließt sich nur langsam.

KAMENJEW – An die Arbeit, Genossen.

Sekretariat des Zentralkomitees.

II.I

Stalin. Sinowjew. Kamenjew.

STALIN *ins Telefon:* Nadeshda Konstantinowna – was unterstehn Sie sich? Woher kommt es, daß Iljitsch über die laufenden Vorgänge – Das Politbüro hat ihm jede Tätigkeit untersagt. Sein Schriftstück über die Arbeiter- und Bauern-Inspektion beweist – wie wollen Sie das der Kontrollkommission erklären, *schreit:* daß Sie den Kranken gefährden und ihm nicht erlauben, gesund zu werden? *Fängt sich, legt schweißgebadet auf.*

KAMENJEW Sei nicht zu streng mit dem Alten.

STALIN Er schreibt und schreibt... Jeden Tag ein Artikelchen. Was treibt ihn? Ein Ding schärfer als das andere!

SINOWJEW *froh:* Wenn er kritisiert – wird er gesund. Er ist übern Berg. Was sagte ich Achtzehn nach dem Attentat? Marat wurde vom Volk nach seinem Tod geliebt – ihn liebt das Volk schon im Leben. – Der Seufzer der Erleichterung brandet bis an sein Ohr!

STALIN Er schreibt wie gehetzt. Woher, woher diese Sorge? Die Partei wird ihn nicht verstehn. Worauf will er hinaus? *Liest:* »Staatsapparat... derart traurig, um nicht zu sagen abscheulich« –

KAMENJEW Das heißt nicht, daß er nicht »eine große geschichtliche Erfindung« sei.

STALIN »Geschäftigkeit, die den Anschein von Arbeit... während sie in Wirklichkeit unsere Institutionen und Gehirne verunreinigt« – *blickt lächelnd auf.*

KAMENJEW Das heißt nicht, daß sie nicht »die Arbeit ganzer Jahrhunderte« einschlösse und »ein Triumph des Willens über die Trägheit der Materie« sei.

STALIN »Der Plankommission Gesetzesgewalt geben. Ich trat dagegen auf, aber... einen gesunden Kern« – Er gibt ja Trotzki recht! Er schreibt bei ihm ab!

KAMENJEW Nein, Genosse Trotzki ist abgeschrieben. Er setzt

sich selbst ins Unrecht. *Traurig:* Der Löwe konnte brüllen im Zirkus Modern. Aber er findet keinen Ton für den Alltag. Seine Natur erlaubt ihm, den Anfang zu tun, aber nicht die endlose tägliche Wiederholung... Wir haben aber nicht die Kraft zu einem ewigen Anfang.

SINOWJEW *heiter:* Wir drei sind wohl soviel wie er. Wir werden unser Werk nicht einem Ehrgeizigen ausliefern.

STALIN – Sie werdens nicht verstehen; Lenin ist zu grob. Mit uns kann er so reden, aber die Masse? Kuibyschew schlägt vor... diesen Artikel nur in einer Separatnummer zu drucken, nur für Iljitsch – damit er ruhig ist –

KAMENJEW Nein. *Entschieden:* Wer nicht wagt, über alles die volle Wahrheit zu sagen, hat kein Recht, Genosse zu sein. Denn seine Feigheit zeigte nur sein Mißtrauen gegenüber der Geschichte, das heißt gegenüber dem Volk. – Also, lassen Sies nun der Prawda! – Kommen Sie, Grigori, hier ists zu kalt; Josif, den Bedürfnislosen, störts nicht, und seine besten Freunde erfrieren.

Berija herein.

SINOWJEW *im Hinausgehn:* Nun, Archivwurm, warum so blaß? Ihre Arbeit färbt auf Sie ab – graben in totem Zeug.

KAMENJEW Soll er die Vergangenheit korrigieren? Versuchen wir, die Zukunft zu korrigieren.

Mit Sinowjew lachend ab.

STALIN Was gibts, Berija?

Berija zögert, geht wieder hinaus.

11.2

Stalin. Berija.

STALIN Nun – was gibts heut?

BERIJA Genosse Stalin, bei der Vorbereitung der Trotzki-Werke, hier wieder so ein Brief.

STALIN Nun? Lies.

Berija zögert.

Lies.

BERIJA 1912, an Tschcheidse: »Als sinnlose Täuschung erscheint das schmutzige Cliquen-Gezänk, das der Meister in diesen Sachen, Lenin, entfacht, dieser professionelle Ausbeuter des Rückständigen in der russischen Arbeiterbewegung.«

STALIN – Lies es noch einmal vor.

BERIJA »Als sinnlose Täuschung erscheint das schmutzige Cliquen-Gezänk, das der Meister in diesen Sachen – – entfacht, dieser professionelle Ausbeuter des Rückständigen in der russischen Arbeiterbewegung.«

STALIN Noch mal. Lies noch mal. – Ja!

BERIJA »Als sinnlose Täuschung erscheint das schmutzige Cliquen-Gezänk, das der Meister in diesen Sachen – – entfacht, dieser professionelle Ausbeuter des – – in der russischen Arbeiterbewegung.«

STALIN Gib her. Er wirds nicht drucken lassen, aber wahr ist: er hats geschrieben. – Die Wahrheit kann man wissen – Kamenjew sagts!

Berija hinaus.

Das schrieb sein Ehrgeiz: der auf eine rote Jacke geht. Und einen Säbel, wenn möglich, um recht zu haben. Aber recht hat, was wirklich ist. – Unter ihm – hätten wir nichts zu lachen, die Revolution wäre ein Possenspiel. Er ist kein Kumpel mit gradem Sinn, er denkt um drei Ecken, die Abweichung ist seine Lebensart. Ich habe noch nicht erlebt, daß er mich anschaut; ich besonders bin ihm Luft. Luft! Nun, das ist wahr: ich falle nicht auf, ich glänze nicht, aber keiner kommt ohne mich aus – und vielleicht bin ich die Luft, die die Partei braucht. Ich werd mich nicht verflüchtigen... sie werden nicht ins Leere reden. – Bin ich weniger als er, weil ich im dunklen Rußland blieb, verbannt in meinen Kopf? Hab ich nicht das Wissen aller parat? – Sind wir nur, was in unsrer Haut steckt. Wir wären erbärmliche Krämer. Es kommt alles in uns herein, und wir können nichts behalten; was sind wir, als Fasern in einem Leib, wir müssen uns alle bewegen in diesem riesigen Sack. – Ich möchte grad herauslachen und mir selber um die Schultern fassen. Was sind wir, wenn nicht alle, die herauswollen aus ihrem Dreck? »Menschen wie Schatten, ihre Taten wie Felsen.« Der Geist von Hunderttausenden schafft viel Gewaltigeres als das Genie kann. Wir setzen uns aus allen zusammen; ich glaube, da liegt das Zeug, daß wir Kolosse werden. – Ich will ihm seine Weisheit aus den Hirnfasern ziehn und uns zu eigen machen, sie ist nicht sein Eigentum, es ist alles abgelesen an unsrer Arbeit. – Was kann er dann gegen uns? Er hat im Ausland Rußland verlernt: Einer auf dem Feld ist kein Krieger.

12

Standesamt. Beamtin. Anja, schwanger. Markin.

BEAMTIN Ich sage, Sie sind der Vater. Sie müssen die Beziehung zu ihr schon wieder aufnehmen.

MARKIN *finster:* Ich der Vater? Ist noch nicht mal das Kind da.

BEAMTIN Sie hat Sie angegeben, Bürger. Damit es dann klar ist.

MARKIN Warum mich? Sie hat mit vielen ... angegeben.

BEAMTIN Ja und? Fallen ist keine Schand, aber liegenbleiben.

MARKIN Wer daliegt, über den läuft alle Welt.

ANJA *schwach:* So!

MARKIN Sie hat – mit den Händlern hat sies in ganz Samoskworetschje!

ANJA Hab ich? Nichts hab ich. Genossin, ich hab wie nur an den gedacht. Schon mein Vater und sein Vater waren

MARKIN Was? Ich kenn sie kein Jahr, sie ist hier zugelaufen.

ANJA und schon mit zehn wurden wir uns versprochen, das ist wahr, und ich hab ihm die Treu gehalten, und mit dem Händler Petka, ich hab ihn nie angeschaut, ich hab im Schlafsaal gewohnt und mich nicht ausgezogen nachts, weil man ja weiß was ist, wenn sie da hereinkommen, ich bin jetzt noch schuldlos, wie mich meine Mutter, das ist wahr, bloß wenn er mich überredete, ich will ja nie, ich haß es gradezu, bloß ihm zuliebe hab ichs – geduldet, und kein Auge zugemacht, weil ich an ihn denken mußt, und wurd vor Trauer schwanger, das ist wahr, und den Händler will ich nicht, ich kenn ihn nicht, und ich sagte gleich Schluß, wie zu allen, was macht mir das aus? aber ich schwör, ich weiß nicht was er spricht.

MARKIN *starrt sie an, fast reuig:* Ja, Anja – was du redest?

BEAMTIN Wer so lügt, muß ihn ja lieben. *Wütend, zu Markin:* Ein Händler. Meinst du, ein Händler wär ein Vater für das Kind? Schämst du dich nicht?

MARKIN *zerknirscht:* Ja, ich – wie soll ich wissen, wer es ist? Warten wir bis es da ist.

BEAMTIN Du Schwein. Daß es zu spät ist. Daß wir die Position preisgeben.

MARKIN Aber der Beweis. Ich muß es sehn.

BEAMTIN Willst du einem Menschen, der noch gar nicht da ist, ein rückständiges Leben geben? Soll in seiner Herkunft stehen: Bourgeois? Ein Kind, ein neues Leben! – Nichts ist mit Warten. Kannst du lesen?

MARKIN *buchstabiert:* Arbeiter.

BEAMTIN Siehst du? Das ist auch ein Sieg, in der Welt. – Du wirst sie befestigen, du wirst dich selbst befestigen. Du bist registriert, du bist der Bessere für sie.

MARKIN *nickt, dann kleinlaut:* Und wenn ich sie – nicht leiden kann?

BEAMTIN Das hast du dir eingeredet. Wie willst dus wissen? Nimm die Beziehung zu ihr wieder auf.

ANJA *steht auf:* Das eilt doch nicht. *Verbeugt sich, geht durch die Tür hinaus.*

MARKIN *zur Beamtin:* Es eilt nicht.

In Abstand finster hinter Anja her, an großen Plakaten vorbei. Lasarew, Meyerhold, Tretjakow.

LASAREW Ja, Tretjakow, Wortfunktionär – ich habe die Bewegungen der menschlichen Gedanken als elektromagnetische Wellen fixiert. Die Theorie der Ionenbewegung schlägt eine Bresche in die Hirnschale. Wir sind nahe daran, das Denken materiell zu fassen. Wir brauchen bald nicht mehr den Umweg über die Agitation – wir können uns direkt mit unseren Hirnfasern auseinandersetzen!

MEYERHOLD Oh, Lasarew, Gedankenbauer, welche Aussichten bei diesen Einsichten in die Absichten! Ich begnüge mich damit, auf meiner Bühne die Vorhänge abzureißen und den Rundhorizont aufzubrechen, das Bühnenbild abzubaun bis auf die nackte hölzerne Konstruktion, damit die Leute nicht vergessen: es ist alles Theater, wie im Leben. Die Schauspieler habe ich schon gut mechanisiert – die Theorie der Biomechanik ist die Psychologie des Revolutionärs.

TRETJAKOW Klar, Meyerhold, Menschenbildner. Das Dasein – ist ein Chaos. Die Revolution – ist die Hand, die es ordnet, organisiert. Ihr Schlagring – die Kunst, die die Vernunft zerschneidet, schweißt und montiert. Unser Epos – die Zeitung, die Sprache der Fakten, Zahlen, Dokumente. Weniger Intimität, mehr Radio. Die Kunst muß den Menschen hochreißen von seinem Teig, in ihr muß er sich modellieren nach den Gesetzen des Kollektivs!

Stößt mit Markin zusammen.

Hoppla, Mensch, was träumst du? – Komm mit, Bürger, in den Klub, wir werden den neuen Menschen entwerfen.

MARKIN *vor sich hin:* Es eilt nicht. *Läuft Anja nach.*

TRETJAKOW *deklamiert:*

Das Dasein – stumpf.
Das Dasein – träg.
Arbeiterklub
Das Dasein schlägt!

13

Politbüro, ohne Lenin und Sinowjew. Sie stehen im Zimmer verstreut.

KAMENJEW Das wird der erste Parteitag ohne Iljitsch sein. Das wird das erste Mal sein, daß ein Redner an Lenins Stelle tritt.

STALIN Genossen – ich schlage vor, Genosse Trotzki gibt auf dem Parteitag den politischen Bericht. Keiner kommt infrage als er. Aus seinem Mund will die Partei die Lage erfahren, er soll Lenin vertreten. Stalin bittet euch: stimmt zu.

TOMSKI *nur zu Bucharin:* Er spricht für Dawidytsch? Kratzt sich ein bei ihm!

BUCHARIN *nur zu Tomski:* Kamenjew erzählt – von einer Bombe, die Iljitsch plant. Josif ... kann sein Testament machen.

TROTZKI Nein. Keiner sollte an Lenins Stelle auftreten. Keiner von uns kann Lenin ersetzen. Ich denke – den politischen Bericht ganz weglassen. Genosse Stalin kann zu einigen Punkten der Tagesordnung sprechen, von Amts wegen, als Generalsekretär; und ich bekenne hier, ich bin gegen die Maßreglung Stalins und Dsershinskis wegen der georgischen Geschichten, ich bin für die Einheit des ZK. Stalin sollte seine Thesen – revidieren und sich bei Nadeshda entschuldigen, ich bin für den Status quo in der Führung. Er soll den administrativen Druck aufgeben und für den Kurs der Industrialisierung stimmen.

TOMSKI *nur zu Bucharin:* Keiner für Lenin. So bleibt doch höchstens nur er.

BUCHARIN. *nur zu Tomski:* Das ist sicher, wie das Amen der Partei.

STALIN Wenn Dawidytsch nicht spricht – das würde die Partei nicht einsehn. Der angesehenste Führer muß das Hauptreferat halten, der Führer, dessen Name in allen Resolutionen genannt wird. – Ich möchte Ihnen sagen... hab alles getan, was Sie von mir verlangten. Ich habe Ihre Notizen in meine Thesen aufgenommen, jeden Satz. Hab mich bei Nadeshda entschuldigt. Unsere Einheit ist eine Realität. Ihre Stimme wird die Einheit verkünden.

TROTZKI Das wird sie ohnehin – wenn Sie mir erlauben, das Referat über die Industrie zu halten, das mir das Wichtigste ist.

STALIN Das bekommen Sie ohnehin – und den politischen Bericht.

TROTZKI Nein, nicht den Bericht, kein Bericht – sprechen Sie.

STALIN Nein, Lew Dawidowitsch, ich bin für Sie.

TROTZKI Schön, ich bin für Sie.

TOMSKI *nur zu Bucharin:* Jeder fürchtet sich, in der Haut Lenins zu erscheinen.

BUCHARIN *nur zu Tomski:* Und legt seine eigne gleich mit ab.

TROTZKI Den politischen Bericht maße ich mir nicht an.
Schweigen.

KAMENJEW Nun gut, Sinowjew, wenn er aus dem Urlaub kommt – vielleicht ist er bereit zu paradieren.
Trotzki sieht Kamenjew erstaunt an. Stalin lächelt.

BUCHARIN *nur zu Tomski:* – Er hat die Waffen abgeliefert.

TOMSKI *nur zu Bucharin:* Man wird glauben, daß er welche versteckt hält.

14

Das Arbeitszimmer. Lenin bewußtlos im Bett. Vor der Tür Nadeshda, zusammengebrochen. Foerster.

FOERSTER Liebe Gnädigste! *Hilft ihr hoch.* Sie sind kalkweiß.

NADESHDA Ich muß zu Iljitsch –

FOERSTER Sie müssen sich ausruhn.

NADESHDA Nein, still – Das war es, ja: es war mir, als wär er tot. Er war gestorben, ohne daß wir es merkten, ich trat in sein Zimmer, und er war schon begraben. Es war ein eisiger Tag, die Bäume erfroren in den Straßen, und die Vögel starben in der Luft und fielen wie Steine vom Himmel. Die Leute saßen auf den Bordkanten und weinten, weinten tagelang vor sich hin, und die Tränen vereisten ihre Gesichter. Sie brannten große Feuer an, um sich zu wärmen, aber sie saßen an den Flammen und es blieb ihnen eiskalt. Und er schlug ihnen auf die Mützen, daß sie aufstehn sollten – Iljitsch, er ging unter ihnen, obwohl er gestorben war. Und sie wußten, er war tot, und hörten ihm doch zu, und sprachen mit ihm, und er lachte und fluchte weiter! Sie gingen schließlich nachhause, und er ging mit; sie kamen wieder wo zusammen, und er war da. Es war, als würd er noch leben, und sie redeten ihm nach, und er dachte in ihren Köpfen. – Aber er lebt ja doch? Aber mir war, daß er tot war. Wie kann er da noch reden? Er kann nur immer dasselbe sagen, was er gesagt hat. Wie kann er es zuende denken? Wenn er nicht mehr lebt und hört, was sich verändert? Wenn er tot ist, und nicht mehr sieht, wie es geht? Er hat nur seine alten Worte und trägt sie aus, und alle nehmen einen Mund voll davon und kauen seine Sätze, bis sie Asche sind, denn sie denken auch: er lebt! Und er ist doch tot! tot!

FOERSTER Nadeshda!

NADESHDA Warten Sie. Aber er lebt ja. Was ist unser Leben? Er riß es an sich. Die Menschen, Menschen. Frauen. Mich. Er klammerte sich an die Menschen. Selbst die, von denen er sich trennte. Die Menschewiki. Auf dem zweiten Parteitag, als wir sahen, die Spaltung war unvermeidlich – die Nacht durch saßen wir auf, er fieberte, er war bleich. Die Leidenschaft für alle hat ihn verbraucht. – Aber er hat auch alle anderen verbraucht – uns blieb nicht weiter unser Leben, oder sie fielen tiefer zurück. Sein Leben waren Genossen, der Kreis, den er um sich schloß. Er ist sein Leben, daß er sich selbst gab. – Das hört nicht auf.

FOERSTER Sehen Sie.

NADESHDA Nein, warten Sie – sein Leben also, lag nie an ihm nur, und bald hat er nichts mehr damit zu tun, die anderen... den andern überläßt er es, was er noch ist, sein Tod liefert ihn gänzlich aus.

FOERSTER *gepackt:* Aber welchem Kreis, Nadeshda. Welchem
Leben. Nicht das Pantheon der Geschichte – die Arena der
Gesellschaft birgt ihn!

LENIN *kommt zu sich, spricht stoßweise:* Sinowjew... Kamenjew... Stalin.

Nadeshda und Foerster in das Zimmer.

Triumvirat –

*Bewegt heftig den linken Arm. Foerster beugt sich über ihn.
Lenin verstummt. Zornig:*

Wie geht es... dem Apparat? – Foerster, Sie verlieren ja... Ihr
Sprechvermögen! – Haben Sie den Auftrag... mich – lahmzule-
gen?

Foerster verläßt den Raum. Nach einer Weile:

Beschlüsse... Industrie.

NADESHDA *suggestiv:* Der Parteitag ein Erfolg.

LENIN *nickt:* Erfolg. – Industrie. – Genossenschaft. *Spricht unverständlich.*

NADESHDA Was –

LENIN Partei –

*Spricht unverständlich, fühlt es, schlägt mit der Hand um sich.
Nadeshda setzt sich.*

Triumvirat. – Kapitulation.

NADESHDA Du meinst – Lew Dawidowitsch.

LENIN *nickt heftig, dann:* Kompromiß... elender. – Läuft über. –
Eben nicht... der Mann.

Spricht unverständlich. Schweigen.

Erfolg. Industrie.

Schweigen.

Kapitulation. Statt Stalin zu erl –

NADESHDA Die Einheit, Wolodja – für die Einheit!

LENIN *richtet sich auf, plötzlich klar:* Nadja? – *Ruft:* Doktor.
Meine Frau... viel kranker als ich. – Glauben Sie. – Helfen
ihr.

*Wird ohnmächtig. Nadeshda läuft zur Tür. Sinowjew ihr entge-
gen, wirft sich auf den Boden.*

NADESHDA Genosse Grigori –

SINOWJEW *stammelt:* Iljitsch! Sie dürfen nicht sterben. Josif...
wird uns erdrücken. *Schreit:* Sie dürfen nicht sterben.

15

Alexandrowsche Werkstätten. Kutusow, Kusmin und andere Arbeiter. Markin, liest die Zeitung. Direktor.

KUTUSOW Wie, kein Lohn?

EIN ARBEITER Kein kleines Scheinchen, keine Tscherwonze.

KUTUSOW Kein Lohn? Soll ich mit leeren Taschen vor meine Alte, ihr die Pinke abbangen für ein Gläschen Kwaß?

DIREKTOR Weil nichts verkauft wird, Dummkopf.

KUSMIN Haben wir auch nicht gearbeitet? Schau in die Liste. Haben wir uns nicht verkauft, wie?

KUTUSOW Wir sind in eine Falle geraten.

MARKIN Ich les, und denk ich seh nicht recht.

ZWEITER ARBEITER Liest Löcher ins Papier. Du hast uns angetrieben!

MARKIN Hört. *Liest langsam:* »Es kann Augenblicke geben, da der Staat – da der Staat keinen Lohn zahlt oder nur die Hälfte zahlt, und du, Arbeiter, deinem Staat – deinem Staat einen Kredit gibst.« – In der Prawda, Männer.

ERSTER ARBEITER Ja, das ist die Wahrheit. – Am Staat liegts.

KUTUSOW Am Staat? Es sind die Unseren. Begreif ich das?

DIREKTOR *lacht:* Aber, meine Herren. Es liegt nicht am Staat, es liegt an der Situation.

ZWEITER ARBEITER Aber der Staat hat sie gemacht. Du kannst dirs nicht aus dem Leib schneiden. Zwing den Staat!

DIREKTOR *bleich:* Was haben Sie vor?

KUTUSOW Ja, wir sind die Herren, und so beschließen wir denn, nicht zu arbeiten. Soll der Staat sich blicken lassen. Oder der heilige Wladimir soll seine Hände –

MARKIN Hört. »Absatzkrise, weil, die Industriepreise steigen, und der Brotpreis sinkt vergleichsweise, vergleichsweise. Das ist die Schere, die das Bündnis der Arbeiter und Bauern zerschneidet, zerschneidet.« – Ja, das ist ja! Dann liegt es an uns.

DIREKTOR *lacht:* Vergleichsweise.

MARKIN Wir könn doch lesen. An uns liegts, Kusmin.

KUSMIN Aus der Flasche trink ich nicht.

MARKIN Ja, faste mit dem Geiste und nicht mit dem Bauch.

KUTUSOW An uns? Wir sind die Unseren. Es ist unsere Situation!

DIREKTOR Meine Herren, meine Herren.

MARKIN Uns hätte man hinaussäubern müssen, Einundzwanzig. Kategorie »gewöhnliche Karrieristen«. Kategorie »Mangel am elementaren Verständnis«.

Der Direktor lacht Tränen.

An die Prawda werden wirs schreiben. Könn wir nicht schreiben?

ZWEITER ARBEITER Sie sind dumm, Kutusow. Sie gehn zu weit. Hätten wir ihn gezwiebelt, den Staat.

KUTUSOW Wasch mir den Pelz, und mach mich nicht naß. Begreif ichs, und begreif ichs nicht, so begreif ichs – denn es ist neu. Komm!

Alle ab. Radek, Pjatakow, Trotzki vorbei.

RADEK Kennt ihr den? »Sind, um die Wirtschaft aus dem Gleis zu bringen, ein oder zwei Interventionen nötig?« – »Keine. Es genügen die vier Jahreszeiten.« – Wißt ihr, wer die Witze macht? Der Klassenfeind erfindet sie, der Parteiapparat verbreitet sie, und der Staatsapparat führt sie aus.

PJATAKOW Siehst du, L. D., daß wir recht haben? Die Plankommission – auf dem Papier. In den Werkstätten – das Chaos.

TROTZKI Ja, und es kommt von oben. Der Fisch stinkt am Kopf.

PJATAKOW Er hat keinen Kopf mehr, und der Körper bewegt sich in alle Richtungen zugleich: er zersetzt sich.

RADEK *lacht:* Also hat Grischa Sinowjew recht, uns zuzurufen: Laßt das Denken und seid einig!

TROTZKI Sie sagen: alles für das Bündnis der Arbeiter und Bauern und nicht für den Produktionsplan. Sie sehen das innerste Wesen der Sache nicht: es kann kein Bündnis geben ohne die richtige proportionale Planung und Leitung.

RADEK *lacht:* Ja, das innerste Wesen muß ja zutage treten: wenn der Leib zerfällt. Aber das Wesen ist nicht die ganze Sache: wenn du sie darauf reduzierst, wirst du sie auch zerfleischen.

PJATAKOW L. D., wir müssen eine Konferenz aller aktiven Genossen fordern, die die Widersprüche aufdeckt, die uns spalten – damit die Einheit nicht die der führenden Fraktion ist sondern die der Maßnahmen, die die Wirklichkeit diktiert.

TROTZKI *grob:* Lenin ist krank. Die Wirtschaft ist krank. Wenn die Partei euch in dieser Stimmung vor Dingen warnt, die ihr gefährlich scheinen, so hat sie recht, selbst wenn sie übertreibt,

weil jetzt – alles doppelt und dreifach verdächtig ist! – Ich werde
die Einheit verteidigen, rücksichtslos gegen alle, die ihr zuwi-
derhandeln. *Läßt die beiden stehn.*

RADEK *lacht:* Und Stalin wird heil davonkommen. Es wird ihm
wie dem Mädchen ergehn, von dem man sagt: seine Ehre ist
wiederhergestellt – es hat zwar ein Kind, aber ein so kleines,
daß es nicht lohnt, darüber zu reden.

16

Das winzige dunkle Zimmer.

LENIN *ausgekleidet am Boden, die Hände um den Kopf, mühsam:*
Nein, nicht so fort… Nicht mehr diese Gedanken fortwäl-
zen… in diesem leblosen Leib. Redner… in einer Ruine.
Schweigt. Hebt den Kopf: Die einen verderben, und die andern
beginnen. Das Unglück – ist nur der Augenblick in der Geschichte, nicht mehr ihr Ende… Man muß sich nur bewußt…
in dieses Treiben stellen, mit aller Lust… und nicht aufhören
bis nicht das letzte Quentchen… verbrannt ist. *Schweigt. Wirft
sich herum:* Aber – denken können, und nicht handeln – das ist
schlimmer… als tot.

17

Das winzige dunkle Zimmer. Lenin wach im Bett.
Politbüro. Sinowjew, Kamenjew, Stalin, für sich an einem Fenster.
*Trotzki, Bucharin, Tomski lachend um Radek, der auf den Händen
steht.*

> RADEK Seht ihr? So hats die
> deutsche Sozialdemokratie
> angestellt, die Macht zu be-
> halten – angestellt… es ist
> eine Angestelltenpartei. In
> dieser Lage fällt natürlich die
> Goldmark aus den Taschen.
> *Steht.* Schreibt mir ein Ge-

nosse aus Hamburg, auf der Rückseite eines Zehntausendmarkscheins – aus Sparsamkeit. Er spart dabei glatt 190 000 Mark.

Lachen. –

SINOWJEW Das sage ich, diese Revolution – ist seine Stunde. Er drängt auf die deutsche Revolution, und er hat alle militärische Macht in seinen Händen!

STALIN Er wird sie nie gegen uns benutzen. Er hat nur Narren und – Redner zu Freunden.

SINOWJEW Er wird sie nie benutzen, aber die Situation wird ihn benutzen. Es ist die Gelegenheit, die sich den Mann sucht – uns wird sie nicht finden. –

RADEK Und heute, nach vier Wochen, müßte der Genosse auf einen Millionschein pinseln. – Meister Stresemann hört mit seinen roten Ohren die Weltrevolution rauschen, aber er stellt sich mit dem Rücken zu ihr. Die Arbeiterklasse wird sich in ihre Wellen werfen. Die bleiernen Poincarés – wenn sie wider den Strom waten, wird die Geschichte über sie schreiben, was sie über Wilhelm Zwo schrieb, als er in der Ukraine Ähren las: Die Revolution kam nicht zu Wilhelm, da kam er zu ihr und ist an ihr gestorben.

LENIN *ruft:* Zeitungen.
Fotijewa bringt eine Zeitung, setzt sich zu ihm. Lenin nimmt sie ihr aus der Hand.

Berlin – *Handbewegung:* Europa.

Die Zeitung entfällt ihm, er wird ohnmächtig. Fotijewa hinaus.

Lachen. –
KAMENJEW Sie wird uns einig finden. Lieber mehr, aber besser...
STALIN Woroschilow. Eventuell auch Laschewitsch.
SINOWJEW Ich wär für Stalin.
STALIN Immer sachte voran. –
RADEK Machts gut! Ich muß Brandler die Gefühle der russischen Frauen zeigen: sie reißen sich für ihn die Eheringe vom Finger, um das Gold und Geld der deutschen Revolution zu spenden. Im Siminschen Theater riefen sie: Sagt mir, Frau geh hin und hilf den Deutschen – ich geh auf der Stelle los und verlasse Mann und Kind!
Ab. Sinowjew, Kamenjew, Stalin an den Tisch; dann auch, noch lachend, Trotzki, Bucharin, Tomski.
SINOWJEW Uns alle haben die ROSTA-Nachrichten alarmiert. Bevor wir unsere internationalen Aufgaben erörtern, möchte ich angesichts des Ernsts der Lage einen Vorschlag machen. Wir sollten Genossen Trotzki als Leiter des Revolutionären Militärrats mehr unterstützen – indem wir ihm neue Mitglieder zur Seite stellen. Ich denke an Woroschilow und Laschewitsch. Am besten wäre Genosse Stalin.
TROTZKI *springt auf:* Ich habe

auf diesen neuen Akt des Mißtrauens gewartet. – Ich trete von allen meinen Ämtern zurück. – *Schreit:* Ich bitte, mich als einfachen Soldaten der Revolution nach Deutschland zu schicken. *Schweigen.*

TOMSKI *nur zu Bucharin:* Er wählt die Flucht nach vorn . . .

BUCHARIN *nur zu Tomski:* Es ist die Flucht unserer Revolution.

Nadeshda und viele Ärzte herein, untersuchen Lenin.

TROTZKI *beruhigt sich:* In Deutschland ist eine einzigartige Situation. Frankreich kann Deutschland im Schwitzkasten halten, aber es kann Deutschland nicht ernähren. Frankreich geht selbst in die Knie, mit diesem Koloß. Zweitens: England wird ein zufriedener Zuschauer sein beim Aufmarsch, drittens, unserer Roten Armee. Viertens: der Enthusiasmus unsrer Massen, der beweist: wir brauchen diese Revolution. Die wirtschaftliche Kooperation würde den deutschen Arbeitern Rohstoffe verschaffen und uns Maschinen. Die Schwierigkeiten beider Völker schreien danach, daß sie ihre Zukunft vereinigen! – Fahrplan der deutschen Revolution. Die Mehrheit der Arbeiter gewinnen. Räte bilden beziehungsweise Betriebsräte mobilisieren. Rätekon-

(Lenin kommt zu sich, dreht verstimmt den Kopf weg. Die Ärzte hinaus.)

Deutschland!
Nadeshda nickt.

greß einberufen. Wichtigste Kräfte auf Vorbereitung des Endkampfs, möglichst nahen Zeitpunkt des Aufstands bestimmen. *Setzt sich, macht sich Notizen.*

TOMSKI *nur zur Bucharin:* Er wird sich mit neuem Ruhm bedecken.

BUCHARIN *nur zu Tomski:* Oder als Held sterben, um uns ganz in den Schatten zu stellen.

Schreiben!
Nadeshda richtet ihn halb auf. Gibt ihm einen Stift.

SINOWJEW *erhebt sich, bedächtig, eindringlich:* Nein, dann beanspruche ich, als Präsident der Internationale, nach Deutschland gesandt zu werden!

NADESHDA Das A.
Lenin schreibt mit der linken Hand.

Schweigen. Leidenschaftlich: Das Rollen der Ereignisse tönt in den Kammern unserer Herzen wider. Ganz Rußland hört auf den eisernen Schritt der deutschen Proletarier. Die Riesenklasse unserer Brüder beginnt sich zu überzeugen: sie kann die Geschichte nicht überlisten, es gibt keinen Sieg ohne Kampf. Die Stunde ist da. – Zweiundzwanzig Millionen Arbeiter!

Das B.
Lenin schreibt.

Wir hatten, großzügig gerechnet, zehn Millionen, bei der dreifachen Bevölkerung. Bei uns ein Häuflein – dort die Masse. Das wird eine klassische proletarische Revolution. Lenin hat recht: in Europa wird es schwerer

Arbeiter.
Lenin schreibt.

sein, die Revolution zu beginnen, aber viel leichter, sie zu Ende zu führen. Diese Revolutionen ruhn auf Eisenbeton, sie können sich den Luxus leisten, unsere Fehler auszulassen! – Welche Taten, welche Wunder das gestählte, gebildete Proletariat Europas vollbringen wird, wenn es nicht mehr aus dem Mangel und der nackten Not heraus operiert, davon können wir noch nicht einmal in unseren Träumen wissen! Genossen, es leben die Revolutionen in der Welt.

Alle stehen auf.

Bauern.
Lenin schreibt.

LENIN *schreibend:* Na – desh – da. *Lacht.*

STALIN *ernst:* Lenin ist noch immer nicht in unserem Kreis zurück. Die Zentrale kann keinen der beiden wichtigen Führer entbehren. Ich verzichte darauf, Mitglied des Militärrats zu sein, wenn es der Einheit dient.
Reicht Trotzki die Hand, der sie, seine Notizen vorm Gesicht, nicht sieht.

LIED VOM KOMMUNISMUS

Einmal, und das wird bald sein
Fließen die Flüsse bergauf
Und keinem wird es mehr kalt sein
Und die Sonne geht winters auf.
Von selbst fast deckt da der Tisch sich –
Brüder, ein Genuß!

Unser Leben ist nicht mehr das Rinnsal
Sondern der Überfluß.

Einmal, das kann uns glücken
Bestimmen alle den Plan
Und keiner beugt mehr den Rücken
Und kein Feiger dient sich voran.
Mit eignen Gedanken denken
Ist uns ein Genuß –
Unser Leben ist nicht mehr das Rinnsal
Sondern der Überfluß.

Einmal, wenn es bald wäre!
Gibts nicht mehr meins und deins
Die Grenzen setzen die Meere
Und die Länder sind alle eins
Die Liebe eint nicht mehr zwei nur –
Allen ein Genuß
Unser Leben ist nicht mehr das Rinnsal
Sondern der Überfluß.

18

*Das winzige dunkle Zimmer. Lenin im Stuhl. Nadeshda.
Sekretariat des Zentralkomitees. Stalin, Sinowjew, Kamenjew,
sprechen sehr rasch.*

NADESHDA Wir müssen wieder sprechen.
LENIN *äußerst mühsam:* Ja.
NADESHDA *liest:* Unser Ziel
ist es
LENIN *undeutlich:* Unser –
Ziel – ist es –
*reißt das Blatt aus dem
Buch, starrt darauf, zerknüllt es. Krupskaja glättet
das Blatt. Lenin lacht, wird
ohnmächtig usw.*

SINOWJEW Die Diskussion in
den Fabriken gerät außer
Kontrolle, alle sind erregt
und verwirrt. Der Artikel
der 46 kursiert; Pjatakow bekommt Mehrheiten, wo immer er auftritt!
STALIN *die Pfeife zwischen den*

Zähnen: Haben wir die Diskussion nicht erlaubt, ja verlangt? Sie ist kein Zeichen der Schwäche sondern der Aktivität.

KAMENJEW Es sind seine Worte. Die 46 reden nach, was Trotzki vorsagt.

STALIN Er hat es nie öffentlich gesagt. Sein Brief war an uns gerichtet. *Lacht.*

SINOWJEW Das beweist nur, er hat die 46 selbst inspiriert!

KAMENJEW Jetzt ist es klar: er will alles oder nichts. Gut, er will nicht die Macht, denn da müßte er handeln – aber er will eine »schöne« vollkommene Revolution.

SINOWJEW Er sitzt in Kislowodsk und schreibt Artikel über die Kunst! Er steht daneben, und fühlt sich verdrängt. »Wer wird dich, Titus Titytsch, schon vor den Kopf stoßen? Du selbst stößt ja alle anderen vor den Kopf!«

KAMENJEW Das Ende der deutschen Revolution gab seinen Träumen den Rest. Gehts aufwärts – steht er bei uns, stockt die Entwicklung – stürzt er nach vorn.

STALIN *lax:* Ist denn die Diskussion ein Wunder? Sie ist verdient. Die Partei war zu sehr etwas... wie ein System von Institutionen, mit unteren und höheren Angestellten, statt daß in ihr alle gleich sind. Dadurch wurde die richtige Linie etwas... entstellt. Zweitens ist die Partei unterm Druck des sehr bürokratischen Staatsapparats. Das ist, wie man irgendwo sagt... mit dem Schieben, aber wo du geschoben wirst. Drittens nicht die richtige Kollektivität. Die Beförderung entgegen dem Willen der Mehrheit, das Prinzip der Wählbarkeit verletzt, Inaktivität und Duckmäusertum. Die automatische Bewegung im alten Gleis, statt die Notwendigkeit ner gewissen... Wendung zu erkennen.

SINOWJEW – Aber so – formuliert das Trotzki!

STALIN Ja, haben wir nicht mit ihm eine Linie gefunden? Er hat dem neuen Kurs zugestimmt. Er hat gestern die Resolution des Politbüros unterschrieben. Eben das entkräftet die Opposition.

KAMENJEW Haben Sies so in Krasnaja Presnja gesagt?

STALIN Ungefähr.

SINOWJEW Es klingt wie ein Plagiat.

STALIN *lacht:* Wir haben ihm recht gegeben, wo er recht hat. Oder haben Sie Angst vor seiner Kritik?

SINOWJEW *verwirrt:* Wir?

LENIN *richtet sich auf:*
Müssen ... zuende

STALIN Und ich habe in Krasnaja Presnja gesagt: war er es nicht, der gegen schrankenlose Diskussionen auftrat? Es wäre lachhaft, sich auf ihn zu berufen.

Steht überlegen da; Sinowjew und Kamenjew bleich vor Zorn. Dsershinski stürmt mit einer Zeitung herein.

Wird wieder ohnmächtig. Nadeshda eilig hinaus.

DSERSHINSKI Er hat einen offenen Brief an die Arbeiter von Presnja geschrieben. Er stellt sich darin der Zentrale gegenüber. Er stellt die Partei dem Apparat gegenüber! Er stellt die Jugend den Kadern gegenüber! Er preist die Studenten als Barometer der Bürokratie! Er fordert Freiheit für Gruppierungen, das heißt für die Fraktion!

Stalin steht erschreckt. Sinowjew und Kamenjew treten zu ihm.

KAMENJEW *doziert:* Die Deichsel der Beschuldigungen ist gegen uns gerichtet. Aber es geht nicht um Personen, hinter den Personen tobt eine Schlacht der Fakten. Sie sagen in den Fabriken: die Zentrale wolle die Zellen mit dem Gespenst der Spaltung schrekken. Es geht nicht darum, ob jemand die Spaltung will – die Spaltung ist nicht gemacht worden, die Spaltung hat sich gemacht.

SINOWJEW *schreit demonstra-*

tiv: Trotzki sagt: ich habe
recht, ihr habt nicht recht.
Man muß ihnen das Reden
verbieten. Man muß sie aller
Ämter entheben. Man muß sie
verhaften. Verhaften.

STALIN *fängt sich, lacht:* Aber
Grigori! – Immer sachte
voran.

19

Hauseingang in Gorki. Schnee. Lenin sitzt auf der Treppe. Vor ihm kniet ein Schuster, zieht ihm Schuhe an. Lenin kann nicht sprechen, drückt sich aber mimisch aus, so daß es der Schuster nicht merkt.

DER SCHUSTER Moment, Moment. Ein Wetterchen. Kampf zwischen Sonne und Frost... ein politischer Himmel. Nu, noch kein Wetter zum Gehn. Das hat Zeit. – Die Diskussion, wie wir auftreten? – Er paßt auch nicht... Ja, auftreten, wie soll ich auftreten – ich hab keine Sohlen im Kopf. *Singt:*
Sollst mich nicht fragen
Wills dir nicht sagen.
Nu, im Schnellkurs – die Fremden schreiben: macht erst die Revolution, wenn ihr reif seid. Äpfelchen, wo rollt ihr... Nein? Nicht erst? Mal Nikolai den Schnapsbrenner verjagt und die Kadetten, und so eine viel bessere Straße, und wir laufen hin – wo der Sozialismus anfängt? *Wiegt den Kopf:* Bin kein Gelehrter, es leuchtet mir ein, was Sie sagen. Jedes Volk macht seinen eigenen Stiefel. Aber die Diskussion... halt mich heraus. Wir wollen warten, bis die andern Völkerchen sich erheben, erheben, nein? Müssen auf eignen Füßen stehn. Was man lieb hat, kauft man teuer. – Laufen, es muß noch nicht sein. Können sich noch nicht halten. – Nu, ich red nicht mit. Aber, es ist bei uns wie im Märchen. Der Arme lieh sich Rubelchen und wills nicht zahlen, der Reiche will ihn verklagen. Da erbat der Arme auch des Reichen Stiefel, seinen Pelz, sein Pferd, um vor den Richter zu fahren, und auch das Benehmen, Worte zu machen für seinen Vorteil. Hätt er bloß die Rubel gehabt, die Strafe hätte ihn ereilt;

da er aber auch die Stiefel hatte und den Pelz am Leib, wurd dem Reichen nicht geglaubt, und er kam frei. Nu, sehn Sie: wir haben die Wohnung der Herrn, auch ihre Möbilarien verteilt, und die Fabrik, und die Freiheit, sagt man. Und wenn wir alles haben, wirds uns der Richter nicht absprechen; geben wir etwas her, wird man uns alles nehmen, versteh ich recht? Also, man muß die Freiheit festhalten, wie das Brot. Ja, wenn wir schrein, findet sich immer eine Krume mehr, die uns noch zukommt.

Lenin hebt sich langsam auf die Beine, steht. Der Schuster, erstaunt:

Du kannst ja stehn – Genosse, du kannst stehn. *Steht auch auf:* Du hast recht, hast mir das gut erklärt... ich werd es so sagen. Du kannst... mit mir rechnen. Kannst mit mir rechnen.

20

Schneefeld. Lenin in Foersters Mantel. Krupskaja am Boden.

LENIN Alle Beamten im Kremlhof antreten lassen! Abzählen! Jeden zehnten erschießen! – An mehr kann ich nicht denken. *Lacht. Dann:* Mein geliebter bester Stalin, bitte verschaff mir Gift, du bist der einzige, den ich darum bitten kann.

Umarmt die Erstarrte linkisch, fällt auch, sie versucht ihn aufzuheben, sie schleppen sich kindlich krähend fort.

21

Gesamtrussische Konferenz.

STALIN Derselbe Mann, der in der Öffentlichkeit schwieg, als es in den Fabriken krachte, entdeckt plötzlich, daß das Land in Gefahr ist und daß er, Trotzki, dieser Patriarch der Bürokraten, ohne Demokratie nicht leben kann. Derselbe Mann, dessen Wortgeprassel über das Durchrütteln uns noch in den Köpfen dröhnt. Es ist lachhaft. Er will wieder durchrütteln, aber diesmal die Partei. Er braucht die Demokratie als Steckenpferd, als strategisches Manöver.

EINE GENOSSIN Warum stoßen Sie Genossen Trotzki vor den Kopf!

STALIN Es war ja alles gut! Es ging alles glatt. Aber er tritt mit seinem Brief hervor, und verdirbt alles. Sie sagen: den Artikel Trotzkis verbieten. Das wäre für das ZK äußerst gefährlich gewesen. Versuchen Sie einmal, einen Artikel Trotzkis zu verbieten, der in den Zellen bekannt ist! Wer hat wen vor den Kopf gestoßen? Es ist wie in den Theaterstücken: »Wer wird dich, Titus Titytsch, schon vor den Kopf stoßen? Du selbst stößt ja alle anderen vor den Kopf!«

Heiterkeit.

Und warum? Weil er während der ganzen Diskussion den Willen der Partei, die seine Meinung hören wollte, ignorierte, weil er nicht auftrat. Man wußte ja nicht: für wen ist er denn nun – für das ZK oder für die Opposition! Auch heute ist er nicht anwesend. Man sagt, er sei ernstlich krank. – Nehmen wir einmal an, es wär so. Aber seinen Artikel konnte er schreiben. – Ja, weil er ein Übermensch ist, der über uns steht, der über dem Parteikampf steht, für den keine Gesetze geschrieben sind. – Dem läuft die Opposition nach und preist zugleich das Genie Lenins. Pjatakow sagt: bei Lenin wären die Fragen rechtzeitig entschieden worden, die neuen Ereignisse im Keim erfaßt und die Losungen vorweg ausgegeben worden. So, warum stand Pjatakow dann manchmal gegen Lenin?

PJATAKOW Ich hab mich nach meinem eignen Verstand gerichtet.

STALIN Da mußten Sie ja danebenhauen.

Heiterkeit.

Was will denn Pjatakow sagen? Daß Lenin uns überragt? Aber ist das nicht bekannt? Wir sind doch stolz darauf. Er ist eben der Führer – und nicht der Zeitungsheld, der hier zu diesem Gesamtrussischen Kongreß so einen Haufen Begrüßungen bekommt –

RADEK Der Kriegskommissar!

STALIN Was, es gibt nur einen Führer – Lenin. Es kann in einem Jahrhundert nur einen geben. Und die Partei ist auch in den früheren Jahren hinter den Ereignissen zurückgeblieben, das ist kein Zufall. Wir haben es hier mit einer Gesetzmäßigkeit zu tun.

PJATAKOW Was? Was?

STALIN Ja, wenn Sie dialektisch denken. Die Prozesse unter der Oberfläche sieht man nicht, und bevor wir uns auf sie orientieren, müssen wir auch in Zukunft zurückbleiben. So sieht man es mit den Augen des Marxisten, statt überall Schuldige zu suchen. Ebenso, Gruppierungen entstünden wegen unserer Bürokratie. Das ist unmarxistisch. Gruppierungen müssen bei uns entstehen, weil wir verschiedene Wirtschaftsformen haben. Und weil die Partei aus drei Bestandteilen ist: erstens die Arbeiter, zweitens die Bauern, drittens die ... drittens die ... Intelligenz.

RADEK Das ist mal schon ohnehin eine Abweichung.

STALIN – Da sagt die Opposition: entweder Gruppierungen, das ist Demokratie, oder keine Gruppierungen, dann keine Demokratie. Ja, denkste. Demokratie ist doch Aktivität und Bewußtheit der Parteimasse, gemeinsame Diskussion und gemeinsame Leitung!

PJATAKOW Aber das sagen wir ja! Das verlangen wir.

STALIN Aber Sie bilden eine Gruppierung.

RADEK Ja, dafür!

STALIN Aber eine Gruppierung! Das ist nicht Demokratie!
Verwirrtes Lachen.

SINOWJEW Genau.

STALIN Freiheit der Gruppierung – das ist Freiheit der Fraktion, das ist die Spaltung, das ist das Übel. *Lacht:* Radek. Es gibt Menschen, die haben ne Zunge, um ihrer Herr zu sein. Andere werden von ihrer Zunge beherrscht, und können nicht für das, was sie schwatzen. Sie wollen Demokratie, und sind eine Fraktion! Sie haben sich entlarvt. Ihre Zunge gibt ihren Kopf preis. Ja, warum zeigten Sie gestern Angst vor dem Punkt 7 der Resolution über die Einheit, die Lenin 1921 vorschlug? Diesen Punkt ließ er damals nicht veröffentlichen. *Liest:* »... bevollmächtigt das ZK, im Fall des Disziplinbruchs und bei Fraktionsmacherei Disziplinarmaßnahmen« –

SINOWJEW Ja!

STALIN Nun, wer fürchtet sich davor? Wollen denn Radek, Preobrashenski, Pjatakow undsoweiter die Disziplin verletzen, haben sie so eine Absicht? Weiter: »Und gegenüber Mitgliedern des ZK ... Überführung in den Kandidatenstand und sogar den Ausschluß« –

SINOWJEW, KAMENJEW Ja! Ja!

STALIN Was ist daran schrecklich? Wenn sie keine Fraktion wollen, wenn sie die Einheit wollen, warum verübeln sie mir, daß wir das jetzt beschließen? Sie entlarven sich durch ihre Furcht. Da sie in Panik verfallen, sind sie für Fraktionen und gegen die Einheit. Wenn sie nicht dagegen sind, warum dann also die Furcht? Wenn sie ein reines Gewissen haben, wie sie sagen, ist es dann nicht klar, daß die strafende Hand sie nicht treffen wird? Was gibts da zu fürchten?

LUNATSCHARSKI Warum kommen Sie damit, wenn wir nichts zu fürchten brauchen?

PJATAKOW Sie schrecken die Partei!

STALIN Wir schrecken die Spalter, nicht die Partei. Meinen Sie denn, Genossen, daß Partei und Fraktionsmacher dasselbe sind? – Ihr schlechtes Gewissen verrät sich!
Heiterkeit.

DIE GENOSSIN Stalin hat doch recht. Er hat mit allem recht.

RADEK – Das ists ja.

22

Zimmer. Anja liegt hinter einem Vorhang auf dem Bett. Eine Hebamme. Anjas Mutter läuft »aufgelöst« hin und her. Anja stöhnt auf.

DIE HEBAMME *laut:* Ein Sohn.
   Das Kind schreit. Einige Bekannte treten langsam und schweigend herein, verbeugen sich.

ALTER MANN *flüstert:* Einen Sohn. Anjuscha hat einen Sohn geboren.

ALTE FRAU O du mein Herr! Anjuscha hat einen Sohn geboren.

HEISERER MANN Ja das Leben, das Leben –

DIE HEBAMME *zündet eine Kerze an, es mißlingt:* Zündhölzer? Verlöschhölzer.

DIE MUTTER Ach – hab ich vergessen!
   Schaltet die Lampe an, es wird sehr hell. Lachen.

JUNGE FRAU Ein unnatürlich Licht – und geht doch auf wie die Sonne.

BETRUNKNER MANN Ja, und unter, und unter, Katinka.

DER HEISERE MANN Das Leben –

DER ALTE MANN Ein Sohn... *zur Mutter:* Streichs an, ein Feiertag, im Roten Kalender.

DIE ALTE FRAU Er hat sie das Schreiben gelehrt.

Die Mutter will die Bekannten hinausdrängen.

DIE HEBAMME *laut:* Wie soll er heißen?

DIE MUTTER Ach Gott ja, Töchterchen, wie soll er heißen – hab
ich vergessen!

ANJA – Lew sagt, er soll Pjotr heißen.

DIE MUTTER Pjotr.

ANJA Lew sagt... wie Pjotr der Große.

DER BETRUNKNE MANN Pjotr der Große... hm, das ist ein zu
kleiner Name.

Läßt die Flasche herumgehn. Lachen.

Soll er, soll er – Eisenbeton heißen.

DIE HEBAMME *lacht, hebt die Flasche:* Ja, und Hauptsprit.

DER HEISERE MANN Das Leben!

DIE JUNGE FRAU Nein, er braucht einen guten Namen, einen
neuen Namen – Grosar, der große Arbeiter.

DER ALTE MANN Nun, nehmen wir Relf. Revolution, Elektri-
fizierung, Frieden.

DIE ALTE FRAU Ist zu schwer, Saschenka. Zu lang.

Die andern lachen.

DER ALTE MANN Zu lang, so. Warum denn nicht lang!

DIE ALTE FRAU Zu lang eben.

DER BETRUNKNE MANN *singt:*

Mädchen, wenn ihr ausgeht, geht

Nur mit Komsomolzen, weil

Die euch... ohne Eil...

ANJA *fest:* Wolodja. Dann soll er Wolodja heißen.

DER HEISERE MANN Ja, das Leben wird besser.

DER BETRUNKNE MANN Die Mehrheit! Abstimmen, Bürger. Die
Mehrheit entscheidets, die Mehrheit –

MARKIN *schnell herein, legt einen Stoß Bücher ab, zu Anja gewandt, tonlos:* Bürger... Lenin ist tot.

*Sie verstummen. Die Mutter setzt sich nieder. Sie beginnen leise,
einer nach dem andern, zu weinen. Markin starrt, halb lächelnd,
zu dem Kind hin. Dunkel.*

T.

Personen

Schalapasch, Deputierter · Mitro, Bettler · Kutusow, Markin – Arbeiter · Leute · Bauer · Kamenjew, Sinowjew, Trotzki – Mitglieder des Politbüros · Radek · Zwei Sekretäre aus der Provinz · Stalin, Molotow – Mitglieder des Politbüros · Genossen · Joffe · Natalja, Trotzkis Frau · Raja · Bucharin, Kalinin, Rykow, Tomski, Woroschilow – Mitglieder des Politbüros · Zentralkomitee, in ihm u. a. Dsershinski, Pjatakow, Ordshonikidse · Direktor · Arbeiter · Muralow, Kommandant des moskauer Militärbezirks · Berija, Historiker · Nadeshda, Stalins Frau · Janson, Jaroslawski, Solz – Mitglieder der Zentralen Kontrollkommission · Menschinski, Chef der GPU · Krupskaja · Betrunkene · Ein Kutscher · Beleibter Herr · Demonstranten · Milizionäre · Frauen · Zwei bärtige Bauern

In diesem Teil kann der Apparat von einer doppelt und dreifach besetzten Gruppe dargestellt werden, die Straße/Fabrik von einer besonderen andren.
Die zehnte Szene zitiert A. Kollontai.

Straße. Schalapasch, schlägt Mitro zuboden.

SCHALAPASCH Da nimm, du Vieh! Kannst du noch stehn, im Weg?

MITRO Ah – *wälzt sich vor ihm.*

SCHALAPASCH Gesindel. Arbeitsloses Elend. Euch zieh ich die
Adern aus.

Es stürzen Leute herbei.

EINE FRAU Was machst du, Bürger! Miliz!

KUTUSOW Er will ihn erschlagen.

SCHALAPASCH Er hat sich in den Weg geworfen, die Laus.

KUTUSOW Miliz! Rechtgläubige, setzt euch zur Wehr.

DIE FRAU Ja, haltet ihn, er ist besessen. Er hat einen Rausch.

SCHALAPASCH *brüllt:* Ruhe. – Wißt ihr, wen ihr antatzt? Ich bin
Träger sämtlicher Orden des Roten Banners. Laßt ab, ihr Blin-
den. *Zieht einen Ausweis.* Lew Wissarionowitsch Schalapasch.
Deputierter des Charkower Sowjets.

Sie lassen ihn los.

KUTUSOW *plappert noch:* Zur Wehr, zur Wehr, und der heilige
Wladimir, aus der Erde, steht auf und weint –

DIE FRAU *ebenso:* Bist du still, Kutusow, wo du schwatzt, und
dich um die Arbeit redest, wo du schwatzt, und wirst gekürzt
im Werk, wirst du vom Reden satt.

Ein Bauer, setzt einen Kartoffelsack ab, lacht.

SCHALAPASCH So. Also. – Bin ich legitimiert! *Geht davon.*

MARKIN Laßt ihn gehn. Sollen sie tagen, sollen sie reden. Das
bessert das Leben.

KUTUSOW Wie?

MARKIN Dafür haben wir Revolution gemacht. Prügeln alle, die
hungern. Zwanzig Heiße, die dürsten. Die Knute kosten, bis
sies satt sind. Nehmt euch nichts heraus, es gehört allen.

KUTUSOW *verwirrt:* Wie denn?

MARKIN Wir wollen nichts von uns wissen. Wenn es so ist, ists
eben so, ändern kann mans nicht, so wird es eben so sein. Vorwärts! vorwärts!

*Spuckt aus, geht. Mitro ist eingeschlafen. Der Bauer lacht. Kutu-
sow sieht ihn plötzlich an.*

DER BAUER *wirft sich auf die Kartoffeln:* Die Meinen. – Diebe.
Diebe.

KUTUSOW Gib sie, Bauer. Soll der Arbeiter betteln.

DER BAUER Laß aus. Willst dus dem Bauern stehlen.

KUTUSOW Weil er uns betrügt und macht die Mäuse fett.

DER BAUER Weil ihr schuld seid und kein gelbes Scheinchen zahlt.

KUTUSOW Wer, wer ist schuld.

DER BAUER Wer, wer betrügt. Ihr – seid nicht legitimiert.

MITRO *lallt:*
Nicht in der Kirche sind wir getraut...

ALLE Wer, wer ist legitimiert.

DER BAUER *sieht die Kartoffeln:* Sie sind zertreten.
Stille.

EINE STIMME Das ist Trotzki.
*Trotzki, Sinowjew, Kamenjew, Radek. Einige geben Zeichen des
Beifalls. Trotzki bleibt stehen.*

KAMENJEW *zieht ihn weiter:* Das ist falscher Beifall. Sie klatschen
der Opposition.
Die Leute gehn versöhnt ab.
Entschließen Sie sich; wir haben Stalin emporgehoben – wir
werden ihn fallen lassen. Und ja, Sie haben recht gehabt –

TROTZKI *spöttisch:* Höre, Radek, Kamenjew sagt, ich habe recht
gehabt! Als ob es in der Geschichte um Recht und Unrecht
ginge.

SINOWJEW Lassen Sie uns zusammengehn, gehn, denn wir könnten nicht stehenbleiben. Oder sind Sie müde, Trotzki?

TROTZKI Was, Radek, sind wir müde? Obwohl uns Genosse Sinowjew drei Jahre zusetzte, bis wir Tinte spuckten.

SINOWJEW Stalins Weste blieb weiß, während wir uns anschwärz-
ten; nur er hat aus dem Streit gewonnen. Vereinigen wir unsre
Kräfte, so werden wir sie verdreifachen.

TROTZKI Und war nicht, Radek, der Trotzkismus die wohl-
anständigste, die verhüllteste und zum Betrug gerade der revolutionären Arbeiter geeignetste Form des Verrats?

KAMENJEW Das schrieben wir, nicht um Sie zu beschuldigen – um
Sie aus der Führung zu drängen. Was liegt Stalin an dergleichen
Theoremen? Er ist zu schlau, sich an Ideen zu binden.

TROTZKI So verraten Sie mir, warum Sie dafür plädierten, mir
einen Posten in der Lederindustrie zu verpassen?

SINOWJEW Ich war blind! daß ich Sie den Zuchtmeister der Massen nannte. Es war mein größter Fehler, helfen Sie mir, ihn
gutzumachen. Stalin – wird uns züchtigen.

TROTZKI Er hatte zwei Spießgesellen im Triumvirat.

SINOWJEW *auf einmal todernst:* Wir haben Papiere verteilt, an feste Leute, als wir mit ihm brachen, damit die Partei weiß, daß wir, falls wir plötzlich
Schweigen. Begeistert:
Ja, ich bin ein Echo Trotzkis geworden. – Mich ekelt es, länger die Phrasen zu reden und etwas andres zu tun. Diesen automatischen Gehorsam zu erpressen, die Marschzahlen zu schreien über die Köpfe hinweg, hinter verriegelten Türen zu tagen, um einander die Treppe hinauf- und hinabzubefördern, Diskussionen anzufachen oder zu ersticken – alles um meiner eigenen Macht willen. Wollt ihr wissen, wovon das Volk träumt in unseren Tagen? Es träumt von der Gleichheit. Wenn wir ein Organ des Volks sein wollen, müssen wir seine Träume an den Tag bringen und entrollen als Transparente. In welchem Namen erhoben sich die Arbeiter und hinter ihnen die breite Masse des Volks im Oktober? In welchem Namen folgten sie Lenin ins Feuer? In welchem Namen hielten sie aus in den toten Fabriken? Im Namen der Gleichheit.

RADEK Welches Volk meinen Sie, Sinowjew? Es gibt viel Volk.

KAMENJEW *zu Trotzki:* Sie, und Sinowjew, auf der Tribüne – und die Partei wird rufen: Hier ist das Zentralkomitee. Hier ist die Regierung. – Trotzki, der Leiter des Oktober, der Sieger des Bürgerkriegs. Sinowjew, der Führer der Kommune des Nordens, der Stadt Lenins. Ich werde die Moskauer wiedergewinnen. Die Krupskaja steht zu uns. Radek, der Tribun Europas. Um die Macht kämpfen – oder sich unterwerfen, es gibt nichts Drittes.

TROTZKI Nein? – Sieh, Radek, sie haben Charakter bekommen, sie tragen ihn offen herum, er wird ihnen gestohlen werden.

KAMENJEW Nichts Drittes. Oder Stalin wird uns ermorden.

TROTZKI Gedulden Sie sich.

SINOWJEW Da kommt wer.
Sinowjew und Kamenjew ab. Trotzki lacht.

RADEK Stalin wird betrügen, und Grischa Sinowjew wird umkippen.

TROTZKI Ja.

RADEK Du wirst weiter reden und noch tiefer fallen.

TROTZKI Ja. Reden. Sie müssen das wissen.
Beide ab. Mitro erhebt sich, breitet die Arme.

MITRO Alle Macht den Sowjets!

Sekretariat des Zentralkomitees. Stalin hört zwei Sekretären aus der Provinz zu.

DER EINE SEKRETÄR Schau her: in der Provinz, wir, in dem weiten weglosen Rußland, wen sollen wir fragen? und hier – wer hört uns zu, oder unterhält sich mit einem schlichten Mann, außer Sie – schau her: wie soll ich das sagen? Was, was will die Opposition?
Stalin schweigt.
Ich bin froh, Sie selbst, Stalin, fragen zu können – wer kann sich zurechtfinden bei uns, schau her: bis in die Stadt kommen ihre Emissäre, dringen in die Zellen und agitieren unerlaubt. Wir kennen ihre Artikelchen, aber das sind die Worte; sollen wir Worten trauen? Wie soll ich das sagen: was will die Opposition?
Stalin schweigt.
DER ANDERE SEKRETÄR Sollten wir sie nicht reden lassen und ihr Gehör schenken, statt sie in den Trotz zu jagen?
Stalin wendet sich ihm rasch zu.
DER ERSTERE Die Partei, natürlich, verhält sich ruhig, sie will nichts von neuen Thesen wissen, die doch die alten sind. Sie hört nicht auf die Kritiker, die ihr auf den Kopf spucken. Außerhalb der Partei, schau her, wagen sich die Halunken nicht.
DER ANDERE Sollten wir nicht – die Diskussion zulassen, um sie schneller zu beenden?
Stalin lächelt freundlich.
Wir sind alle Genossen, die sich Gedanken machen, aber wer hat recht und wer nicht? In der Physik läßt sich etwas beweisen, da gibt es exakte Bedingungen in einem System, und man kann experimentell überprüfen, ob eine Formel trifft. Aber in der Gesellschaft, wo sind die genauen Kriterien, daß eine Entscheidung nötig ist, möglich ist, falsch ist? Sind wir nicht immer erst hinterher klug, oder die Dummen? Wo sind die Beweise, die Gesetze –
STALIN *zum ersteren:* Ich habe dich unterbrochen.
DER ERSTERE Ja, schau her – seit wir die Reden verbieten, treffen sie sich in Wohnungen, Friedhöfen oder im Wald; vorige Woche flog ein Meeting in der Vorstadt auf, mit dem Stellvertreter des Kriegskommissars –

STALIN Ja.

DER ERSTERE Da haben wir also die Trupps gebildet, die ausrük-ken, schau her, da haben wir ehrliche Arbeit, für unsere Raufbolde – nur wissen wir nicht, wie soll ich das also sagen!

STALIN *drückt beiden die Hand:* Stalin dankt euch, Genossen. Sagt den Genossen, daß Stalin mit ihnen ist.

Er wendet sich einem andern Genossen zu, dem er zuhört. Die Provinzsekretäre bleiben zufrieden stehn und sind sogleich von einer Gruppe umgeben, auf die Molotow einspricht.

MOLOTOW Das wissen Sie nicht? Man flüstert es in allen Gängen des ZK. Keiner wird sich anmaßen, Nachfolger Lenins zu sein, Stalin nicht, Bucharin nicht – aber Einer. Er kann der Bonaparte unsrer Revolution werden. Ist er nicht bekannt, wie Bonaparte? Ist er nicht eine Persönlichkeit, wie Bonaparte? Ist er nicht ein Redner, wie Bonaparte? Ist er nicht ein Jude, wie Bonaparte? Ist er nicht ein Feldherr, wie Bonaparte? Wurde nicht auch Bonaparte von den Wogen des Beifalls auf den Thron geworfen? – Danton oder Bonaparte, eins ist er gewiß. Er ist ein Fremdling in der Partei. Sehn Sie sich um im Kreml: und Sie wissen, wen ich meine. Wie er sich in Szene setzt und noch im Lokus spricht, als stünde er auf dem Theater. Er sieht nur immer sein Stück gespielt; wir alle sind Nebenrollen, die ihm die Stichworte liefern. Und das, nachdem ihn der Parteitag verurteilte. Muß er nicht die Beliebtheit mißbrauchen, fast ohne es zu merken, ist nicht der Führer seine angeborene Rolle? – Lieber, sage ich, lieber die Macht den gewöhnlichen Leuten, die nur kollektiv regieren können. Lieber im ZK den kleinen Mann, wie ich und ihr, wie Stalin, dem die Maske des Herrschers nicht paßt, der nicht herrschen könnte ohne Schaden für alle. Lieber, lieber noch die Einfalt, die auf alle hört – ja, das sag ich. Hüten wir uns vor Einem.

EINIGE Trotzki! – Trotzki!

MOLOTOW Zu Tisch, zu Tisch!

Alle ab. Stalin kommt mit dem Genossen nach vorn.

STALIN Noch etwas. Stalin hat Ihren Artikel in der Prawda gelesen. Der Artikel ist meiner Meinung nach gut. Aber es gibt eine falsche Stelle, die das gute Bild verdirbt.

DER GENOSSE Ja.

STALIN Sie schreiben da, Trotzki habe »unterstrichen, daß wir in unserem technisch rückständigen Land den Sozialismus bauen können, daß wir mit unsern inneren Kräften die siegreiche Offensive der Wirtschaft sichern können«. Sie stellen diesen Satz Smilgas These gegenüber, daß »in unserm technisch rückständigen Land die Entwicklung des Sozialismus unmöglich ist« und behaupten, zwischen Smilga und Trotzki gäbe es einen Widerspruch. Das trifft nicht zu.

DER GENOSSE Ja.

STALIN Erstens: Trotzki hat noch nie gesagt, daß wir in unserm technisch rückständigen Land den Sozialismus errichten können. Den Sozialismus bauen und den Sozialismus errichten – das sind zwei verschiedene Dinge. Weder Sinowjew noch Kamenjew noch Trotzki noch Smilga leugnen, daß wir den Sozialismus bauen. Aber sie haben eine ablehnende Einstellung zu Lenins These, daß wir den Sozialismus errichten können. Also ist kein Widerspruch zwischen ihnen, sondern sie vereinigt im Gegenteil die Auffassung, daß es nur im Falle des Sieges der sozialistischen Revolution in den wichtigsten Ländern Europas möglich sei, »die vollendete sozialistische Gesellschaft zu errichten«.

DER GENOSSE Ja.

STALIN Zweitens: wenn man genau sein will, so muß man finden, daß Trotzki niemals gesagt haben kann, daß wir »in unserm technisch rückständigen Land mit unsern inneren Kräften die siegreiche Offensive der Wirtschaft sichern können«. Trotzkis Phrase von der »historischen Musik des wachsenden Sozialismus« ist ein Herumgerede um die positive Lösung der Frage des siegreichen Aufbaus. Trotzki kann gesagt haben, daß wir zum Sozialismus schreiten. Aber er hat niemals gesagt, daß wir »mit unsern inneren Kräften die siegreiche Offensive sichern können«, sondern er hat gewissermaßen das Gegenteil gesagt von dem, was Sie ihm zuschreiben. Daraus ergibt sich, daß Sie Trotzki ungewollt schöngefärbt haben, ihn sozusagen – verleumdet haben!

DER GENOSSE Ja. – Ich verstehe kein Wort. – Das liegt auf der Hand.

STALIN *lacht:* Das werden wir nicht dulden. Wir werden Klarheit schaffen mit unerbittlicher Logik.

3

Ufer der Moskwa. Natalja und Raja. Trotzki und Joffe.

NATALJA Wie die Kirschbäume stehn unter dem Himmel. Das blüht fort und fort.

RAJA Wir werden sie kahlessen in einer Nacht, sie gehören jetzt allen.

NATALJA Und der Fluß leuchtet, vor der Stadt. Die Fabriken werden ihn verderben.

RAJA Wir wollen genießen, ohne uns anzustrengen; ist das nicht unser Recht? – Es ist auch gut, so zu denken. –

TROTZKI Stalin greift nicht an. Er wartet ab, darin ist er begabt. Er wartet, bis wir einen Fehler machen.

JOFFE Das Warten ist unser Fehler. Bei jedem versöhnlichen Handschlag zerbrechen unsere Arme. Wir haben unser eignes Ich zum Opfer gebracht.

TROTZKI Was nennst du dein eigen? Dein Ich – Kommunarde?

JOFFE Wärst du unnachgiebig, und stark; ich würde dafür mein Leben geben. –

NATALJA Ist es nicht schön? Wir laufen auf den Wiesen, wir haben keinen Hunger, es ist kein Krieg.

RAJA Ich möchte mich ins Gras legen und alle viere von mir strecken und den Fluß auf mich laufen lassen mit allen Fischen und Kähnen! Haben Sie auch so ein Gefühl?
Sie lachen.

NATALJA Wie die Menschen so hilflos sind, wie Statuen, und sich in Natur verwandeln wollen, um den Gefühlen einen Raum zu geben. –

JOFFE Du hast keine Freunde im ZK. Gewinne sie; sprich sie an: das genügt!

TROTZKI *unwirsch:* Ich bin Schriftsteller. Ich bin kein Führer. Die Menschen streifen durch mein Bewußtsein wie zufällige Schatten. Welche Freunde besitzen wir ganz? die Worte. Die Revolution! sie hindert mich daran, systematisch zu lernen.

JOFFE So dachtest du nicht im Zirkus Modern, und auf der Tribüne des Sowjets. Stalin hat den Apparat.

TROTZKI Wer ist Stalin? Die Mittelmäßigkeit. Ein Mensch für dritte Rollen. Er interessiert mich nicht. Ich gebe zu: die hervorragendste Mittelmäßigkeit – nach der unsere Müdigkeit schreit. –

NATALJA Wir sind verlassen von unsern Getreuen; sie reden sich aus der Welt. Was tu ich arme Frau? *Singt:*
Schau, mein Lieber, auf den Himmel
Nach dem Himmel dann zu mir.
Wie am Himmel Wolken ziehen
So ists mir ums Herz bei dir.

RAJA Kennen Sie das? *Singt:*
Ach, ich stampfe mit dem Bein
Stampf dann mit dem andern
Daß der Liebste gut sein mag
Wenn wir im Wäldchen wandern.
Sie lachen kreischend.

TROTZKI Nein, Andrej, warum die Zeit herbeizerren? Sie muß selber kommen. Geduld! Wir werden ihr gut zureden, das ist unsere Arbeit. Sie wird schon kommen, sie hält es weniger aus als wir.

JOFFE Aber, wenn du deinen Text sagen willst, ohne mitzuspielen, wird man dich von der Bühne weisen.

TROTZKI Das Reden ist mein Laster. – Außerdem: sie müssen das wissen. Sie müssen das wissen.

NATALJA Lew, Andrej, wir gehn in die Tretjakow-Galerie. Ich will Raja Repins »Verhaftung des Propagandisten« zeigen.

JOFFE Sehn Sie auch seinen »Iwan den Schrecklichen« an.

TROTZKI Auf Wiedersehn, schöne Raja.

RAJA Auf Wiedersehn? Sie haben mich doch gar nicht wahrgenommen.

TROTZKI Das ist wahr. Das ist unverzeihlich.

RAJA Leben Sie wohl, Bürger Joffe.

JOFFE Und sagen Sie mir nichts?

RAJA Ich weiß nichts. – Sie verzehren einen mit Ihrem Blick.
Mit Natalja ab.

TROTZKI Na wein nicht, Andrej, sie mag dich. Die Revolution hat dich besser geheilt als die Psychoanalyse. Was ist Alfred Adler gegen diese Taube?

JOFFE *trüb:* Die Revolution ist vorbei, oder anders...

TROTZKI Was meinst du?

JOFFE Anders.

TROTZKI *schweigt, sieht ihn an:* Ja, wir sind noch Leibeigne in unserem zufälligen Fell. Wir leben in altmodischen Leibern, im Zyklus von Trieb und Krise – und Streik. Nur einige unsrer Kräfte sind angespannt, wie nur wenige Kräfte der Gesellschaft. Das Wenige ist der Anfang. Was sind diese Flüsse und Städte, das Steingeröll, in das Geschlecht um Geschlecht kriecht. Wir werden nicht mehr um die primitiven politischen Prinzipien zanken müssen wie in diesem kindlichen Zeitalter, sondern um die Entwürfe köstlicher Siedlungen, Künste und Industrien. Das werden gewaltigere, schönere Kämpfe sein, nicht mehr von Eliten und Kasten befehligt – von der ganzen Gesellschaft gekämpft. Andrej, das Leben wird vom Atem der Massen gedrängt werden, wie im Oktober, und Generationen werden sich aus dem Lehm herausarbeiten zu herrlichen Gestalten.

JOFFE Aber heute, was sind wir heute!

TROTZKI Das Heute ist nichts. Nichts als ein Luftholen. – Die Revolution wird nicht haltmachen an unserer Haut. Wir werden sie in unserm Körper ausbrechen machen. Ja, sie wird die ungerechten Verhältnisse in ihm beenden. Unsere Organe, bei allen Arbeiten, bei der Liebe, werden die Unterstützung aller andern haben und kräftiger, leichter, sinnvoller sich bewegen. Der Körper wird lernen. Wir werden Lust an jeglichem seiner Teile verspüren, je mehr wir ihn beherrschen... Andrej! Wir werden unsere Gefühle denken, unsere Triebe berechnen und unsern Gliedern befehlen. Wie die Gesellschaft, und mit ihr, werden wir uns erziehen. Zu großen Gebärden, zu durchdachtem Spiel. Das Ziel der Revolution – die denkende, genießende Menschheit, nicht der Funktionär und die Masse. Die größten unserer Ahnen werden als gewöhnliche Leute unter uns gehn. Und das alles wird uns gewöhnlich und nie genug sein.

JOFFE *umarmt ihn, weinend:* Ich danke dir, L.D. *Nach einer Weile:* – Aber die Wirklichkeit, die Wirklichkeit.

TROTZKI Das ist ein schales Wort; schon morgen ist sie vergessen.

4

Zentralkomitee.

TROTZKI Wir sagen nichts, was wir nicht schon früher gesagt haben. Die Revolution geht ihren Gang, aber geduckt wie ein Geprügelter. Der Druck der kleinbürgerlichen Elementargewalt lastet auf ihr wie Blei. Das Leben der Arbeiter ist elend, ihre Löhne sind geringer als vor dem Oktober. Die Regierung befiehlt, die Löhne einzufrieren; wir sagen: so wird die Produktion einfrieren. Wir fordern die strengere Besteuerung der NÖP-Leute, deren Profit aus dem Schweiß der Arbeiter gemacht ist. – Der Prozeß auf dem flachen Land gleicht dem in den Städten. Die riesige Masse der Kleingütler lebt einen erbärmlichen Tag. Die Kollektivierung wird träg betrieben als Geschäft eines späteren Jahrhunderts. Die Steuer zerbricht den Rücken der Armen und liefert sie der Gnade der Kulaken aus. Die Regierung aber übt die Parole: Bereichert euch! Wir sagen: eine progressive Steuer, die die Reichen trifft. Kornanleihen für die Städte zum Kauf von Maschinen. – Die Industrie bewegt sich in einem Schneckentempo, daß sie tatsächlich den offiziellen Erwartungen entspricht.
Heiterkeit.
Man sagt hier, wir arbeiten »fast« wie die Deutschen oder die Franzosen. Ich werde gegen das Wort »fast« einen heiligen Krieg ausrufen. Fast, das bedeutet nichts... Die staatliche Planung ist eine mehr oder weniger geplante Negation des Plans. Wir brauchen einen breiteren Horizont, eine umfassende Betrachtung der Angelegenheiten des Staats. Wir dürfen nicht hinter den anderen zurückbleiben.
Empörung.
Genossen, machen wir uns nicht über uns lustig, aber fürchten wir uns auch nicht!

RYKOW So spricht der Kriegskommunismus!

TROTZKI Genosse Rykow, englische Taubenliebhaber haben eine Abart gezüchtet mit immer kürzerem Schnabel. Ihre Methode führte dahin, daß der Schnabel zu kurz wurde, die Eischale zu durchschlagen – die junge Taube ging als Opfer der erzwungenen Enthaltsamkeit von Gewaltaktionen zugrunde.
Unruhe.

Die Menschheit hat sich nicht stets aufwärts entwickelt. Eine Gesellschaft, die nicht weiterwollte, mußte zurückfallen. Dann kam sie wieder an in der Barbarei.

Ruhe.

Der 14. Parteitag forderte die raschere Industrialisierung. Seine Resolutionen sind in den großen Papierkorb der Bürokratie gewandert, die nichts und niemand aus ihrem Trott werfen kann. Diese Bürokratie klebt nicht nur in den tausend Städtchen Okurow, sie trieft auch in diesem Saal. Sie klappt die Ohren zu, wenn ich bloß rate, auf den Stromschnellen des Dnjepr ein Kraftwerk zu bauen. Die Regierung sagt: es geht Schritt für Schritt in den Himmel. Wir sagen: wir wollen einen Fünfjahrplan haben.

BUCHARIN Und die Bauern einstampfen! Wollen Sie Tabletten backen statt Brot?

MOLOTOW *zu Trotzki:* Gehn Sie in die USA.

PJATAKOW Warum nicht? Der erste eigne Gedanke von Molotow.

TROTZKI Hören Sie gut zu, denn es gibt unter uns Schiefohren. Wir sind für den schnellstmöglichen Aufbau, aber wir halten nichts von dem lieblichen Gedanken an ein isoliertes Gebäude. Unsere Regierung, die größte Wodkaproduzentin, bezieht ihre meisten Einkünfte aus der Betrunkenheit des sozialistischen Vortrupps der Völker –

Heiterkeit.

wollen wir ihn auch mit dem Opium der Theorie vom Sozialismus in einem Land betäuben?

Geschrei.

Unsere Partei rechnete in ihrer heroischen Zeit mit der Revolution in Europa. Für diese Revolution erduldete unsere Jugend Krieg, Hunger und Kälte, für sie zahlte sie mit ihrem Blut. Es sind andere Zeiten gekommen. Aber diese Jugend hat bewiesen: sie braucht das neue Evangelium nicht.

Stille.

Es ist der Beamte, der es braucht, der Nutznießer, der nicht gestört sein will. Sie sind es! sie glauben, man komme mit Petka und Metka nicht aus ohne die Doktrin der Konsolidierung. Sie sind es, die alten Kit kitytschs und die neuen Wanzen. Das ist die Doktrin des Trostes und der Erpressung. Der Arbeiter, der weiß, daß das Geschick der Sowjetfestung und sein eignes abhängen von der internationalen Geschichte – er wird seine Pflicht in unserem einen Land mutiger erfüllen als jener, den man glauben macht, wir hätten hier und heute einen »neunzigprozentigen Sozialismus«. Die Regierung sagt: wir schaffen es allein. Wir sagen: Arbeiter aller Länder, vereinigt euch.

MOLOTOW Und die Arbeiter sagen: will die Opposition noch weiterkampeln? hat sie noch nicht genug Dresche gekriegt? muß sie noch mehr Dresche bekommen?

STIMMEN Richtig!

KAMENJEW Kennen Sie einen Arbeiter, Molotow?

STALIN *erhebt sich:* Genossen. Es gibt bei uns in der Partei Leute, die davon träumen, es habe eine allgemeine Diskussion begonnen. Es gibt bei uns Leute, die sich die Partei ohne Diskussion nicht vorstellen können, die auf den Titel Berufsdiskutierer Anspruch erheben. Jetzt haben sie sich zusammengetan und möchten mit drei Stimmen reden – aber sie reden mit drei Zungen. Sinowjew, Kamenjew, Trotzki. Sie haben sich gegenseitig amnestiert. Das also ist der Präsident der Komintern, Sinowjew. Sie halten geheime Versammlungen ab in den Wäldern um Moskau und in der Provinz. Das also treibt der Kriegskommissar Laschewitsch. Das ist ein Komplott! Das ist eine Fraktion! Das ist eine Partei in der Partei! – Was vereinigt sie auf einmal? Daß sie verlernt haben, an die Kraft des Volkes zu glauben. Sie wollen eine Entwicklung erzwingen über seine Stimmung hinweg, über seine Laune hinweg. – Gibt es dazu keine Hinweise bei Lenin? Gestatten Sie, daß ich mich auf die Urquelle berufe: »Fürchtet man diese ›reaktionären Züge‹, sucht man, sie zu ignorieren, über sie hinwegzuspringen, so ist das die größte Dummheit, denn das heißt: vor der Rolle der Avantgarde zurückschrecken, die rückständigen Massen zu schulen, zu erziehen.« Lenin. Die Oppositionellen nennen sich die Leninisten! Hier ein Zitat aus den Schriften eines »sehr prominenten« Bolschewiks, dessen Namen ich vorläufig nicht nennen will: »Die Permanenzler wollten uns im Jahr 1905 die Losung ›Weg mit dem Zaren, her mit der Arbeiterregierung‹ aufzwingen. Wo bleibt aber die Bauernschaft? Wenn das kein ›Überspringen‹ der Bauernschaft ist, was ist es dann?« Sie werden fragen: wer ist der Verfasser dieses gewichtigen Zitats gegen Trotzki? Es ist Sinowjew. Ich frage mich: was wollen Sinowjew und Trotzki noch von uns? – Trotzki geht bei seiner Politik nicht von konkreten

Menschen aus, nicht von den lebendigen Arbeitern, sondern von irgendwelchen idealen, körperlosen Wesen, die vom Scheitel bis zur Sohle revolutionär sind. Das ist eine Politik der effektvollen Gesten. Zuerst erlebten wir sie, als er in Brest den deutsch-russischen Friedensvertrag nicht unterschrieb im Glauben, er könne die Proletarier aller Länder mit einer Geste bewegen, sich gegen den Imperialismus zu erheben. Wen hat sie bewegt? Nicht die Proletarier. Aber alle, die uns erdrosseln wollten! Auf diese Mühle läuft die Brühe dieser Herrn. Nein, wir geikeln nicht mit Gesten, denn wir wollen nicht der Spielball unserer Feinde werden!
Starker Beifall.

DSERSHINSKI *applaudiert, springt auf die Tribüne, mit erhobener Stimme:* Man spricht hier vom Volk wie von einem lästigen Buk-kel, wie von einer Beule der edlen Partei. Was ist denn das Volk? Was, wenn nicht der Körper, der uns trägt, mit dem wir leben oder sterben? Wir sind nicht der Kopf, der für ihn denkt, nicht die Hand, die für ihn arbeitet – wir sind sein Mund, durch den er spricht! Seit langem seh ich mit Grimm die blinden Experimente, die man an diesem Körper anstellt, seit er sich befreit hat aus der Katorga und der Finsternis und sich abhob vom eignen Kot. Man rädert ihn mit dem Kriegskommunismus, man zwingt ihn, Raubbau zu treiben mit seinen Kräften und die Schläge des Feinds zu empfangen mit seinen bloßen Händen. Er kommt aus dem Feld heim, er kann den Soldatenrock ausziehn, er will Ruhe, er will Luft, er will sich die Augen wischen – man streut ihm ätzende Appelle hinein. Er muß sich selbst ausbeuten für die »ursprüngliche sozialistische Akkumulation«. Dies mochten noch notwendige Operationen sein, wenn auch mit den Mitteln von Viehärzten ausgeführt. Aber man steckt ihn wieder in den Rock der militarisierten Arbeitsheere. Das ist des Doktors Trotzki medizinische Idee. Man peitscht die Haut, man zieht sie ab. Da ballt er einmal die Faust, über dem Eis von Kronstadt. Als er zusammenbricht, mästet man den zerrütteten Leib mit Milch und Honig der NÖP. Man stopft ihm das Maul. Aber was man hineinsteckt, schneidet man aus seinen Rippen und Flanken. Er blutet, er flennt. Jetzt will man ihn zerstücken und seine wichtigsten Teile trennen, die Arbeiter und die Bauern. Er droht sich zu zerfleischen mit seinen eigenen Fäusten. So steht das Volk vor uns. Wer hat es so elend gemacht, fast wie es einmal war? Wer hilft ihm auf, indem er es prügelt? Wer jagt es in den übermorgigen Tag? – Haben wir Erbarmen mit diesem durchlöcherten Leib, sonst wird er, fallend, uns unter sich zerschmettern. Helfen wir ihm, zu sich selbst zu kommen, führen wir ihn auf einen leichten Weg. Es ist das erhabenste Wesen, das da in der Gosse liegt. Es ist die Hoffnung Europas und der Welt. Bis zu unserm letzten Atem sind wir sein Organ. Sehen wir es an: es gibt nichts, das uns so mit Stolz und so mit Scham erfüllte. Lassen wir es sprechen mit seiner ganzen Stimme, lassen wir es schrein! *Mit sich überschlagender Stimme:* Ich höre es! Hört, hört es auch! – Es hat gesprochen. *Er steigt von der Tribüne, bricht zusammen. Er stirbt.*

KALININ Dsershinski –

Tumult.

5

Rumpf-Politbüro: Stalin, Bucharin, Kalinin, Molotow, Rykow, Tomski, Woroschilow. Gelächter.

STALIN Was stellt sich heraus? Sie bilden einen Block, mit großem Pomp – er ist das genaue Gegenteil von einem Block. Nach den Regeln der Arithmetik erzielen sie ein Plus – sie haben nicht bedacht: die Addition der Kräfte hängt davon ab, welche Zeichen vor den Summanden stehn.

TOMSKI Kopfrechnen schwach. Sie sind negative Größen.

STALIN Sinowjews Gruppe war stark, als sie mit uns gegen Trotzki kämpfte. Sie hat sich entmannt. Trotzkis Gruppe war stark, als sie Sinowjews Wankelmut bekämpfte. Sie hat sich entmannt. Es ist ein Block von Kastraten.

Gelächter.

BUCHARIN *ernst:* Hätten sie sich vereint, bevor wir Sinowjew in Leningrad schlugen – Und noch immer, noch immer!

WOROSCHILOW Noch immer was, Bucharin? Wir werden Laschewitschs Ausschluß aus dem ZK und dem Kriegskommissariat beantragen, und Sinowjews Ausschluß aus dem Politbüro.

MOLOTOW Trotzkis Ausschluß auch.

Sein Satz wird mit Lächeln abgetan. Stalin beobachtet die Gesichter.

STALIN Trotzki nicht. Sie müssen die Fraktion auflösen, sich den
Beschlüssen beugen, ihre Anhänger auffordern, die Waffen zu
strecken. Weiter wollen wir nichts. Mehr kann man nicht wollen, wenn man nicht viehisch ist. – Wir haben diesen Antrag auf
Lohnerhöhung zurückgewiesen. Ist nicht jetzt die Lage anders,
und wir können ihn prüfen?

RYKOW *erfreut:* Wieso ist die Lage anders?

MOLOTOW Ein glänzender Gedanke.

Sie beenden die Sitzung.

KALININ *düster:* Sinowjew. Kamenjew. Laschewitsch. Smilga.
Rakowski. Pjatakow. Preobrashenski. Muralow. Antonow-
Owssejenko. Mrachkowski. Serebriakow. Krestinski. Smir-
now. Sosnowski. Sokolnikow. Jewdokimow. Bakajew. Joffe.
Radek. Radek ... Es sind unsre Genossen.

STALIN *klar:* Die Revolution hat nicht wenige Autoritäten gestürzt. Sie ist stark, weil sie sich nie vor großen Namen bückte,
sie nimmt sie an der Hand oder stößt sie ins Nichts. Plechanow,
Kropotkin, Sassulitsch und alle diese alten Helden, bei denen
uns nur noch einfällt, daß sie alt sind. Die Revolution versteht
nicht, ihre Toten zu beweinen, noch sie zu Grab zu tragen.

Sie gehn ab. Bucharin und Tomski bleiben zurück.

BUCHARIN Haben Sie begriffen, Tomski? Wir werden die Löhne
erhöhen. Er macht Trotzki nach!

TOMSKI Er will ihm gleichen.

6

*Alexandrowsche Werkstätten. Direktor, hat Markin gepackt. Ku-
tusow und andere Arbeiter.*

KUTUSOW Was will er? Ists eine neue Rivaluzion?

DIREKTOR Ein Flugblatt, der neuen Opposition.

Die Arbeiter blicken auf die Blätter am Boden.

KUTUSOW Die Konter hebt ihr Haupt. *Singt:*
Wach auf, steh auf, du Arbeitervolk
Ihr Hungernden, schlagt eure Feinde –

DIREKTOR Lies, Kutusow.

KUTUSOW *nimmt ein Blatt:* Das haben sie verfaßt. Na so. Und
was heißt das dann?

DIREKTOR *läßt Markin los:* Lies es vor, Hund.

MARKIN »Hört, Arbeiter, hört. Ihr habt die Götter und Zaren verbannt, ihr habt begonnen zu leben. Fühlt ihr in Kopf und Gliedern den elektrischen Strom der Epoche?«

Der Direktor lacht.

»Hört, Arbeiter, hört. Euer Sieg bedeutete wenig, wenn sein Ergebnis wäre, daß einige tausend von euch Staatsämter bekleiden. Er hat nur sein Recht erwiesen, wenn jeder von euch, Mann und Weib, erlebt, daß sein Tag leichter und freier wird. Hört, Arbeiter, hört. Zwischen euch und diesem einzigen Ziel ist noch ein langer Weg. Ihr müßt ihn gehen, wir gehn ihn mit euch. Gebt uns die Hand, Genossen. Gebt uns die Hand, Brüder.«

DIREKTOR Gebt ihm die Hand! Gebt ihm die Hand!

Sie stehen reglos. Der Direktor lacht. Dann beginnen auch die Arbeiter zu lachen.

MARKIN »Hört, in jedem von euch ist ein Held, der einmal heraustrat zum Kampf und sich zu seiner Größe erhob. Alle früheren Menschen sind klein und unscheinbar vor diesem Helden. Aber in jedem ist auch ein Sklave, der sich duckt, träg und dreckig. Ihn zieht es zum Banalen, und er vergißt seine Taten, um sich in schwachen Gedanken zu sielen. Er verhöhnt sich selbst und den Helden. Wer wird in euch siegen, der Held oder der Sklave?«

Die Arbeiter lachen herzlich. Der Direktor mustert sie stumm.

KUTUSOW Weine vor Gott, die Tränen sind Wasser.

DIREKTOR *zu Markin:* Du sollst kein Sklave sein. Du bist entlassen.

7

Zimmer. Trotzki am Tisch. Joffe. Radek herein.

JOFFE Karl, welche Panik? Ist dir Sinowjew über den Weg gelaufen?

RADEK Wahrhaftig – ich komme von ihm; sie wollen kapitulieren. Sie »bereuen« den Block. Sie fürchten, die Partei von außen kritisieren zu müssen.

JOFFE Alter – hörst dus nicht?

TROTZKI Nein, Andrej, was gibts? Ich überlege eben –
JOFFE Sinowjew!
TROTZKI Ach... So bald?
JOFFE Wir müssen ihnen zuvorkommen. Wir müssen Stalins Bedingungen annehmen, um den Block zu erhalten.
TROTZKI Als da sind?
RADEK Die Fraktion auflösen. Nicht mehr vor die Massen treten. Die deutschen und französischen Linken desavouieren.
TROTZKI Bravo, Josif.
RADEK Wir würden uns unserer Zungen berauben. Dann wären wir stumm, und im ZK en bloc überstimmt.
TROTZKI Stimmt.
RADEK Trotzki, gibst du deine Ansichten preis?
TROTZKI Nein, sie wollen wir eben behalten!
RADEK Aber deine Anhänger!
TROTZKI *gereizt:* Man kann nicht recht haben gegen die Partei. Sie macht Fehler. Aber letzten Endes hat sie recht, weil sie das einzige Werkzeug ist, Geschichte zu machen. *Schreit:* Man kann nur mit ihr, und durch sie, recht haben – oder die Geschichte nimmt dein Recht nicht. Der Engländer sagt: My country, right or wrong. Ja, Recht oder Unrecht – es ist meine Partei.
Radek erbittert hinaus.
JOFFE *nach einer Weile:* Was überlegtest du, als er hereinkam?
TROTZKI Majakowski fragte mich, ob es auf dem Theater des Sozialismus noch Tragödien geben werde –
JOFFE Natürlich nicht. Es wird sie nicht geben.
TROTZKI Bist du sicher, Andrej? – Es ist nicht mehr ein Drama von Feinden; die da unversöhnlich kämpfen, haben die besten Absichten: sie tuns nicht für sich sondern für die Gesellschaft. Sie geben nur verschiedene Order in der nämlichen Not. Wie die shakespeareschen Helden mit Schwertern und Spießen, noch wilder, kämpfen sie mit Reden und Pamphleten. Und das ist die Tragik: wenn die Dramaturgie noch zu unbeholfen ist, rational die Aktionen zu finden – es ist noch kein Spiel sondern Intrige, es gibt nichts zu lernen daraus. Das ist die Tragödie, wenn der Unterlegene sieht, er ist das, was er für die andern ist in der Geschichte, der Falschmünzer, der Verschwörer: er muß aber so handeln, will er seinem Wissen von menschlichem Tun treu bleiben.

JOFFE Und nur die einen gewinnen, aber nicht die Gesellschaft
genug –
TROTZKI Und die Regisseure werden hernach ihre Konzeption
beweisen –
JOFFE Und die Lebensläufe mit Genickschüssen korrigieren –
TROTZKI Und die Rezensenten einen »negativen Helden« erfin-
den –
JOFFE Und bei allen Reprisen der positive allein auf der Bühne
stehn.
TROTZKI Über einer Arena voll Blut.
JOFFE – Dein prophetisches Talent...
TROTZKI *fröhlich:* Deine Worte stehn hier. Du lebst weiter, An-
drej.

8

Politbüro.

KALININ *zu Trotzki:* Ihr Buch über die Literatur – das Beste, was
ich las.
TROTZKI Man lebt nicht von Politik allein.
RYKOW *freundlich:* Bei Waffenstillstand!
BUCHARIN »Wie gerne würde ich ungeschrieben lassen, was ich
weiß, wenn ich nur einen Teil von dem verwirklichen könnte,
was ich kann.«
TROTZKI Lassalle an Marx!
BUCHARIN *freundlich:* Lew an die Welt.
Sie umstehen Trotzki. Stalin kommt unbemerkt.
STALIN *liest vor:* Über die Opposition. Manche glauben, Trotzki
habe sich von seinen Ansichten losgesagt. Ich sündiger Mensch
werde von einem gewissen Unglauben geplagt. Bekanntlich
sind die Ultralinken nur für die Revolution, weil sie den Sieg
schon für morgen erwarten, und es ist verständlich, daß sie in
Verzweiflung geraten, wenn die Geschichte sie warten läßt. Wie
die Lage ist, müssen ja die Oppositionellen verzweifeln. Bekanntlich fürchten sie auch, daß unsere Revolution gar keine
sozialistische sei und die proletarische Macht in Rußland ohne
die Weltrevolution zusammensacken oder – wie sie es sagen –
unter dem Druck der Zusammenstöße von Arbeiterklasse und

Bauernschaft entarten müsse. Wie die Lage ist, müssen die Oppositionellen ja wiederum verzweifeln. Bekanntlich glauben sie auch nicht an die stetige Vorwärtsentwicklung und wollen uns zur »revolutionären« Phase zurückzerren. Wie die Lage ist, müssen die Oppositionellen auch hierin verzweifeln. Es ist also bewiesen, daß wir von ihnen nichts erwarten können als Defätismus, als die Verfallsstimmung inmitten der Partei.

Alle außer Trotzki wenden sich ihm zu.

KALININ Warum greift er sie an!

MOLOTOW Sie haben Lenins Testament der New York Times vermacht!

STALIN Die Recken der Opposition schließen ihre Bude, sie raten dem Anhang, die Waffen zu strecken. Warum? Offensichtlich, weil sie heimlich wissen, daß ihr Kampf ein Fehler war. Warum sagen sies nicht offen, wenn sie sich praktisch so verhalten, daß alle Welt es merkt? Deshalb verlangen wir, daß sie ihre Fehler zugeben. – Manche fragen: wozu der Streit über die Zukunft, gehn wir draufzu. Aber wir können nicht gehn, wenn wir nicht wissen, wo wir ankommen. Wenn die Arbeiter nicht felsenfest wissen: der Sozialismus wird ganz und gar errichtet, können sie ihn nicht baun. Das begreifen die Helden der Opposition nicht. Sie hüllen sich in eine Toga, aber warten auf schlechtere Zeiten. Deshalb verlangen wir, daß sie ihre Fehler zugeben. – Die Opposition sagt, es reiche, eine richtige Linie zu haben, damit die Partei augenblicks die Massen in die Kämpfe führe. Sie vergißt, daß das Zeit braucht und daß wir Zeit haben. Die Massen müssen sich von der Richtigkeit der Linie erst überzeugen. Das begreifen die Übermenschen der Opposition nicht. Deshalb verlangen wir noch einmal, daß sie ihre Fehler zugeben. – Es ist Zeit. Sie sollen zugeben, daß sie keine Revolutionäre der Tat sind sondern Revolutionäre der marktschreierischen Worte und der Filmleinwand. Sie sollen zugeben, daß sie keine Revolutionäre der Tat sind sondern Kinorevolutionäre! *Setzt sich.*

TROTZKI *fährt jäh herum:* Er hat den Waffenstillstand gebrochen. Seine Waffe ist der Betrug. Diese Waffe wird uns alle zerschmettern: Sie, und Sie, und Sie, und Sie! Das ist die Waffe des Barbaren, der seine Brüder erschlägt. Die blinde Gewalt führt dazu, daß man nur noch pauschal dafür oder dagegen sein kann; das Verbot der Diskussion führt zur Bildung von Fraktionen;

das Verbot der Fraktionen führt zum Verbot, anders zu denken als der unfehlbare Führer. Erst trat die Partei an die Stelle des Volks, aber jetzt setzt sich der Apparat an die Stelle der Partei, bald ersetzt den Apparat der einzige Diktator. Das ist Lebensgefahr für die Revolution. *Streckt den Arm gegen Stalin:* Der Generalsekretär kandidiert für den Posten des Totengräbers der Revolution.

Stalin erhebt sich langsam, steht, stürzt hinaus. Die Versammlung stiebt auseinander.

9

Zimmer. Natalja. Trotzki, liest in einem Buch. Muralow, von riesigem Wuchs, schweratmend herein.

NATALJA Muralow –?
Muralow sieht sie nicht, will sprechen, trinkt Wasser. Pjatakow bleich herein, starrt Trotzki an. Dann Radek, rasch, er will lächeln, es gelingt nicht, sinkt auf den Boden.
MURALOW *stellt sich gegen die Wand:* Ich habe im Kugelhagel... Ich hab im Oktober, Moskau... Ich habe Sibirien...
NATALJA Was ist geschehn, Muralow; Lew, sag!
Sinowjew und Kamenjew, mit verzerrtem Gesicht.
KAMENJEW *zu Trotzki:* Warum. Warum haben Sie das gesagt.
SINOWJEW *wälzt sich auf dem Sofa:* Abgesetzt, ich bin abgesetzt... Mich, mich – Sagt meiner Mama... Ach, Rußland.
Singt:
Rußland, wie bist du so mächtig
Und so arm zugleich –
Ihr kennt Grischa nicht. *Schreit:* Ich bin tot, tot, ich bin die Leiche der Freiheit. – Ha, ein Verbrecher, *auf die Brust:* da! da! Mich, mich – *Weint:* Wer kennt mich?
PJATAKOW *empört:* – Er liest in einem französischen Roman.
NATALJA *plötzlich ruhig:* Das also ist geschehn. Jetzt müssen wir es tragen.
Die Männer nehmen sie wahr, schweigen beschämt.

Zimmer. Ein Bett. Raja. Joffe.

RAJA Bürger. Warum machen Sie so viele Umstände mit mir?
Joffe verbirgt sein Gesicht.
Ich bin jung, ich bin gesund, ansonsten weiß ich fast alles vom
Leben. Ich weiß, wie gestorben und geboren wird. Ich lebte in
der Fabrik, ich fuhr an die Front, ich nahm an der Verpflegungs-
kampagne teil. Nach dem Bürgerkrieg zog meine Mutter nach
Moskau mit einem viel jüngeren Kameraden. Sie kennen unsere
Wohnverhältnisse: ein Zimmer für drei. Übrigens war Mutter ja
selten zuhause. Sie arbeitete unermüdlich für die staatliche Verwaltung. Es schien ihr zu gefallen, daß ich mit Sergej gut Freund
war. Sie schickte uns auf Meetings, zur Eröffnung von Kongres-
sen. Unser Leben war leicht; bis sie uns im Bett überraschte. Ich
dachte, es geht sie nichts an – würde ich Sergej lieben, ich würde
ihr alles sagen. Aber da doch nichts war, was ihr sein Gefühl
raubte? Seltsam: daß ich mit ihm vertraut war, daß er zu mir
aufrichtiger war als zu ihr, kränkte sie nicht. Aber daß wir uns
umarmten – das, meinte sie, raubt ihn ihr. Aber sie hatte ja nie
Zeit zur Liebe. Wirklich, sie hatte nicht Zeit dazu. Sie konnte es
nicht begreifen: wenn ich es nicht war, war es eine andere. Ich
fühlte mich wohl bei ihm, nur auf die Dauer langweilte er mich.
Dann war Markin besser. Es empörte Mutter, daß ich keinen
liebte. Es sei gemein und zügellos, sich den Männern hinzuge-
ben. Aber es ist so einfacher und besser. Wenn ich mich ver-
liebte, müßt ich mich entscheiden. Immer entscheiden. Markin,
oder Andrej? Und ich könnt es nicht. Und wir würden uns
quälen, und leiden, und uns hassen, und auseinanderrennen.
Das wird mir nicht geschehn. Es betrübt mich nur, daß ich nicht
erriet, wie sehr sich Mutter unsretwegen grämte. Sie war mir
wichtiger als er. Und doch hatte sie nicht recht, wir hatten alles
Recht. »Communismus der Geister« – warum denn nicht der
Leiber. Man muß das alles anders ansehn und verstehn, dann ist
es klar und einfach. Es wird so einfach bei den Menschen.
JOFFE Ich fahre *lacht stumm* noch immer im Panzerzug.

Zimmer. Stalin, Molotow, Ordshonikidse, Woroschilow, trinken. Bucharin, steht auf einem Stuhl. Nadeshda, zu allem schweigend.

BUCHARIN »Nein, wir werden nicht mehr angreifen. Wir werden uns mit einfachen Erklärungen begnügen. Genossen, Sie können uns anklagen, aber wir leben nicht im Mittelalter. Man sollte eine Katze eine Katze nennen. Sie können keine Hexenprozesse mehr machen. Sie können uns nicht auf dem Scheiterhaufen verbrennen.«
Die Männer lachen.

MOLOTOW Bravo, Kamenjew.

ORDSHONIKIDSE Sie kämpfen nicht fair. Sie verlangen, der Kampf solle sie nicht diskreditieren. Das ist gegen die Regeln. Wer nur kämpfen will, ohne die Führer zu kompromittieren, verneint den Kampf.

BUCHARIN *wechselt auf den Tisch:* »Ich möchte nur Bucharin entgegnen, meinem liebenswerten Freund, und gelassen mit ihm sprechen. Sie sagen: Es geht darum, können wir den Sozialismus aufbaun und den Bau vollenden, wenn wir die internationale Geschichte beiseite lassen? Ich antworte: wenn wir die internationale Geschichte beiseite lassen, können wir es; der Witz ist, wir können sie nicht beiseite lassen. Sie können, Nikolai, im Januar nackt in den Gassen Moskaus patrouillieren, wenn Sie das Wetter und die Miliz beiseite lassen. Aber merkwürdigerweise wird Sie das Wetter und die Miliz nicht beiseite lassen.«
Die Männer lachen.

STALIN Bucharin sagt doch nicht, daß die innern und ausländischen Fragen nicht zusammenhängen! Doch man darf nicht die Fragen der ersten Kategorie und die Fragen der zweiten Kategorie durcheinanderbringen. Das ist eine elementare Forderung der Methodologie. Man soll Dialektiker und nicht Gaukler sein, verehrter Lew Dawidowitsch. Hätten Sie bei Lenin Dialektik gelernt.

WOROSCHILOW Der Athlet mit den falschen Muskeln. Balaleikin.

BUCHARIN Wenn Kamenjew daherläuft: Ich, Kamenjew, habe mich mit Trotzki verbündet, wie sich Lenin mit ihm verbündet und auf ihn gestützt hat, kann ich nur in homerisches Gelächter ausbrechen. Da seht, wie sich Kamenjew und Sinowjew auf Trotzki stützen. Seht ihr? Sie stützen sich auf ihn so sehr, daß sie unter seiner Last zusammenbrechen –

Die Männer jubeln.

Und dann wiehert Kamenjew: Ich stütze mich auf Trotzki. Ja, wie Lenin.

MOLOTOW Bucharin. Er ist wie umgestülpt.

BUCHARIN Und da liegt dann Sinowjew und prahlt, er drücke sein Ohr an die Erde und höre die Schritte der Geschichte. Ja, weil er am Boden ist. Und er hört nicht, daß die Partei über ihn weggeht.

ORDSHONIKIDSE Kamenjew hat recht: man soll eine Katze eine Katze nennen.

WOROSCHILOW Und ein Schwein ein Schwein.

BUCHARIN *noch am Boden:* Wir können ihnen nicht verzeihen, diesen Schweinen, wir werden sie mit Forken verjagen. Es sei denn, sie kriechen auf dem Bauch und flehn: Vergebt uns unsere Sünden wider den Geist und den Buchstaben und das wahre Wesen des Leninismus.

STALIN Nikolai. Er argumentiert nicht, er schlachtet sie ab.

ORDSHONIKIDSE Prost, Kamenjew.

WOROSCHILOW Wo ist Kamenjew?

MOLOTOW Er schreibt römische Elegien. Er ist Botschafter bei Mussolini.

Woroschilow lacht schrill.

Sie schlafen, Klim. Preobrashenski und Kossior – zu Rakowski nach Paris.

WOROSCHILOW Gut!

MOLOTOW Krestinski, Deutsches Reich. Lunatscharski in Madrid. Safarow: erst Komsomol – jetzt Konstantinopel.

Das Lachen hört nicht auf.

Es gibt viele Länder. Es gibt auch Persien, Österreich, die überseeischen Gefilde. Und Rußland, ist es nicht groß? Smilga fährt nach Chabarowsk, gleich bei der Mandschurei.

ORDSHONIKIDSE Aber wohin die Krupskaja?

MOLOTOW *plötzlich dienstlich:* Genossin Krupskaja hat diese Verbindungen abgebrochen.

STALIN Sonst hätten wir jemand anders zur Witwe Lenins ernennen müssen.

WOROSCHILOW Pfui Teufel.

Nadeshda sieht Stalin an.

BUCHARIN Jetzt kommt der Clou. Andrej Joffe will hinaus. Er braucht eine Kur, sagt er. Er ist krank, sagt er.

STALIN Er muß im Bett liegen, und kann nicht vögeln.

MOLOTOW Wir können im Ausland seine Sicherheit nicht garantieren.

WOROSCHILOW Ich weiß – Psychoanalyse. Das lehnen wir auch ab. Soll er sich – bei Pawlows Hunden kurieren lassen.

ORDSHONIKIDSE Pjatakow, Pjatakow könnte mit den Händlern, könnte er nach Kanada gehn.

NADESHDA *richtet sich auf:* Aber dort sind hunderte ukrainische Emigranten.

ORDSHONIKIDSE Soll er beweisen, soll er, daß er keine Angst hat.

NADESHDA Er hat im Bürgerkrieg Todesurteile unterschrieben!

ORDSHONIKIDSE Um so besser wird die Probe sein.

STALIN Was mischst du dich ein? Was redest du?

NADESHDA Was ich rede? – Sie trinken hier, aber das Volk leidet!

WOROSCHILOW Das Volk trinkt auch.

STALIN Wir – aber das Volk? Was ist das für ein aber?

BUCHARIN Aber Trotzki spricht von einer Tragödie. Wir seien nicht legitimiert, das Volk zu führen. Helfen Sie mir, mein Lachen erstickt mich. Sie sind nicht legitimiert. Möglich, einige Schwätzer verlernen ihre Monologe, weil der Text zu schwierig ist. Das gibt keine Tragödie, das gibt eine Farce.

STALIN Was aber. Was Farce. *Steht auf, schreit Nadeshda an:* Was verstehst du? Was hast du immerfort?

Er bedeckt sie mit Schimpfworten. Nadeshda geht hinaus. Molotow, Ordshonikidse, Woroschilow betreten ab. Bucharin lacht betrunken.

Der Totengräber. Der Totengräber der Revolution. Dann müßte sie ein Leichnam sein, der Leichnam ihrer Utopien. Haben Sie nicht, Trotzki, als die Kronstadter rebellierten, den Befehl gegeben, nicht mit Patronen zu sparen? Haben Sie nicht gesagt: man muß sie der Reihe nach wie Rebhühner abschießen? Haben Sie nicht, Trotzki, als Sie die »Arbeiteropposition« anklagten, gesagt, daß sie das Banner Kronstadts entfalte? Müssen wir nicht, Trotzki, Ihnen sagen, daß jetzt Sie den Weg Kronstadts gehn? – Der Reihe nach... wer ist an der Reihe? Lenin tanzte im Smolny, als er die Frist der Commune überstand. *Er beginnt zu tanzen.* Beim ersten Schritt / klopfts Herz noch mit. Er darf uns die Antwort nicht sagen, das Blut hat ihn unverwundbar gemacht, er ist ein roter Heiliger. »Gewisse Fehler, gut in Szene gesetzt, strahlen heller als selbst die Tugend.« Ich will aus seinen Fehlern lernen. *Tanzt in jähen Kurven:* Man muß nur – das Steuer halten – so bleibt man doch im Wagen. Bekanntlich ist es ja so – daß bei derartigen – ja noch geringeren – Wendungen diese oder jene Gruppe – aus dem Parteiwagen kippt. Ein entschlossener Wechsel des Kurses – und eine bestimmte Gruppe – und wieder eine Gruppe – kommt unter die Räder – unter die Räder, sagte der Totengräber.

BUCHARIN *zugleich:* Man muß auch... das Leben. Wann denn sonst, wenn nicht jetzt? Später... später leben wir nicht. *Zur Wand:* Geh, du permanenter Mann, Cäsar mit Zwicker. Wer weiß, was dann ist? Willst du ein Leben lang, kämpfen... und die nächsten wieder, und die nächsten, und immer für die nächsten... Nieder mit der permanenten Revolution!

Stalin sieht ihn starr an. Bucharin verstummt. Er retiriert, erblaßt, hinaus.

12

Zentrale Kontrollkommission.

12.1

ORDSHONIKIDSE Genosse Sinowjew, Genosse Trotzki, Sie haben sich vor der Zentralen Kontrollkommission zu verantworten wegen... des Auftretens vor der Komintern und bei der Abreise Smilgas nach Chabarowsk.

TROTZKI Ja. Ich will Ihnen im voraus die Gründe für dieses Verfahren sagen, damit Sie wissen, Sergo, wofür Sie hier sitzen. Stalin muß sich in naher Zukunft gegen seine eigne Politik wenden. Er weiß das noch nicht; er ahnt es. Er muß uns loswerden, um sich die Hände frei zu halten. Verstehen Sie jetzt, Jaroslawski, weshalb Sie uns wegen Nichtigkeiten anklagen? Begreifen Sie, Solz, warum Sie mit Sophismen Ihre gute Zeit totschlagen? – Übrigens ist der Richter Janson befangen. Er ist ein beschränkter Mensch, also ein Feind der Ideen, über die wir streiten.

Lärm.

12.2

SINOWJEW China. Ich frage aber: kann uns eine Parteikommission anklagen wegen eines Appells vor der Komintern? Kann uns also ein Dorfsekretär belangen wegen eines Appells im ZK? Weg diese Anklage, sie ist nur ein Zierat an dem Schwert, mit dem man uns treffen will. Es geht um größere Beträge – um die Summe unsrer revolutionären Prinzipien. Wir reden von einem Land – also arbeiten wir nicht für die andern, also verraten wir die andern.

JANSON Sinowjew – und Prinzipien. Sie haben die Arbeit der Komintern gemacht!

Gelächter.

JAROSLAWSKI Die Opposition glaubt, der Umsturz Tschiang Kaischeks gäbe ihr das Recht zu »entschiedenen Aktionen« gegen die Kuomintang, um die Massen für »uns« zu gewinnen. Sie sieht nicht den bürgerlichen Charakter dieser Revolution, sie schwatzt über unsere »opportunistische« Politik, sie fordert die »Selbständigkeit« der chinesischen Kommunisten. Aber das fordern heißt, neuen Machtorganen sekundieren, es heißt, der Großmutter Imperialismus das Märchen eingeben, es gehe in China nicht um die nationale Revolution sondern um eine Sowjetisierung. Es heißt, den Feinden helfen. – Sie wollen wissen, Sinowjew, wie stark Stalins Internationalismus ist? Fragen Sie die chinesischen Kommunisten. Stalin hat recht: Trotzki will in der Komintern die Rolle des Helden spielen, den Kaiser von China.

Es wird ein Zettel gebracht.

ORDSHONIKIDSE *verwirrt:* Ich erhalte eine Meldung. Die Kuomintang hat die Kommunisten ausgestoßen. Sie geht daran, die Bauernrevolution im Blut zu ersticken. Kommunisten werden erschossen, in Lokomotiven verheizt und lebendig begraben.

SOLZ *zu Radek, während die Kommission ihre Plätze einnimmt:* Was erwarten Sie von uns? Denken Sie an die Französische Revolution. Soll sich all das wiederholen?

RADEK Wollen Sie uns also guillotinieren?

SOLZ Wollen Sie uns dazu zwingen? – Wissen Sie nicht, daß es Robespierre, Robespierre weh tat, Danton, Danton zu morden... Doch Danton zwang ihn dazu – und zog ihn mit sich!

RADEK Wenn es Ihnen weh tut – wollen Sie nicht lieber vorausgehn? Wir würden dann auch bleiben.

TROTZKI Zweitens. Smilga. Man klagt uns an, seinen Abschied auf dem Jaroslawler Bahnhof zu einer Kundgebung gemacht zu haben. Aber man sagt, Smilga sei in aller Form nach Chabarowsk versetzt und nicht verbannt. Wie kann man da die Verabschiedung eine Demonstration nennen? – Oder ist es sentimental von uns, hier von der Redlichkeit offizieller Begründungen auszugehen? Gut, seien wir bloß realistisch und sagen also: es gibt keinen größern Beweis für die geistige Schwäche einer revolutionären Politik, als daß sie gezwungen ist, die Massen zu betrügen.

JAROSLAWSKI Das sagen Sie nicht noch einmal.

TROTZKI Ja, ich denke, es wurde verstanden. Aber reicht Ihr Verstand? – Heute fälschen Sie unsere Worte; morgen werden Sie unsre Taten fälschen.

Unruhe.

Ja, ich meine das, was Sie denken, Solz. Die Franzosen haben geköpft, wir haben erschossen. Doch die Französische Revolution hatte zwei Etappen; die eine verlief so *er zeigt es*, die andere so. In der ersten fielen die Köpfe der Parteigänger des Königs und der Bourgeoisie, in der zweiten fielen die Köpfe der linken Jakobiner. Als wir die Konterrevolutionäre erschossen, wußten wir, in welcher Etappe wir waren. Wissen Sie, Solz, in welcher Etappe Sie beginnen, uns erschießen zu lassen?

Geschrei.

Nach dem Thermidor sagten die rechten Jakobiner: wir haben isolierte Sonderlinge beseitigt, die die Pferde scheu machten. Wenn das Genosse Solz nicht glaubt –

SOLZ Ich sage das ja! Darum geht es doch!

TROTZKI Und in die Klubs der Jakobiner zog Schweigen ein. Sie verlernten die Freiheit. Der Terror vertauschte die rote Mütze mit der Tarnkappe, er begnügte sich nicht mehr mit den Köpfen, er riß alle Nerven aus dem Fleisch. Die Arme und Hände bewegten sich plötzlich an den Stricken der Polizei, in einem gleichförmigen Rhythmus. Beschlüsse wurden gekürt durch Hochreißen der Gliedmaßen. Kritik in den untersten Ebenen zerstampft. Es wurde zum modischen Vergnügen aller Schwätzer, das Denken den von oben kommenden Weisungen anzupassen. Das Volk kroch in die Fabriken und wartete auf seine Zeit. Da stand es noch aufrecht auf dem Revolutionsplatz, das lachende Drittel der Partei, Entschuldigung, des Jakobinerklubs, aber das Lachen war die ins Fleisch geschnittene Maske. Nicht Revolutionäre gebar er noch in seinem Schoß, aber die Bürokraten Bonapartes. Kein empfindliches Barometer mehr am Körper des Volks, nur ein eiserner Apparat, der mechanisch klappt, das wurde die Partei, Entschuldigung – über welche Zeit spreche ich? Ich kann es nicht auseinanderhalten... *Schlicht:* Helfen Sie mir, Solz, daß sich das nicht vermischt, daß wir das von uns weghalten.

JANSON *schreit:* Ich kann Ihnen helfen. Nicht ihr seid Robespierre – wir sind Robespierre.

SINOWJEW *schreit:* Wir sind Robespierre.

JANSON Wir sind Robespierre, ihr seid Danton.

SINOWJEW Sind Sie sicher, daß es so ist? – Sie wagen es nicht, ein Urteil zu fällen.

REVOLUTIONSLIED

Freie, wie sehr sind wir frei
Von Hunger, Kält und Pein?
Kein Laus im Fell mehr und kein Loch im Bauch
Die warme Stube auch –
Das kann nicht alles sein.
　　Nicht den Namen, nein: die ganze Sache.
　　Kein Gered, Genosse: unsre Tat.
　　Und nicht für die Klasse sondern mit der Klasse.
　　Nicht die Fabriken nur: den Staat.

Freie, wie sehr sind wir frei
Von Gott und Jesu Christ?
Wollt endlich selbst euch euern Weg befehln
Und laßt euch nicht erzähln
Daß es schon alles ist.
   Nicht den Namen, nein: die ganze Sache.
   Kein Gered, Genosse: unsre Tat.
   Und nicht für die Klasse sondern mit der Klasse.
   Nicht die Fabriken nur: den Staat.

Freie, wie sehr sind wir frei
Zu fragen: wo hinaus?
Wollt ihr euch hörn, müßt ihr noch immer schrein!
Rollt nicht die Fahne ein
Es reicht uns noch nicht aus.
   Nicht den Namen, nein: die ganze Sache.
   Kein Gered, Genossen, unsre Tat.
   Nicht mehr für die Massen sondern mit den Massen
   Und nicht Fabriken nur: den Staat.

Freie, wie sehr sind wir frei?
Von Willkür und Betrug?
Seid Knechte nicht auf euerm freien Land
Es liegt in unsrer Hand:
Es ist niemals genug.
   Nicht den Namen, nein: die ganze Sache.
   Kein Gerede, ihr, und unsre Tat.
   Land und Stadt, wir werden eine Klasse
   In den Fabriken und im Staat.

13

Zimmer, darin Radek, Joffe, Markin.
Sekretariat des ZK, darin Molotow, Jaroslawski, Berija.

JAROSLAWSKI *liest aus Stößen Papier:* Lenin, »Geschichtliches zur Frage der Diktatur. Notizen«, 1920: »Der wissenschaftliche Begriff der Diktatur bedeutet nichts anderes als die durch nichts eingeschränkte, durch keinerlei Gesetze, absolut durch keinerlei Regeln gehemmte, sich unmittelbar auf die Gewalt stützende Macht.«

RADEK *ebenso:* Lenin, »Die große Initiative«, 1919: »Die Diktatur des Proletariats ist ... nicht bloß Gewalt gegenüber den Ausbeutern und sogar nicht einmal hauptsächlich Gewalt ... die Gewähr für ihre Lebensfähigkeit ... besteht darin, daß das Proletariat einen ... höheren Typus der gesellschaftlichen Organisation der Arbeit ... verwirklicht. Das ist der Kern der Sache.«

BERIJA Lenin, »Der linke Radikalismus«, 1920: »Sicherlich sieht jetzt schon fast jeder, daß die Bolschewiki die Macht keine 2½ Monate, geschweige denn 2½ Jahre hätten behaupten können ohne die strengste, wahrhaft eiserne Disziplin in unserer Partei« ...

JOFFE *schreibt mit:* »Der lin-

ke Radikalismus«, 1920: . . .
»ohne die vollste und gren-
zenlose Unterstützung der
Partei durch die Masse der
Arbeiterklasse ... Worauf
stützt sich die Disziplin der
revolutionären Partei ...?
wodurch wird sie kontrol-
liert?«

BERIJA »Erstens durch das Klassenbewußtsein der proletarischen Avantgarde« ...

JOFFE »Zweitens durch ihre Fähigkeit, sich mit den breitesten Massen ... zu verbinden ... ja, bis zu einem gewissen Grad mit ihnen zu verschmelzen. Drittens durch die Richtigkeit der politischen Führung ... Ohne diese Bedingungen werden Versuche, eine Disziplin zu schaffen, unweigerlich zu einer Fiktion, zu einer Phrase, zu einer Farce.« – Das wird sie treffen.

BERIJA »Diese Bedingungen können aber anderseits nicht auf einmal entstehn.«
MOLOTOW »... Wer auch nur im geringsten die eiserne Disziplin der Partei ... schwächt, der hilft faktisch der Bourgeoisie gegen das Proletariat.« – Das wird sie vernichten, Berija.

RADEK Lenin, Brief vom 4. Februar 1905: »Wahrhaftig, ich denke oft, daß neun

Zehntel der Bolschewiki wirklich Formalisten sind ... Man muß nur weitherziger und kühner, kühner und weitherziger und noch einmal weitherziger und kühner unter der Jugend werden, ohne sie zu fürchten« – unterstrichen: ohne sie zu fürchen ... »Laßt alle Gewohnheiten der Schwerfälligkeit, des Respekts vor Titeln usw. ... Gebt jedem Unterkomitee das Recht, ohne viel Umstände Flugblätter zu schreiben und herauszugeben (kein Unglück, wenn es sich verhaut! Wir werden es im Wperjod ›sanft‹ korrigieren) ... Die Ereignisse werden jetzt in unserm Geiste lehren ... Nur unbedingt organisieren und noch einmal organisieren. Hunderte von Zirkeln, die üblichen Komiteetorheiten ganz in den Hintergrund schieben! Es ist Kriegszeit! ... Oder ihr werdet zugrunde gehn mit dem Ruhm von Komiteetschiks mit Stempeln ... «

JAROSLAWSKI »Ein Schritt vorwärts, zwei Schritte zurück«, 1904: »Bürokratismus versus Demokratismus, das heißt eben Zentralismus versus Autonomismus, das ist das organisatorische Prinzip der revolutionären Sozialdemokratie gegenüber dem organisatorichen Prinzip der Opportunisten. Das letztgenannte Prinzip ist bestrebt, von unten nach oben zu gehn, und darum verteidigt es überall, wo es möglich ist und soweit es möglich ist, den Autonomismus, den ›Demokratismus‹ ... Das organisatorische Prinzip der revolutionären Sozialdemokratie ist bestrebt, von oben auszugehn, und verteidigt die Erweiterung der Rechte und der Vollmachten der zentralen Körperschaft gegenüber dem Teil.«

MARKIN »... der russische Apparat ..., den wir vom Zarismus übernommen und nur oberflächlich mit Sowjetöl gesalbt haben« –? 1923! Los, Andrej.

MOLOTOW »Was tun?«, 1905: »Je breiter die Masse ist, die spontan in den Kampf hineingezogen wird, ... um so fester muß die Organisation sein ... Die Organisation der Revolutionäre muß hauptsächlich Leute erfassen, deren Beruf die revolutionäre Tätigkeit ist« ...

JAROSLAWSKI Aber wann war das?

MOLOTOW Lenin.

JAROSLAWSKI Und die Arbeiter an der Werkbank?

MOLOTOW Lenin.

JOFFE Sitzung des Gesamtrussischen ZK, November 1917: »Die lebendige schöpferische Tätigkeit der Massen, das ist der Hauptfaktor des neuen öffentlichen Lebens ... Der Sozialismus wird nicht durch Erlasse von oben geschaffen. Seinem Geist ist der fiskalisch-bürokratische Automatismus fremd. Der lebendige, schöpferische Sozialismus ist das Werk der Volksmassen selbst.«

MOLOTOW *schreibt mit:* ... »würde den Eindruck erwekken, daß die Entwicklung des Klassenbewußtseins etwas Spontanes sei ... Außer

JOFFE Petrograder Sowjet, Dezember 1917: »Einen konkreten Plan zur Organisierung des wirtschaftlichen Lebens gibt es nicht und kann es nicht geben. Niemand kann ihn geben. Nur die Masse kann das tun, von unten, aufgrund der Erfahrung.«

MARKIN *laut:* 11. Parteitag, 1922: »In der Volksmasse sind wir doch nur ein Tropfen im Meer, und wir können nur dann regieren, wenn wir richtig zum Ausdruck bringen, was das Volk erkennt!«

RADEK »Von der demokratischen Revolution werden wir sofort, und zwar nach dem Maß unsrer Kraft, der Kraft des Proletariats, den Übergang zur sozialistischen Revolution beginnen.

dem Einfluß der Partei gibt es keine bewußte Aktivität der Arbeiter.« 2. Parteitag, 1903.

MOLOTOW ... »Das politische Klassenbewußtsein kann in den Arbeiter nur von außen hineingetragen werden ... Darum besteht unsere Aufgabe ... darin, die Arbeiterbewegung unter die Fittiche der revolutionären Sozialdemokratie zu bringen« ...

JAROSLAWSKI Glänzend. Glänzend gesagt, Wjatscheslaw.

MOLOTOW Gehirnsklerose, woran er starb – kommt das nicht vom Denken, Lawrenti? – Mich lähmt schon der Gedanke.

BERIJA Und was ist das? Was ist das? – »Von der demokratischen Revolution werden wir sofort, und zwar nach dem Maß unsrer Kraft, der Kraft des Proletariats, den Übergang zur sozialistischen Revolution beginnen. Wir

Wir sind für die permanente
Revolution. Wir werden
nicht auf halbem Wege
stehnbleiben.«

sind für die permanente Revolution. Wir werden nicht
auf halbem Wege stehnbleiben.«

MOLOTOW Stop stop. Das ist
Trotzkis Wort. Es muß jetzt
richtig heißen: »Wir sind für
die ununterbrochene Re-
volution.«

BERIJA Wir werden nicht auf
halbem Wege stehnbleiben.
Sie lachen.

JAROSLAWSKI Das ist alles klar.
Sie gehn ab.

MARKIN Das ist mir nicht
klar ...

13.2

Radek. Joffe. Markin.

MARKIN Gilt das noch jetzt? daß der Arbeiter in der Arbeit kein
Bewußtsein hat? Wenn die sogenannte Macht erkämpft ist –
wird nicht die Arbeit der Kampf, der uns leben lehrt? Muß
sie nicht so gestaltet werden, daß jeder mit seinem Teil das
Ganze in den Händen weiß? Wollt ihr in aller Zukunft Heils-
botschaften in die Hallen tragen? Muß nicht der große Staat, mit
dem sich die Gesellschaft putzt, so durchsichtig, begreiflich
werden, und wenn wir uns darin bewegen, lernen wir ihn beherrschen? oder ihn abzutun? – Warum sammeln wir die Zitate
wie Reliquien. Warum schaun wir ins Buch, aber nicht in die
Fabriken. Sind die Sprüche der Bibliotheken ein Gesetz, unter
das sich die Zukunft beugt. Lebt die Wahrheit ewig, wird sie
nicht wenigstens alt? Hat die Wahrheit keine Kinder. Dann
stirbt sie aus.

RADEK Ihr Kinder!

14

GPU. Menschinski. Stalin.

MENSCHINSKI *rasch:* Sie haben kein Urteil gefällt. Sie haben ihn nicht ausgeschlossen.

STALIN Sie glauben nicht, daß es aus ist mit den Straßenhelden.

MENSCHINSKI Wir müssen die Diskussion in die Zellen tragen.

STALIN Halt... Ists nicht zu früh?

MENSCHINSKI Sie wollen ihre Plattform vor den Parteitag bringen.

STALIN – Sie müssen vorher verschwinden.

MENSCHINSKI Ah, sehn Sies? – Ich wüßte schon... Diesen Brief schrieb er Ordshonikidse –

STALIN *liest, erbleicht:* »im Fall eines Kriegs wie Clemenceau die unfähige Führung abzulösen« –

MENSCHINSKI Wie Clemenceau, der »Tiger«. Oder ist's ein Löwe.

STALIN Das heißt: uns stürzen?

MENSCHINSKI Das hört sich wundervoll schlimm an.

STALIN Halt halt... Sie werden sich herausreden.

MENSCHINSKI Ich kenne einen frühern Wrangel-Offizier, er ist zu uns konvertiert; den können wir hineinziehn und zur Sache kommen.

STALIN Es ist gekommen... Es mußte kommen. Diese Blöße können sie nicht bedecken.

MENSCHINSKI Sie stehn wie zur Vollstreckung auf der Plattform.

STALIN Die ich in den Schatten stellen werde.

15

Zimmer. Krupskaja. Kalinin. Tomski. Berija.

KRUPSKAJA Man begräbt ihn unter längst vergessenem Schmutz. Man erstickt ihn mit aufgebauschten Historien.

TOMSKI Er hat die Dreckarbeit gemacht. Grund genug, verhaßt zu sein bei allen Leisetretern und Gläubigen kirchlicher und weltlicher Fasson.

KRUPSKAJA Auch Iljitsch hat Fehler gemacht... Aber da wurden Fehler zugegeben.

BERIJA *für sich:* Ich will sie schon zugeben, eure Fehler, Krupskaja; das wird mein Fehler nicht sein.

TOMSKI Nicht einmal ein indischer Elefant würde aushalten, was man mit Trotzki treibt.

KALININ Stalin haßt ihn, wie alle, die er fürchtet.

TOMSKI Also haßt ihn auch sein getreuer Hammer, der einst ehrlicher war und sich gleich Einfalt nannte. Nur »eiserner Hintern« gefällt ihm nicht.

BERIJA *für sich:* Du mußt steigen oder sinken / Amboß oder Hammer sein.

KRUPSKAJA – Aber, worauf wollen Sie hinaus, Genosse Tomski ... Aber die Partei –

TOMSKI Wir reden zwei Jahre über Bauern. Dabei geht es um

KALININ Bonzen.

BERIJA *für sich:* Reden Sie; ich will den Worten weiterhelfen, wie mir selbst.

TOMSKI Und wenn wir von Stalin sprächen?

KRUPSKAJA Schluß! Schluß! *Sie geht erregt hinaus.*

BERIJA *laut:* – Jetzt können Sie sprechen. Die keusche Dame hörts nicht.

Kalinin und Tomski schweigen.

Ja dann! Man hat eine Verschwörung aufgedeckt.

KALININ Das sagen Sie erst jetzt?

BERIJA Konnt ich Sie unterbrechen? Die Opposition hat eine illegale Druckerei, in der sie ihre Plattform druckt!

TOMSKI Wieso ist sie illegal?

BERIJA Die GPU hat sie ausgehoben. Wrangel-Offiziere sind hineinverwickelt.

TOMSKI Was hat er vor?

KALININ – Wir fürchten ihn alle.

16

Zentralkomitee. Erregte, fast hektische Stimmung.

STALIN Ja, Stalin bewundert die Langmut des Gerichts.
Geschrei.
Ich habe wenig Zeit. Die Opposition greift Stalin an. Lassen wir Stalin, Stalin hat damit nichts zu tun; von irgendeiner Theorie

Stalins kann nicht die Rede sein. Die Opposition greift Lenin an, wenn sie von Stalin spricht! Sie behauptet, Lenin habe vorgeschlagen, Stalin wegen seiner »Grobheit« abzusetzen. Ja, das stimmt. Ich bin grob gegen alle, die die Partei spalten. Was kann ich tun? Aber Lenin spricht von keinem einzigen Fehler Stalins. Er spricht von Grobheit, aber Grobheit ist kein Fehler in der Linie oder Position.

Beifall.

Warum müssen wir Trotzki aus dem ZK ausschließen? Ich habe nichts gegen ihn; ich will nur Gründe nennen. Ich habe wenig Zeit. Die Opposition sagt, daß es bei der Vorbereitung des Parteitags Repressalien gäbe. Sie dürfe ihre Plattform nicht verkünden, weil wir die Wahrheit fürchteten. Aber in welcher Zelle, offen gesagt, wird nicht verkündet und bekundet? Warum gehn Trotzki und Sinowjew nicht mehr in die Zellen? Weil sie nicht gegen die Beschlüsse auftreten dürfen. Sie verzichten also darauf, aufzutreten. Und wir sollen auf ihre Plattform treten. Zweitens. Die Opposition spricht von Verhaftungen und behauptet wieder, es handle sich um Repressalien. Ja, es handelt sich um Repressalien. Aber seit wann sind wir gegen Repressalien? Ihre Tragik ist: daß sie nicht begreift, wie ihr geschieht. Sie beklagt sich bei uns, daß sie nicht verstanden werde. Sie ist eine Fraktion von Unverstandenen.

Gelächter. Beifall.

Ja, es ist sehr leicht möglich, daß sie auf dem Parteitag nicht vertreten ist.

Zustimmendes Geschrei.

Drittens. Sie ist so tief gesunken, daß sie die Verteidigung des Lands in Zweifel zieht. Sie arbeitet mit einem Wrangel-Offizier, und empört sich, wenn wir ihn benutzen. Viertens. Sie ist gegen den Siebenstundentag. Ich habe wenig Zeit. Darf ich noch weiter sprechen?

STIMMEN Bitte. Ja!

STALIN *immer schneller:* Ich fahre fort. Die Opposition behauptet außerdem, es gäbe Repressalien bei der Vorbereitung des Parteitags. Sie begründet es so: ihre Plattform werde nicht verhandelt. Aber wird sie nicht, offen gesagt, hart behandelt? Warum beteiligen sich Trotzki und Sinowjew nicht an den Handlungen, die es, offen gesagt, gibt? Weil sie es nicht dürfen. Und wir, wir sollen damit handeln. Und Verhaftungen. Man spricht hier von Repressalien. Aber das sind Repressalien. Repressalien sind niemals ausgeschlossen. Die Tragik ist, daß die Opposition nichts begreift. Und sie beklagt sich, daß man sie nicht verstehe.

Stärkerer Beifall.

Ich muß noch was erwähnen. Sie lehnt die Verteidigung des Landes ab: und will es selbst verteidigen. Sie benutzt einen Wrangel-Offizier und wirft uns Betrug vor, wenn er für uns arbeitet. Weiter: sie stimmt gegen die sieben Stunden. Kann sie tiefer sinken?

Stärkeres Geschrei.

Das ist noch nicht alles. Das ließe sich fortsetzen. Ich habe wenig Zeit. Eine der größten Schändlichkeiten: man spricht sogar von Repressalien bei der Vorbereitung des Parteitags. Man begründet das, man höre: daß man die Plattform nicht diskutieren dürfe. Aber wo wird sie nicht diskutiert? Haben wir nicht genug von diesen Diskussionen? Man sagt sogar, es gäbe Verhaftungen! Aber soll man diese Spalter nicht verhaften? Das sind dann Repressalien. Wer versteht eigentlich wen nicht? Jetzt sagen sie sogar, wir würden sie nicht verstehn!

Von Ovationen überdröhnt:

Das ist die Tragik, daß sie Unverstandene sind. *Lacht.* Ist es nicht leicht, ja möglich, daß sie nicht auf dem vertreten sie nicht und sogar! Sie wollen das Land so tief gesunken verteidigen, und das noch hinzu! und das noch hinzu! sie erklären sich, Achtung, gegen die sieben Stunden. Reicht das nicht alles das aus?

TROTZKI Genossen –

Proteste.

Genossen, nichts wäre leichter –

Gelächter.

als vor seine Partei zu treten und zu sagen: ich irre –

Proteste.

ich sehe meine Fehler ein.

Höhnischer Beifall.

Ich kann das aber nicht sagen, weil ich nicht so denke.

Stille.

Und doch, man soll nicht gegen sie recht haben... *ratlos:* man kann es nicht...

Gelächter.

Man kann es nicht...
Großes Gelächter.
Aber es geht in unserem Kampf
MOLOTOW Kampf? Sie sind ausgeschlossen!
TROTZKI nicht darum, wer in einzelnen Fragen recht hat, wir mögen uns alle irren.
Proteststurm.
Es geht vielleicht darum: wie ein selbstbewußter Bürger zu leben oder wie ein unmündiges Kind.
Immer stärkerer Lärm.
Sie müssen es wissen. *Versucht, den Lärm zu überschrein:* Ein Kommunist muß sich den Aufgaben stellen. Aber er darf nicht aufhören zu denken beim Handeln. Auch wenn er anderer Meinung ist – er muß sie vertreten; wie soll sonst die bessere gefunden werden? Und wenn er allein steht, er muß sie noch immer vertreten; so wird es, wenn die Stunde kommt, allen leichter, die alte Stellung zu wechseln. So können sie zu harte Umbrüche vermeiden, die ihre Gemeinschaft zerbrächen. Auch wenn er für immer allein bleibt, muß er so ehrlich bleiben.
KALININ Das wird er nicht!
TROTZKI Auch wenn er einen Weg nicht mitgeht, muß er die Klarheit des Urteils behalten.
RYKOW Das kann er nicht!
BUCHARIN Nein, er wird ein Provokateur.
TROTZKI Das wäre schlimm. *Er hält inne.* Das wäre schlimm für ihn. *Hält inne.* Das darf er nicht... Und wenn er es wird, ist es noch immer nicht seine Schuld. Es ist die Schuld der anderen!
Man bewirft ihn mit Akten, Gläsern, Tintenfässern. Wild, sich vergessend:
Die es so wollen. Die seine Lügen brauchen für ihr Recht. Die von Gewalt leben und mit Gewalt zusammenbrechen sollen. Die mit Gewalt zusammenbrechen sollen. Die von mir aus sich selbst blutig ausrotten und mit Gewalt zusammenbrechen sollen!
Er hält, über sich erschrocken, inne. Größter Tumult. Er geht hinaus.

17

*Straße. Kutusow, flucht. Mitro, ordentlich gekleidet, selbstbe-
wußt.*

MITRO Was gibts, Bruder, du warst immer ruhmvoll, jetzt fluchst
du? Nimmst du nicht teil am Kampf gegen die Gewohnheit,
unflätige Worte zu gebrauchen?

KUTUSOW Lauf auf dem Schwanz. Sie haben die sieben Stunden
beschlossen.

MITRO Aus eigner Kraft, verdammt, freut es dich nicht?

KUTUSOW . . . deine Mutter. Das ists ja, daß ich mich freu. Es wird
uns geschenkt.

MITRO Schon gar nicht die Mutter und die Partei: fluch auf die
Frau. Du kannst dich noch mühen an ihrem Bauch, ein Stünd-
chen mehr, dann ist dir nichts geschenkt.

KUTUSOW Wird sie den Kommunismus gebären?

MITRO Aus eigner Kraft. Wir lassen uns nichts schenken. Wir haben auch protestiert, denn das Fluchen war ein Recht, am Feiertag, jetzt ist die Arbeit darum um zehn Promille gesunken.

KUTUSOW Geh zum Teufel.

MITRO In den Lesezirkel.

Ab. Ein Haufe Betrunkener.

DER HAUFE Sind Sie Bürger, äh, oder Genosse? Macht nichts,
kommen Sie mit.

KUTUSOW Ja, die Gurke ist da – aber wo ist der Schnaps?

DER HAUFE Da, Schnaps auch, trink da, Mann.

Sie ziehen Kutusow mit, singen:
. . . mit euch, ihr Freunde, ohne Müh.
Und weinen auch nach all den Rubeln
Die Meinen morgen in der Früh.

18

*Kremlhof. Abend. Natalja. Trotzki, auf dem Pflaster zusammen-
gebrochen. Glocken dröhnen, hören auf.*

TROTZKI Geh. Laßt mich sein, sag ich . . . Das war schön. Nacht,
die kalten Mauern bedeckt, die dicken Kirchen fort, die Wun-

derikonen. Dann wurde es hell. Die Straßen voller Menschen, Soldaten, Frauen, die Stadt dröhnend wie eine Glocke. Es war nicht eine Stadt, zehn, oder hundert, ein Kontinent voll wogendem Volk – und alle riefen sie ein Wort: Brüder! Brüder! Wir fielen uns um den Hals und lachten, dröhnend, lachten... und wir wußten wieder wozu, *von Lachen geschüttelt:* wozu wir handeln. – Dann warst es du.

NATALJA Du hast Fieber, der Schweiß steht dir auf der Stirn. – Steh.

TROTZKI Ich mag keinen sehn! – Natalja? – Ich brauch keinen.

NATALJA Wir ziehn aus dem Kreml aus, in die Stadt, zum Arbeiter Beloborodow –

TROTZKI Ja. Natalja.

NATALJA Was ist das auch, zu hoffen, es gehe vorbei. Was dacht ich denn? Einige Stunden, einige Jahre daranzugeben, und immer noch heil für ein andres –? Das Leben ist noch eine starre Strecke, wir kleben an den Gleisen und rasen auf ihnen durch Jahre und Tage und Berge von Augenblicken. Was hilft es, den armen Leib heraushalten wollen? Wenn ich nur den kleinen Finger geb, ein Guckloch in die Welt zu bohren, das Leben nimmt die ganze Hand und alle Glieder. Es verbraucht den Menschen im Stück. Wozu uns verstellen; ob wir nun ernste oder ironische Mienen machen, wir stehn es so durch oder werden so zermalmt. Ich will mich ganz hingeben, nichts ist trauriger als ein Sklave sein und gequält werden wider Willen.

TROTZKI Natalja!

Er hält sich an ihr. Er läßt sie los.

Nein, es lohnt noch nicht. Noch kann man sich nicht hineinwerfen mit nackter Haut. Es ist ein träges Geschehn, der Schmutz hängt sich in die Arme und Schaum ins Gesicht. Riechst du, wie es stinkt; die Macht stinkt nach Blut und Angst. Man muß über den Wogen bleiben, sie wälzen dich sonst auf den Grund.

Sie stehen eine Weile.

NATALJA *lächelt:* Wir müssen die Bühne verlassen.

TROTZKI Die Geschichte ist ein mächtiger Mechanismus, aus unsern Knochen gebaut, unsere Gedanken halten ihn in Gang. Er arbeitet langsam, barbarisch langsam, doch wir kommen voran. Ja. Er ist unser Leben. – Aber jetzt trinkt er mein Blut als Nahrung und zerreißt meine Brust! O, tu was du mußt. Aber was du tust, tu rasch.

Straße. Heller Tag. Trotzki, halbvermummt. Joffe.

TROTZKI *heiter:* Wieder eine authentische Szene in unserem Drama.

JOFFE *auf einen alten Kutscher zu, vertraulich:* Genosse, unterschreiben Sie unsre Plattform.

DER KUTSCHER Das ist Trotzki! *Strafft sich. Liest.* Ja, die Vernunft… Du sagst dir: bist ein kluger Kopf, bringst Gottes Sachen in Ordnung. Hü! Brrr. Darf ich Sie fahren, Genosse? Was ist der Sozialismus. Die Vernunft. *Strafft sich. Schwafelt:* Im Jahr Neunzehn, da haben wir dem Gelehrten aus der Brutusstraße von Kaluga zugehört, Ziolkowski, und das Regiment hat an die Regierung telegrafiert, ihre Aufmerksamkeit zu lenken auf den Verkehr zu den übrigen Planeten, weil das revolutionäre Proletariat, auf den Sternen weilen möcht es, die nie ein Kapitalist betreten hat. Sieh, da laufen wir noch zufuß auf der Erde, tip tip tip, tap tap tap. Es muß derweil ein Klepper tun, wie. Genosse Lenin sagte: die Wahrheit ist nur konkret, der Fortschritt, den Gassen an der Kusnetzker Brücke gleicht er, nicht dem Newski-Prospekt. Ich les die sinnlosen Theorien des Mr. Eastman von den Revolutionsingenieuren, die auf dem exakten Papier aus dem momentanen Material die neuen Verhältnisse konstruieren. Dieser amerikanische Mechanismus behauptet, einen Schritt vorwärts zu tun neben dem Gespann des dialektischen Materialismus. Einen Schritt von einem Arschin, dann mußt du zwei zurück. Hü! Brrr. Die soziale Fortbewegung, ein organisches Wesen ist sie, dein Wirken stützen mußt du aufs autonome Regime des Lebens. Das Volk hat sieben Felle. Gewiß, vierzig mal vierzig Kirchen hatten wir, jetzt haben wir vierzig mal vierzig Komitees. Aber wir werden auch im Himmel den Herrn dienen: sie werden im Kessel sieden, und wir werden Holz unterlegen.

Ein beleibter Mann in die Droschke.

He, Herr Wanst.

Der Mann bezahlt.

Leg zwei Scheinchen zu. – Der Neureich, soll er den Wagen fetten. *Fährt davon.*

TROTZKI Ein gutes Volk. Ein großes Volk.

JOFFE Er hat nicht unterschrieben.

*Roter Platz. Demonstration. Transparente: DAS GESICHT DER
PRODUKTION ZU! – KAMPF DEN KULAKEN! – INDU-
STRIALISIERT! Oppositionelle mit eigenen Transparenten: BE-
FOLGT LENINS TESTAMENT! – DAS FEUER NACH
RECHTS! – SCHLAGT KULAKEN UND BÜROKRATEN!,
sie marschieren unbehelligt.*

SINOWJEW Sie dulden uns. Sie sehn unsere Transparente. Sie sind
   für uns!
MURALOW Was rufen sie? Hört.
SINOWJEW Das sind unsere Losungen.
KAMENJEW Das sind ihre Losungen.
PJATAKOW – Sie bemerken uns nicht.
DEMONSTRANTEN Es leben die sieben Stunden!
SINOWJEW *schreit außer sich:* Es lebe Sinowjew! Hoch Sino-
   wjew!
DEMONSTRANTEN *singen:*
   In Stadt und Land, ihr Arbeitsleute
   Wir sind die stärkste der Partein.
   Die Müßiggänger schiebt beiseite
   Diese Welt muß unser sein.

21

*Zimmer. Sinowjew, Kamenjew, Pjatakow, Muralow, singen er-
schöpft:*

   In Stadt und Land, ihr Arbeitsleute
   Wir sind die stärkste der Partein.
   Die Müßiggänger schiebt beiseite
   Diese Welt muß unser sein.
KAMENJEW Was ist geschehn, mit uns? Was wollten wir denn. –
   Ich weiß nichts mehr. Jetzt wissen sies doch! Sie werden in
   zwanzig Jahren die Arbeit von zehn Geschlechtern tun.
   Muralow stöhnt auf.
   Wir stehen draußen ... Unsere Partei! Unser Kurs! Unser Sinn –
   Ich bin sinnlos geworden. Ich bin noch Haut, Fleisch, Kno-
   chen – eine Hülle ohne Inhalt. Schrott. Ich hänge noch im Stuhl,

ein Denkmal meiner auferstandnen Idee. Die gewesne Verpak-
kung, das Packpapier der Vernunft. Die alte Tasche; das Brot
wird schon gegessen. Ist Ihnen das schon passiert: erledigt zu
sein bevor Ihr Fell löchrig wird? Diese Revolution produziert
tausend Kopfleichen, Mumien für die Panzerschränke, Leute
auf Index. Ich leb nur noch zum Abwickeln der letzten zähen
fleischlichen Prozesse, wir gehören eigentlich unter Verschluß;
liebe Bürger, ich bitte Sie, bei den Niegewesenen Platz zu nehmen. Soundso, Sohn des Soundso, wisse, daß du tot bist.

PJATAKOW – Er hat weißes Haar bekommen!

KAMENJEW Sehn Sie, ich versuche, meinem geistigen Abgang
hinterherzukommen.

SINOWJEW *erhebt sich, gefaßt:* Es ist richtig, was Stalin tut –
Schreit: Es ist doch richtig! Es ist doch richtig!
Milizionäre treten herein.

22

Zimmer. Das Bett. Raja. Joffe.

JOFFE Ich falle ihm zur Last. Ich kann nicht kämpfen. Mein Leib
ist meine Fessel.
Schweigen. Er liest:
»Das Jahrhundert arbeitet im dritten Gang.«
Raja lacht. Joffe lacht.
»Nur bedauerlich, daß die Bakterien, die den menschlichen
Körper zerstören, noch schneller sind. Wenn sie mich nieder-
werfen, bevor die Welt einen großen Schritt voran macht, und es
sieht danach aus, gehe ich doch ins Nichts mit der unerschütter-
lichen Gewißheit des«

RAJA *in einem entsetzlichen Ton:* Warum sprechen die Menschen
verschiedene Sprachen?

JOFFE *vor sich hin:* Was kann umsonst sein? Unser Leben wird
einverleibt von den andern: die unsere Züge tragen. Ihre Geschichte wird schon von uns geschrieben, die längst gewesen
sind. Der Weg, den wir stampfen und in den wir gestampft
werden zum Schluß; und wo unsere Gebeine herausragen, wird
er nur mit mehr Stimmung begangen werden. Es bleibt uns
alles, warum soll ich selber bleiben? Da hätten wir schlecht

gearbeitet, wenn es so wenig haltbar wäre wie wir. Unsere Unendlichkeit ist praktischerer Natur: sie bedient sich vieler Leiber. Und wenn wir den Planeten wechseln müßten und uns durch einige Himmel prozessieren, es hat kein End mit uns, wir brauchen uns nur neue Häute und andre Welten zu schaffen, in denen diese ganze Hoffnung Platz hat.

RAJA *singt zugleich:*
Ach, ich stampfe mit dem Bein
Stampf dann mit dem andern
Daß der Liebste gut sein mag
Wenn wir im Wäldchen wandern.

MARKIN *herein, tonlos:* Wir sind ausgeschlossen, ganz aus der Partei.
Raja lacht. Joffe lacht. Dann faßt er beide an der Hand.

23

Kremlhof. Bucharin. Rykow. Tomski. Andere Genossen.

EIN GENOSSE Da kommen sie. Das ist ein kläglicher Abgang.

ZWEITER GENOSSE Wollt ihr ihnen noch die Hand geben? Vorsicht, sie könnten euch mitziehn.

DRITTER GENOSSE Man mußte sie bitten. Sie hielten sich für die Erben der Revolution und den Kreml für ihr Erbteil.

EINE GENOSSIN Sie halten noch gut Disziplin, und sind schon aus der Pflicht.

SINOWJEW *kommt:* Wir werden immer der Pflicht genügen.

ERSTER GENOSSE Bravo, das war seine letzte Rede.

RYKOW Was tragen Sie da?

SINOWJEW Lenins Totenmaske. Sie ist mißraten; Sie haben Glück, noch für einen Augenblick etwas Unverfälschtes zu gewahren. *Geht ab.*

VIERTER GENOSSE Bald wird er seine eigne Totenmaske tragen, ich hoffe, daß sie zur Schau gestellt wird.

DRITTER GENOSSE Nein, sie wollen kapitulieren; sie gehn heut aus dem Tor des Kreml, um morgen früh dort anzuklopfen.

ERSTER GENOSSE Und T.?

DRITTER GENOSSE Ich weiß nicht, wen Sie meinen. – Dem hat Lloyd George eine napoleonische Zukunft prophezeit.

ZWEITE GENOSSIN Ja freilich, er wird auf einer Insel sterben.

KAMENJEW *kommt, auf Bucharin zu, dozierend:* Sehn Sie, Nikolai, nun hat Stalin die Permanenz selber bewiesen. Aber so, daß sie Trotzki nicht wiedererkennen wird.

TOMSKI *zu Rykow:* Er droht uns.

KAMENJEW Ich gehe, das Leben braucht keine Leichname. – Stalins Schädel ist ein Hohlspiegel, ich möchte wissen, was Sie alle darin für Gesichter machen. *Geht ab.*

ERSTE GENOSSIN Sie gehn, wie sie gekommen sind: mit leeren Händen. Das sind Heilige!

ZWEITER GENOSSE Es waren große Männer, die nicht an die Kleinigkeit dachten, daß sie selbst leben müssen.

RADEK *kommt, mit Büchern:* Rasch, rasch, Josif wird nervös, er kann uns nicht mehr ansehn. Er hat uns neuerdings so nachgeahmt, daß ihn die Vorbilder ärgern. – Es kommt aber nicht nur darauf an, was man tut, sondern wer es tut.

ZWEITE GENOSSIN Er ist ein Zyniker; er wird auch für seine neue Lage eine Moral finden.

DRITTER GENOSSE Oder einen neuen Text, um wieder eine Rolle zu spielen.

RADEK Unsere Wohnungen sind frei, aber sie sind nichts für euch: ihr werdet keinen Plüsch darin finden. Meine Damen und Herrn, nur einer, der im Gefängnis gewesen ist, kennt die wahre Natur der Regierung. Lew Tolstoi. *Gibt Bucharin ein Buch.* Nikolai, ich schenke ihn dir. – Was haben wir noch? Friedrich Schiller, Ehrenbürger einer andern Revolution:
Aus der schlechtesten Hand kann Wahrheit mächtig noch
    wirken,
Bei der Schönheit allein macht das Gefäß den Gehalt.
Da, Tomski, geben Sies weiter.
Gelächter.
Johann Wolfgang Goethe, Geheimer Rat:
Über allen Gipfeln
Ist Ruh,
In allen Wipfeln
Spürest du
Kaum einen Hauch;
...
Warte nur, balde
– für Sie, Rykow!

Gelächter. Aus dem Hof ein Schuß.
– Was war das?
Schweigen. Ein Genosse heran.
DER GENOSSE Joffe. Andrej Joffe.
Sie bleiben stumm stehen.

24

Straße. Früher Morgen. Vor einem Brotladen warten Frauen. Nach einer Weile führen Milizionäre zwei bärtige Bauern vorüber. Es wird heller. Die Frauen schlagen an die Ladentür. Geräusch schwerer Lastwagen.

STIMMEN *von den Lastwagen, singen:*
  Durchs Gebirge, durch die Steppe
  Zog unsre Division –
RUFE Nach Magnitogorsk!
ANDERE STIMMEN
  Stürmten wir, die Eskadronen
  Partisanen vom Amur –
  Milizionäre schleppen Trotzki, halbbekleidet, aus einem Haus. Natalja. Raja.
NATALJA Bürger, da, man will Lew Trotzki verhaften!
FRAUEN Brot! Aufmachen!
TROTZKI Ich genieße dieses Schauspiel, und verstehe jedes Bild. Was die andern bedrückt, erhebt mich. Was mich vernichtet, nützt den andern. Ich erlebe diese Entwicklung des menschlichen Universums. Wie sollte ich mein Geschick beklagen.
EIN MILIZIONÄR Machen Sie sich leicht.
  Trotzki wird, steif gestreckt, wie aufgebahrt, fortgetragen.
NATALJA *zu Raja, die sie halten will:* – Ich fahr mit ihm. Wohin es sei.
  Die Frauen in den offenen Laden. Hinten dröhnen wieder Lastwagen. Raja steht betäubt.
RUFE Zum Dnjeprostroj!
RAJA *schreit verzweifelt:* Nehmt mich mit!
  Sie läuft nach hinten, zwei Milizionären in die Arme. Sie tanzen mit ihr ab.

Totleben

Straßengericht. Zwei Agitatoren (A und B), vor ihrem Revolver/ Bajonett dicht gedrängt fünf oder sechs zerlumpte Hungernde (STRASSE), mit ihren Sprechern (C und D). Die gespielte Tötung ohne Laut; die wirkliche Tötung mit Schuß und langem Todesschrei.

(A, B)   Ihr habt gehört vom Ruhm Kronstadts
         Ihr habt gehört von der Schande Kronstadts
         Festung im Finnischen Meer, die Wiege der Macht
         Das voranging in die Revolution, sein Blut nicht
            schonend
         Das die Macht verriet und dessen Blut nicht geschont
            wurde
         Ihr versteht diese Geschichte nicht
         Aber notwendig ist ein Urteil. /
(STRASSE) Wir verstehen diese Geschichte nicht
         Aber es muß schnell gefunden werden
         Indem wir hungern und uns nicht auf den Beinen
            halten
         Statt an der Arbeit. /
(A, B)   Indem ihr hungert, muß es gefunden werden
         Und kenntlich die Geschichte
         Hier in Noworossisk und an allen Orten
         Wo die Revolution siegt oder verraten wird /
(C, D)   Wo die Revolution siegt oder verraten wird /
(A, B)   Unwissend, und ihr könnt nicht vom Platz
         Bis ihr die Wahrheit gefressen habt
    (A)   Mit Bajonetten. / Angeklagter
         Zeige dein Gesicht
         Des Siegers des Verräters des Matrosen
         Der voranging in die Revolution, sein Blut nicht
            schonend
         Der die Macht verriet und dessen Blut nicht geschont
            wurde
         Der Tote
    (B)   Er steht vor Gericht. / Ankläger
         Zeige deine Hände
         Die den Sieger grüßten den Verräter straften

             Kommissar, der das Blut nicht schonte
             Der Mörder
    (A, B)   Er steht vor Gericht. / Richter
             In Noworossisk und an allen Orten
             Wo die Geschichte nicht verstanden wird
(STRASSE)   Findet das Urteil. / Wir werden es sprechen
             Und schnell
    (C, D)   Indem wir hungern / und kurzen Prozeß machen
             Mit Siegern, die Verräter werden /
    (A, B)   Indem ihr nicht vom Platz könnt
      (A)   Vor den Bajonetten. / Toter
             Der die Wahrheit gefressen hat
      (B)   Sag deinen Text. / Er hat ihn gelernt
             Auf seinem Rübenfeld unter der Knute
             Unter der Knute im Eisenwerk
             Auf dem Schlachtschiff unter dem Kommando
             Immer war ein Kommando, und er sang den Text
             Gegen die Knute in seinen Gedanken
             Bis er ihn kannte mit lauter Stimme
             Wie der Vogel mit dem Sturm spricht
             Auf dem Fort Totleben, als sie die Offiziere hängten
             ZERBRECHT DIE KETTEN DER
                UNTERDRÜCKUNG /
(STRASSE)   ZERBRECHT DIE KETTEN DER
                UNTERDRÜCKUNG /
      (B)   Und er ging der Erste an Land im Februar
             Und gab dem Zar den Tritt, der Erste im Oktober
             Und schlug den Bürger aufs Haupt, in den
                Jahreszeiten
             Endlos des Kriegs, sein Blut nicht schonend.
             Aber als die Arbeit getan war, die kenntliche
             War der Frühling schön aber zum Verhungern /
(STRASSE)   War der Frühling schön aber zum Verhungern /
      (B)   Und der Matrose ging wieder an Land, das das Land
                der Revolution war
             Und sie kam ihm entgegen in der Ungestalt
             Die Ratte der Hunger fraß den Kot
             Der Rost griff in die Maschinen, die Menge
             Lag in den Gassen erschöpft
             Namenlos.

Und er erkannte seine Arbeit nicht mehr
Denn sie war nicht das Gewollte und Eigene
Sondern Fremde, das über die Knochen geht
Unter dem Kommando
Und es zog ihm die Adern aus dem Leib.

(A, B) Er sagte: / Ich sehe die Revolution nicht mehr. /

(B) Aber die Kronstadter auf dem Eis

(A, B) Erwiderten: / Das ist, was du siehst. Aber wir sehn
dich
Du bist die Revolution
Mit dir hat sie begonnen und endet sie
Matrose, mit dem Bajonett und der Fahne
Sieger oder Verräter /

(D) Sieger oder Verräter /

(B) Indem wir nicht vom Platz können
Bis wir die Wahrheit gefressen haben
Mit Bajonetten. Mörder

(A) Sag deinen Text. / Er hat ihn auch gelernt
Und ohne Schreien
In der Klippschule der Agitation
Im Gefängnis und in der Verbannung
Abgefragt von Polizisten und Spitzeln
Auswendig im Traum im Untergrund
Lernte er buchstabieren mit lautloser Stimme
Wie der Stein mit dem Meer spricht
Auf der wyborger Seite, als die Partei den Aufstand
plante
ZERBRECHT DIE KETTEN DER
UNTERDRÜCKUNG /

(STRASSE) ZERBRECHT DIE KETTEN DER
UNTERDRÜCKUNG /

(A) Und ihm folgte der Erste auf Kommando
Sein gelehriger Schüler im Glauben
An die Revolution, die beschlossen war
Mit seiner Fahne folgte er ihm voran, sein Blut nicht
schonend.
Aber als die Arbeit getan war, die verschwiegene
War die Freiheit groß aber zum Verzweifeln /

(STRASSE) War die Freiheit groß aber zum Verzweifeln /

(A) Und der Kommissar ging auf das Eis, wo die Wiege

der Macht war
Und sie kam ihm entgegen in der Ungestalt
Der Zweifel die Pest entstellte die Gesichter
Das Mißtraun trat auf die Kehlen, die Menge
Stand auf dem Eis feindlich
Namenlos.
Und er erkannte seine Arbeit nicht mehr
Das Eigene und Gewollte
War ihnen Fremde, dem sie nicht folgten
Auf sein Kommando
Und seine Adern schwollen am Leib.

(A, B) Er sagte: / Wir haben die Macht nicht mehr. /

  (A) Aber die Genossen in Petrograd

(A, B) Erwiderten: / Das ist, was du siehst. Aber wir sehn
dich
Du bist die Macht
Du hast sie erkämpft und wirst sie nicht aus den
Händen geben
Genosse, mit Revolver und Vollmacht
Sieger oder Verräter /

  (C) Sieger oder Verräter /

  (A) Indem gehungert wird und man sich nicht auf den
Beinen hält
Statt an der Arbeit. Toter
Dessen Urteil vollstreckt ist
Merk dir den Text. /

  (B) Aber der Matrose, der das Kommando hörte
Aus dem Mund des Kommissars mit leiser Stimme
Aber das Kommando noch immer, die Knute
In seinen Gedanken, sagte:
Nein. Den Text kenne ich nicht. Er ist mir neu
Und ich verstehe diese Geschichte nicht.
Soll ich dir die Stiefel lecken, Genosse.
Bist du Trepow, der Büttel. Protopopow, der
Blutsauger.
Ich kann deine Hände nicht sehn
In den Taschen. Und wenn du der Genosse bist
Ich will diesen Namen nicht kennen
Weil du einem Unterdrücker gleichst
Und kommst mir entgegen in der Ungestalt

In Kronstadt und an allen Orten
Unkenntlicher Bruder, deutlicher Feind.
Und der Matrose auf dem Eis trat hinter die Fahne /
(A) So daß er nicht zu sehen war
Und das Fremde geschah, aus dem Fremdes folgte
Er schrie: /
(A, B) Du hast gehört vom Ruhm Kronstadts
Das voranging in die Revolution, sein Blut nicht
    schonend
Und das wieder vorangehen wird, sein Blut nicht
    schonend
Denn ich lernte meinen Text mit lauter Stimme
Wie der Vogel mit dem Sturm spricht
Auf dem Fort Totleben, wo wir dich hängen werden
ZERBRECHT DIE KETTEN DER
    UNTERDRÜCKUNG /
(STRASSE) ZERBRECHT DIE KETTEN DER
    UNTERDRÜCKUNG /
(A) Schrie er, und mit ihm die Feinde
In Kronstadt und an allen Orten /
(B) Bis wir unsere Arbeit erkennen
Als das Gewollte und Eigene
Und nicht Befohlene, das über die Knochen geht
Bin ich die Revolution
Mit mir hat sie begonnen und endet sie
Sieger oder Verräter
Indem wir nicht vom Platz gehn
Bis du die Wahrheit gefressen hast /
(D) Indem wir nicht vom Platz gehn
Bis du die Wahrheit gefressen hast /
(B) Mit Bajonetten. Mörder
Hast du deinen Text vergessen. /
(A) Nein. Ich kenne meinen Text. Er ist alt
Wie diese Geschichte, die du verstehen mußt.
Soll ich dir Nachhilfestunden geben, Matrose.
Bist du Iwanuschka der Dumme. Bist du Hans im
    Glück.
Ich kann dein Gesicht nicht sehn
Hinter der Fahne. Und wenn du der Matrose bist
Ich darf diesen Namen nicht kennen

Weil du ein Verräter bist
Und kommst mir entgegen in der Ungestalt
In Kronstadt und an allen Orten
Unkenntlicher Bruder, deutlicher Feind.
Und der Kommissar auf dem Eis kroch in das
    Schneehemd /
(B) So daß er nicht zu sehen war
Und das Fremde folgte aus dem Fremden
Er flüsterte: /
(A, B) Ich habe gehört vom Ruhm Kronstadts
Jetzt höre ich von der Schande Kronstadts
Das die Macht verrät und dessen Blut nicht geschont
    wird
Denn auch ich lernte meinen Text, mit lautloser
    Stimme
Wie der Stein mit dem Meer spricht
Auf der wyborger Seite, wo die Partei deinen Tod
    beschließt
ZERBRECHT DIE KETTEN DER
    UNTERDRÜCKUNG /
(STRASSE) ZERBRECHT DIE KETTEN DER
    UNTERDRÜCKUNG /
(B) Flüsterte er, und die Genossen
In Petrograd und an allen Orten /
(A) Bis wir unsere Arbeit erkennen
Muß sie befohlen werden und wenn sie über die
    Knochen geht.
Ich bin die Macht
Ich habe sie erkämpft und gebe sie nicht aus den
    Händen
Sieger oder Verräter
Indem gehungert wird und man sich nicht auf den
    Beinen hält /
(C) Indem gehungert wird und man sich nicht auf den
    Beinen hält /
(A) Braucht es das Urteil, Richter
Und eh das Eis bricht
Mache ich kurzen Prozeß, mit eurer Vollmacht
Und dem Revolver
Werde ich ihn wie ein Rebhuhn abschießen. Toter

    erschießt ihn
    Vergiß deinen Text. /
 (B) Und er hat seinen Text vergessen
    Und sah nicht mehr durch in der Geschichte /
(A, B) Und sie erkannten sich nicht
    In ihrer Arbeit einer den andern
    Sondern der Feind den Feind
    In der gemeinsamen letzten
    Die jetzt das Eigene war und Gewollte /
 (B) Und sie ging ihm leicht von der Hand /
 (A) Und er verlor sein Gesicht /
 (B) Hinter der Fahne /
 (A) In dem Leichenhemd /
 (B) Das Gesicht im Eis, das sich färbte
    Von seinem Blut, das nicht geschont wurde /
 (A) Die Hand im Eis, das sich gefärbt hatte
    Von dem Blut, das er nicht schonte /
(A, B) In Kronstadt und an allen Orten
    Wo die Revolution siegt oder verraten wird /
(C, D) Wo die Revolution siegt oder verraten wird /
(A, B) Unwissend. Denn wo das Eigene nicht
    Herrscht Fremde, namenlos
    Und wirft sich auf uns als ein Feind
    Mit Mißtraun und Glauben
    Mit Maschinen und Staaten
    Nämlich die Geschichte schont unser Blut nicht
    Die unkenntliche, die über die Knochen geht
    Bis die Ketten der Unterdrückung zerbrochen sind /
(STRASSE) Bis die Ketten der Unterdrückung zerbrochen sind.
    Revolver/Bajonett nieder.
 (A, B) Jetzt könnt ihr vom Platz.
    Die Gruppe fällt aufatmend auseinander. Die Agitato-
    ren ab. Akkordeon.
 (C) An die Arbeit
    Indem ihr hungert, und schnell.
    Sieger oder Verräter
    Deren Blut nicht geschont wird.
    Tritt rasend auf die Fahne.
 (D) An die Arbeit
    Ohne Kommando, Hund

Das unser Blut nicht schont.
Zerreißt das Schneehemd.
(C) Weißt du es jetzt
Weil das Urteil vollstreckt ist. /
(D) Es ist vollstreckt
Und wir wissen was wir wissen.
Kampf.
(C) ÄPFELCHEN WO ROLLST DU HIN
ZERBRECHT DEN RING DER BLOCKADE
SCHLAGT IN STÜCKE IHN
ÜBER HINDERNIS UND BARRIKADE – /
(D) Was ist ein Urteil. Aber das Wissen
Ist die Wunde, die sich nicht schließt. /
(C) Willst du es wissen.
Erschießt ihn. Die Hungernden stehn entsetzt. Stürzen nach einer Weile auf den Toten, nehmen ihm Stiefel, Jacke, Mütze, zerreißen sein Fleisch.

Schmitten

Personen

Schmitten · Dünne Frau · Krumme Frau · Dicke Frau · Heisere Frau · Ingenieur · Zwei Kinder · Kaderleiterin · Regisseur · Kameraleute · Alter Werkleiter · Kolb, Technischer Direktor · Zwei Weißkittel · Neuer Werkleiter · Sekretärin · Delegierte · Polizist · Zwei Amputierte · Schließerin
Dieselben Personen als Schulmeister, Goethe, Marx, Einstein, Buben und Mädchen

Dieses Natürliche, die Arbeit, das, was
Erst den Menschen zur Naturkraft macht, die Arbeit
Dieses wie schwimmen im Wasser, dieses wie essen das Fleisch
Dieses wie begatten, dieses wie singen
Es geriet in Verruf durch lange Jahrhunderte und
Zu unserer Zeit.[1]

SIE HATTEN NICHTS GELERNT: MAN BRAUCHTE SIE DUMM
WIE SIE WAREN. DANN WAR DIE ZEIT HERUM

Holzplatz. Frauen. Schmitten. Ingenieur.

SCHMITTEN
    Der sagt es, und ich habe es gewußt
    Wenn das Werk steht, sind wir ausgerußt.
    Wer jetzt bleibt, bleibt nich wer er war.
    Der Lehrgang morgen bis nächstes Jahr.
    Frauen wehklagen.
INGENIEUR
    Da war ein Wehundach unter den Fraun
    Denn keine wollte sich die Sache traun.
    Die Schmitten sagte nur:
SCHMITTEN
                        Ihr, seht es ein!
    Frauen unterschreiben.
INGENIEUR
    Und alle schrieben ihre Namen ein.
    Dann war an ihr die Reih.
SCHMITTEN
                        Dazu bin ich zu dumm
INGENIEUR
    Sagte sie. Und es sprach sich herum.
    Frauen empört.
    Das Vorbild, Meister, Aktivist aus Versehn.
    Jetzt war sie der Schädling.

Zur Schmitten:

> Dann kannst du gehn.
> Oder bis morgen kommst du zu Verstand.
> Da stand sie da, den Kopf in der Hand.

ZEITUNGSSCHAU

Schmitten hinter dem »Neuen Deutschland«. Vor ihr auf dem Boden zwei Kinder.

SCHMITTEN KOLLEGIN. KOLLEGIN SCHMITTEN. DIE MEISTERIN JUTTA SCHMITTEN. SIE LEBT FÜR IHRE ARBEIT. DIE SCHÖNE ARBEIT. GEHN SIE AN DIE ARBEIT. AUF DEM HOLZPLATZ ARBEITEN SCHÖNE FRAUEN, schwarz auf weiß. JUTTA MARIE ANNE-ELSE HELLA UND HELGA. ES GEHT VORWÄRTS. LESEN SIE. WAS WAREN SIE, SCHNEIDERIN. SCHNEIDER SCHUSTER UND BÄCKER BAUN DAS KOMBINAT, SAGTE ER UND LACHTE STOLZ. HIER GEHT ES VORWÄRTS MIT IHNEN. EINE DIE ES BEGRIFFEN HAT: eure Mutter. Die es begriffen hat. AUF DICH IST VERLASS, SCHMITTEN. DIE FRAUEN WISSEN DOCH NICHT, WO SIE HINFASSEN SOLLEN. DIE BRAUCHEN EINE, DIES IHNEN ZEIGT. DIE MÜSSEN ANGEFASST WERDEN. DIE KOMMEN AUCH NUR HER, WEIL SIE WAS AUF DEM KERBHOLZ. DIE MEISTER FASSEN DIE FALSCH AN. DIE HABEN NUR DAS EINE IM KOPF. Das andre steht in der Zeitung. SIE KÖNNEN DOCH LESEN. ÜBERNEHMEN SIE DEN POSTEN. ES IST GANZ EINFACH. DAS SIEHST DU EIN. ÜBERNEHMEN SIE SICH BITTE. WIR STEHN HINTER DIR UND PASSEN AUF. SIND SIE EINVERSTANDEN. HEBEN SIE DIE HAND. WIR DANKEN IHNEN. JETZT LESEN SIE WEITER, KOLLEGIN. ES GEHT WEITER, SCHMITTEN. ES GEHT HIER VORWÄRTS. WAS HABEN SIE DENN GEDACHT. AUF DICH SIEHT MAN HIN. MIT DEINEN ZWEI KINDERN, das seid ihr, DAS DRITTE KRIEGST DU AUCH, das is hier drin. JETZT FÄNGT DAS ERST AN MIT DIR. MEISTER, DAS HAT KONSEQUENZEN. JETZT

MUSST DU MEHR LERNEN ALS DIE. WER A SAGT, JETZT WEHT EIN ANDERER WIND. LESEN SIE NICHT ZEITUNG, SCHMITTEN. *Preßt die Zeitung aufs Gesicht, verstummt. Knüllt aus der Zeitung eine Puppe.* Wer sagt, daß ich gemeint bin. Lacht sie aus!
Kinder lachen.
Glaubt ihr die Zeitung. Die Märchenstunde. Es war mal eine, die hat alles gemacht. In der Schule. In dem Betrieb. Die haben sie gefördert bis sie schwarz wird. Weil die eine Frau is. Wißt ihr, was ne Frau is? DEN FRAUEN ALLE CHANCEN. UNTERSTÜTZT DIE FRAU. FRAUEN IN DIE LEITUNG. Die hat alles gemacht, was sie sich nich traute. Die hatte immer Angst, am Morgen wenn ich aufsteh. Wenn ich in die Bude trete. Die hat das nich geschafft. Den Plan abrechn, ich war schweißgebadet. Zwei Jahre unter Wasser. Die geht in die Rote Tür: aber ich blieb draußen. *Schlägt die Zeitung nieder.* Die soll gehn. Die macht mich fertig. Die hab ich über. *Zündet die Zeitung an.* Von mir war nich die Rede.

BARACKE 17

Frauen. Schmitten.

FRAUEN
    Du hast uns hereingelegt, Schmitten
    Jetzt is es heraus
    Du hast geredet wie du mußt
    Und uns hineingeritten
    Jetzt sollen wir den Nischel vollernen mit Mathematik
    Weil die aus Berechnung, und selber
    Zieht die sich zurück in die Eierstöcke
    Weil sie sich zu schad is.
SCHMITTEN
    Ich sehs ein.
FRAUEN
    Jetzt am Boden da
    Siehst du alles ein, sobald einer dich
    Hinlegt, zum Beispiel der Herr Diplom-
    Bauleiter Kolb. Durch sein warmes

Bett statt diese Pritschen hier, wo du nachts wegbist,
    Schmitten
Hat die sich ihren Posten
Erschlafen, und wir dachten, die is nur geil!

SCHMITTEN
Dachtet ihr das.

FRAUEN
Da is sie begabt für drei.
Hinter den Holzstapeln.
Mach deine Beine auf, Süße
Übung macht den Meister.
Lachen.
Wenn du scharf bist
Wirst du Aktivist.
Sei nich blöd, wenn du wieder dein Bauch
Anschaffst, kommste in die Zeitung.

SCHMITTEN
Ihr Schweine.

FRAUEN
Das hat gesessen. So eine is die
Und Schweine sagt sie
Dein Kolb machen wir fertig, wenn der
Noch eine Schamlippe riskiert.
Werfen sich auf Schmitten.
Der wird einfach
Ausgenommen. Den muß man verwerten.
Bring Sie uns voran mit Ihrem Knüppel
Herr Kolb. Du mußt mich qualifizieren
Aber ohne Rechnen.
Von dem laß ich mich prüfen. Bin ich gut
Genosse. So ergehts dem.
Der kann was lern.

SCHMITTEN *befreit sich:*
Aber mich liebt er.

FRAUEN
Ja, wer hier lern wird
Sind nich wir.

SCHMITTEN
Mich liebt er.

DÜNNE FRAU
    Ohne dich, Schmitten
    Laß ich mich nicht qualifiziern
    Mitm Kopf
    Wo ich nichts weiß wie du
    Wir bleiben zusammen.
    Umarmt sie.

HALBTOTALE

Kaderleiterin. Schmitten. Regisseur. Kameraleute.

REGISSEUR *stellt Schmitten in Positur:* So, junge Frau, Sie brau-
    chen nur zu lachen, *macht es vor* mithilfe des Gesichts. Hier
    unterschreiben.
KADERLEITERIN *nimmt einen Rosenstrauß:* Der ist nicht echt, ist
    der.
REGISSEUR Das sieht man nicht. Damit was echt wirkt, darf es
    nicht echt sein. Der Realismus, das ist nämlich Kunst, da liegt
    der Haken. Erst muß es Film sein, dann wird es Leben. Papier,
    dann Leben. Schminke.
KADERLEITERIN Richtig. Erst das Beispiel, dann der Mensch, das
    ist die Folge.
REGISSEUR Oder so. *Zur Schmitten:* Ist Ihnen nicht gut?
    Schmitten wird geschminkt.
KADERLEITERIN Doch doch. *Konspirativ:* Dazu ist es zu spät,
    Jutta. Du kannst den Film nicht platzen lassen. Du mußt den
    Kopf hinhalten. Du weißt, was für dich gut ist.
SCHMITTEN Ja.
KADERLEITERIN Gut ist, was allen nützt. Das ist die Wahrheit,
    die muß dir in Fleisch und Blut übergehn. *Greift sich in den
    Busen:* Hier, hier, das ist vielleicht nicht jung und schön, aber
    die Wahrheit ist darin, das Bewußtsein. Das denkt den ganzen
    Tag für euch und überlegt sich was, denn dazu leb ich, und was
    tut ihr? Ihr lebt euch aus. Du hängst in den Gebüschen, ich
    frage nicht mit wem, obwohl alles planiert ist vor der Stadt und
    jeder sieht es. Und hast eine Wohnung, und Krippenplatz, die
    Partei macht alles, und was ist der Dank?
SCHMITTEN Der Dank?

KADERLEITERIN Wir drücken beide Augen zu, obwohl du wieder keinen Vater weißt, weil du nicht durchsiehst, und das Kind soll in den Film, weil wir dich unterstützen Tag und Nacht. Aber was nützt das Kind, wenn du die Arbeit hinwirfst? Wir sind blamiert, Jutta. Keine gute Tat, die man dir vorschlägt, die du gern tust. Weil du dir nichts denkst!

REGISSEUR Nu lach mal, Mädchen.

SCHMITTEN Ja ich – was soll ich denn denken? Ich arbeite. Das is genug gemacht. Wenn ich nur hör: mach das, und das, und verpflichte dich – was denn dann noch? Dann müßt mir das was geben.

KADERLEITERIN Bist du stur. Wir sind wie Kinder. Die Zeit ist jung, und also sind wir auch jung, wir müssen erzogen werden von heute bis als Veteran. Wir wachsen erst, ich glaub manchmal, ich bin noch nicht am Leben, es fängt erst irgendwann an! Wir sind nicht reif für die Zeit. Wenn wir den Staat nicht hätten, unsern Staat, wir wären wie dumm und hätten kein Bewußtsein.

SCHMITTEN Was soll denn anfang mit mir. Was verlangst du denn? Einmal muß doch gut sein, und einmal aufhörn, immer wachsen, der Mensch. Das steht mir bis hier. Die, denens schwerfällt und kommen nich mit, für die is es bloß Mühe. Und sind doch bloß dann die Letzten, nach der Angst wieder, die im Dreck stehn.

KADERLEITERIN Das sagst du? Das, wo du all den Fortschritt siehst herum, wo jeder seine Chance hat, alle gleich!

SCHMITTEN Ja, jeder, wenn er die Chancen – wenn ers könnt! Der is für den Fortschritt, wo er nur vorankommt. Aber da unten, aufm Holzplatz die, da frag einn, ob er froh wird in seim Gemüt, bloß von dem Lern. Wir warn bei den Kapitalisten die Dummen, und jetzt in dem Fortschritt auch.

REGISSEUR Können wir?

KADERLEITERIN Jutta! du hast kein Bewußtsein, Jutta. Bewußtsein, das ist, wenn man bewußt lebt, das ist das Glück. Ich will doch dein Glück. Das ist dein Glück, wenn du unterschreibst. Bloß für den Film, du mußt nicht alles selbst lernen. Dann sehn wir weiter, hier das ist pro forma. Wir stehen hinter dir. Du bist das Beispiel, Jutta.

SCHMITTEN Ja. *Steht erschöpft.*

REGISSEUR Achtung Ruhe.

KADERLEITERIN *laut:* Unser Beispiel Jutta Schmitten.
   Schmitten unterschreibt. Kaderleiterin gibt ihr den Strauß.
REGISSEUR So, das war sehr schön.

ROTE TÜR

*Alter Werkleiter räumt während der Szene seine Orden aus dem
Schreibtisch, legt sie an. Schmitten.*

ALTERWERKLEITER Ich bin hier verantwortlich für tausend Leute
   und Ihre zehn Damen; wir hatten sie soweit, daß sie unter-
   schrieben haben; wissen Sie, was ich mit Ihnen machen möchte?
   An die Wand haun.
   Schmitten lacht.
   Mit meinen Armen kann ichs nicht, sieh her:
   Schlapp wie faule Äste seit ich in
   Buchenwald am Baum gehangen hab
   Aus Dummheit, ich weiß, weil wir uns 33
   Dividieren ließen, Arbeiter
   Durch Arbeiter, wo sollten wir es lernen.
   Wir sind erst aus uns selber schlau geworden.
   Ich kenn mich aus in Dummheit, sozusagen
   Von der Pike auf. Wer etwas wissen wollte
   Mußte es stehlen. Keine Lehrwerkstatt
   Rein in den Streb, du Streber, guck dir ab
   Bei den alten Hasen wie der Kohl fett wird
   Die hielten die Erfahrung in den Zähnen
   Fest aus Angst, daß du sie ihnen wegschnappst.
   Oder Gewerkschaft: rot, gelb oder königstreu
   Die reden viel, du wirst nicht klug daraus
   Streik oder nicht, bis ihr zu Kreuze kriecht
   Und seid die Dummen. Bis auf den Berg bei Weimar
   Bin ich nicht aus dem Dorf herausgekommen
   Das unter Tage lag, ein Leben als Wurm
   Und 45 stehst du in der Sonne
   Und sollst die Herrschaft antreten. Was weißt du
   Prolet? daß du nichts weißt. Klügere als du
   Wurden erschlagen, Stärkere gingen drauf
   Was ist für deinesgleichen rausgesprungen
   Seit du denken kannst? Du kannst nicht denken

Außer ans Überleben, aber leben
Wer weiß was das ist! Du weißt nicht einmal
Was ein Schacht ist: in die Luft gesprengt
Und unter Wasser und im Niemandsland
Die Amerikaner hinter der Mulde, die Russen
In Chemnitz, frei das Land noch und besetzt
Von Furcht Hunger Haß, die neue Zeit.
Da stehst du vor dem Tor und willst einfahren
Mit der Menge, wegsein in der Masse.
Aus, Genosse, ab in die Verwaltung
Im größten Sessel als das kleinste Licht
Wie willst du ändern, was du nicht begreifst
Die Welt, lern sie. Laß dich nicht unterdrücken
Von deiner Dummheit nach deiner Befreiung
Du bist so frei, du kannst dich nicht herausreden
Auf dein Startloch, seit die Toten dir
Die Bahn planiert haben mit ihren Knochen.
Und wenn schon sonst nichts, dann gib das Bewußtsein
Unserer Kraft, das du selber nicht hast
Gib es her! Mit fünfzig weiße Haare
Dreimal das Werk gewechselt, umgeschult
Den einen Kopf von Kohle auf Metall
Metall auf Plaste, Elektronik jetzt.
Gelernt mit Zahlen umgehn und mit In-
Tellektuellen und Parteibeschlüssen.
Mit dem letzten jetzt: räume den Stuhl
Das bessere Werk braucht den besseren Chef
Das mußt du lernen noch, Prolet, das Letzte.
Man lernt nie aus. Und diesen Rest an Dummheit
Daß du so wichtig bist, reiß dir aus
Dem Schädel in der neusten Zeit, die nicht
Über Leichen, aber über Leben geht.
Ich habe von meiner Dummheit gesprochen. So alt bin ich
nicht, daß ich die nicht lerne, ich bin so frei, und wenn ich mir
selbst den Tritt geb in die Zukunft, die mich nicht mehr braucht
oder als lebendige Leich: sieh her. *Sieht an sich herab, lacht.*
Zieht die Jacke aus: Ich mach dir auch kein Kind mehr, das mir
ähnlich sieht. Ich bin nicht mehr zuständig für Ihren Fall, wie
Sie sehn. Ich habe Ihnen nichts mehr zu sagen.
Zieht die Jacke linksherum an, ab. Schmitten heult.

Die Kasuistik der elektrischen Betriebsunfälle zeigt die Schwierigkeiten des denkenden Begreifens der neuen Realität Elektrizität... Ebenso, wie in der Maschinerie das »Rädchen im Getriebe«
als Vermittler von Kraft- und Informationsflüssen ersetzt wird
durch zusehends flexiblere elektrische Schaltelemente, die vielfäl-
tiger determiniert sind und vielfältigere Determinationen aus-
üben, ebenso wird Kooperation im Modus des bloßen »Ich bin nur
ein Rädchen im Getriebe« obsolet. Mit dem Vordringen der Elek-
trotechnik funktioniert der Arbeitende nicht mehr als Lücken-
büßer unvollkommener mechanischer Maschinerie, fungiert aber
auch nicht mehr als simples Regelglied, das stupideste physische
und geistige Routinearbeit leistet.[2]

UNWIRKLICHE SZENE

Kolb und Schmitten, stehn nackt voreinander.

KOLB
  Machst du den Lehrgang, sags.
SCHMITTEN
                          Machst du den Vater.
KOLB
  Da fragst du viel. Dann hätt ich auf einmal
  Drei, hab ich recht. Zurück zum Thema, Schmitten:
  streichelt sie
  Du mußt was leisten, nämlich wozu lebst du.
  Unterschreib.
SCHMITTEN
              Du kannst den Schwanz nicht einziehn
  Als wär nix. Du mußt auch etwas leisten.
  Auf dem privaten Sektor.
KOLB
            Abgeschafft.
  Wenn du nicht unterschreiben willst, dann knallts.
  Da kannst du gleich den Kopf verlieren, Süße
  Gib ihn her.
  Legt ihren Kopf in die Aktentasche.
SCHMITTEN
          So kommst du nicht davon.

Du sollst noch an mich denken. Fehlt dir was.
Trennt sein Geschlecht ab.

KOLB
So sollten wir nicht miteinander umgehn.

SCHMITTEN
So offen, wie.

KOLB *springt vor Schmerz umher:*
Offen ist gut gesagt.

SCHMITTEN
Dann sag ich nix mehr.

KOLB
Und ich hab nichts gefragt.
Umarmt sie wild.

PETITE MORT

*Kolb, aufgereckt. Schmitten zusammengesunken auf dem Stuhl.
Abseits Ingenieur.*

INGENIEUR
Ungleiches Paar: von Braun. Nach der Natur
Der Gesellschaft. Im Bett sind sie sich gleich nur.
In die Tür.

KOLB Wie stehst du da, Franz?

INGENIEUR Direktor Kolb.

KOLB Bleib so stehen. Der Kopf in den Rippen, das Maul in der
Backe. Ein Knecht.

INGENIEUR Du bist am Ziel. Dein Streben zahlt sich aus.

KOLB Ein Knecht der neuen Zeit. *Setzt sich vor ihn:* Dein Vorge-
setzter.

INGENIEUR Ja, dich haben sie mir vorgesetzt, ich muß es aushalten. Ich halt viel aus.

KOLB Das ist nicht schwer: du mußt nicht dafür gradstehn. Aber
ich. Wenn das die neue Zeit ist, Franz, wo wir so verschieden
dastehn, dann überleg ich mir, wie ich mich damit steh. Hab
ichs gewollt, Franz?
Kann ich an der Zeit drehn, sie dreht uns:
Im Kindergarten auf dem gleichen Stühlchen
Dann in der Schule auf einer Bank

Franz und Karl, und anders als bei Schiller
Aber der Vater Staat ist die Kanaille
Nämlich ich krieg den Posten, du stehst da.
Kommt Zeit kommen Räte, aber wer hat Zeit?
Erfolg ist Pflicht, du bist ein Pflichtverletzer
Leistung entscheidet. Wer nichts leistet taugt nichts
Für was wie Sozialismus oder wie die Zeit heißt
Hast Glück, daß ich dich kenn als keinen Feind.
Franz, wenn du mich fragst, ich kann nicht so stehn.
Da lern ich lieber ALGOL 60 rückwärts
Damit ich vorwärts komm, der Erste oder
Ich käm mir vor, Mensch, wie der letzte Dreck.
Ich wachse über mich hinaus dreimal
Im Planjahr, eh mir einer so kommt, und
Eh ich mir etwas sagen lasse, Junge
Sag ichs mir selber, dann hab ich das Sagen.

INGENIEUR Jetzt hast dus mir gesagt.

KOLB Ja, und du wirst darauf hören. Auf was, was gibts?

INGENIEUR *zeigt auf Schmitten:* Sag es dir selber.

KOLB Jutta Schmitten. Hast dus dir überlegt?

INGENIEUR Da redest du ins Leere – *tippt an seinen Kopf.* Die hast du nicht berechnet. Die Nacht ist dunkel, du hast dich verschätzt.

SCHMITTEN Mich seid ihr los hier.

KOLB Halt. *Verstellt ihr den Weg.* Hast du ein Rangdewu?

INGENIEUR Falsch programmiert, die Frau – auf Lust statt Last.

KOLB Sind wir dir nicht genug, wo willst du hin?

INGENIEUR *hält sie:* Verzettle dich nicht, du überziehst den Zeitfonds.

KOLB Sie muß zum Doktor. Sie will die Pille nehmen.

INGENIEUR Dann wird sie doch noch klug.

KOLB Sonst machen wir den Dummen.

SCHMITTEN Ach seid ihr dumm.

INGENIEUR Bring uns etwas bei.
    Ziehen Schmitten auf den Tisch, sie lacht.

SCHMITTEN Zu zweit, ihr Tiere.

KOLB Willst du es zu dritt.

SCHMITTEN Dir schick ich noch mal drei.

KOLB Von deinen Frauen. Jetzt wird sie zugänglich.

INGENIEUR Die Frauen bist du los, Schmitten, wenn du nicht
   lernst.
SCHMITTEN Das geht in mein Kopf nich rein.
KOLB Muß es der Kopf sein. Was hast du. Hast du Schiß Angst
   Bammel. Der Meister muß das meiste müssen, ja. Wer sagt, daß
   du es mußt.
SCHMITTEN Du nich?
KOLB Das kann keiner befehln, was einer nicht will.
INGENIEUR Sie will was andres.
KOLB Man wird doch eine Arbeit finden, für die es langt bei dir,
   das muß dann langen. Ich schenk es dir.
   Schmitten starrt ihn an.
INGENIEUR Weil du sie liebst, Mann.
KOLB *umarmt Schmitten:* Ich helf dir aus der Klemme, wie. Den
   Fehler mach ich, für dich ist er richtig.
   Schmitten wird schlecht, sinkt an seine Brust.
   Kein Dank, Fräulein.
INGENIEUR Tolles Weib. Die setzt den Kopf durch.

GELERNT: DEN MUND ZU HALTEN IM AKKORD
ARSCH AN DIE WAND. ABER DIE WÄNDE FALLEN.
DIE SCHWEIGENDE MEHRHEIT DIE
   HERRSCHENDE KLASSE
DIE ZUKUNFT EINS MAL EINS UND WORT FÜR
   WORT

I

*Kantine. Frauen und zwei Weißkittel sitzen sich lange schweigend
gegenüber.*

EIN WEISSKITTEL *nimmt das Haarnetz der dünnen Frau, mit ho-
   her Stimme:* Komm mir nich so, Helga. Mit mir nich, verstehst
   du. Man will ja hier seine Sicherheit, Kollegin. Sonst kommt man
   ja aus dem Denken nich raus. Sonst müßt ich mir ja selbst abrei-
   ßen, wie ein Abreißkalender. Wo dich das Werk durch den Wolf
   dreht, acht Stunden und dein Kopf läuft im Kreis und dankt
   Gott, daß er den Bogen raushat. Das Leben is aber kurz! Ich hab
   es nur einmal in meine Verfügung. Ich lebe wie Salomo,

Der auf seinem Stuhle saß
Und ein Stückchen Käse aß.
Frauen lachen widerwillig.
Die Jahre vergehn, und dann schon wieder was Neuen. Ein Leben, und du weißt nich mehr, was du bist. Da bin ich mich zu schad. Ich leb mich schon so nich aus!
Lebe glücklich werde alt
Bis die Welt in Stücke knallt.

ZWEITER WEISSKITTEL Du hast zu lang drüber nachgedacht, Erna. Du bist mit dem Betrieb verheiratet und hast kein Gefühl mehr für ihn, Erna. Du weißt nicht mehr was schön ist, Erna.

ERSTER WEISSKITTEL Das weiß ich wohl. Aber den Mann – kann ich auch nich wechseln wie ne Produktion.

ZWEITER WEISSKITTEL Da hört man andres, Erna.

ERSTER WEISSKITTEL Was is denn schön, Helga?

ZWEITER WEISSKITTEL Das weißt du nicht. Dazu bist du zu dumm, Erna.

ERSTER WEISSKITTEL Du kennst mich doch gar nich! Ja, hier von Betrieb – hier zeig ich doch nich, was ich kann.

ZWEITER WEISSKITTEL Wieso denn, Erna.

ERSTER WEISSKITTEL Ach, ja da is bloß die Arbeit.

ZWEITER WEISSKITTEL Und die macht dich nicht scharf, Erna?

ERSTER WEISSKITTEL *spuckt:* Alles reizlos.
Frauen lachen.

ZWEITER WEISSKITTEL Dann wechsle sie doch mal – die Arbeit, wenn sie dir nicht gefällt – die Arbeit, wenn sie dich nicht befriedigt – die Arbeit –

ERSTER WEISSKITTEL Du meinst, das kann ich tun?

ZWEITER WEISSKITTEL Unterschreib!

FRAUEN Nein! Nein!

FRAUEN Ja!

ERSTER WEISSKITTEL Noch wer? *Nimmt das Kopftuch der dicken Frau.*

ZWEITER WEISSKITTEL Frauenförderung. Du kommst dazu wie die Jungfrau zum Posten.

DÜNNE FRAU Wo is Schmitten.

DICKE FRAU Wo. Die macht krank.

HEISERE FRAU Ja. Die is schlau.

Kantine. Frauen. Neuer Werkleiter.

NEUER WERKLEITER
    Ich bin der Neue in der Roten Tür.
    Keine Umarmung – ich hab das Werk am Hals.
    Wer will ein Bier? Ich kann alleine trinken
    zum Getränkeautomaten
    Vorläufig. Was ist das? Meine Damen
    Ein Automat. Das interessiert euch nicht
    Folglich, ihr interessiert ihn auch nicht. Schicksal.
    Steckt Geld hinein.
    Aber jetzt rede ich mit ihm – was macht er?
    Er überlegt. Er antwortet: ein Bier.
    Der Automat ist klug, die Antwort schmeckt mir.
    Bei den Maschinen gibt es dumme, kluge
    Und kaputte, siehe Halle 3
    Ich weiß Bescheid. Aber ich geh hier baden
    Wenns euch nicht interessiert. Nämlich ihr
    Könnt mich verrecken lassen mit der Weisheit.
    Zweites Bier.
    Ein Kumpel – wenn ihr ihn bedient. Liest dir
    Den Wunsch vom Finger ab, wenn dus gelernt hast.
    Hat ein Gehirn, er denkt, gleich eingebaut.
    Der lebt für dich, man muß es bloß mal wissen.
    Wer will mit dem Kollegen? Also ich.
    Drittes Bier.
    Der hat eine Natur, schon ideal.
    Denkt, aber nicht an sich, der denkt an nichts als
    An das Programm, ist programmiert. Compris?
    Wo gibts das außer in der Technik? Nirgends.
    Viertes Bier.
    Der Mensch muß die Technik meistern: Stalin. Prost.
    Wie komm ich jetzt auf Stalin? Die Maschine
    Die alles denkt – das heißt dann Apparat
    Das ist ein andres Ding mit seiner Sprache
    Und Regelungen undsoweiter, alles
    Eingebaut, und was der hier an Watt frißt
    Frißt der an Disziplin dir aus dem Hemd

Das Protokoll, heißt die Gebrauchsanweisung
Die kriegst du mitgeliefert, lieber Kunde.
Hält das fünfte Bier:
Jetzt wird es Arbeit. Überzeugungsarbeit.
Aber der Kuli kann sich optimieren
Wir müssen zusehn, daß wir ihm das Wasser
Reichen können, beziehungsweise das Öl.
Er läßt nicht jede ran! Er rechnet aus
Ob jemand zu ihm paßt – wo wir bloß raten.
Er sieht nicht nur die Nase: die Struktur.
Umarmt den Automaten.
Das ist die wahre Liebe. Was seht ihr
Bei euerm Mann?

DICKE FRAU
                    Das kann man gar nicht sagen.

NEUER WERKLEITER
Wir überlegen nichts. Was frag ich euch?
Alte Weiber. Blöde Weiber. Ha.
Reißt den Automaten los. Frauen flüchten an die Wand.
Mich haben sie am Arsch. Ich bin der Dumme.
Ihr laßt mich hängen und ich kann mich hängen
Oder ich werf euch raus, alles entlassen!
Zur Bau-Union, die Hühner, in den Dreck
Wo sie waren, in den Schlamm die Schnecken!

HEISERE FRAU Jetzt ists genug, Chef.

NEUER WERKLEITER *verbeugt sich:* Genug. *Ab.*

SCHONUNG

Schmitten. Dünne Frau.

DÜNNE FRAU Ich mach, was du machst.

SCHMITTEN Ja. Das is nich schlau.
   Schweigen.
   Die Bäume, ich muß lachen. In Reih und Glied. Wie ein Feld.
   Das blüht alles nach Plan. Die haben sie auch erzogen.

DÜNNE FRAU Eben Wald.

SCHMITTEN Da hab ich lieber Gras, und Himmel, und das ver-
   schwind auch. Von der vielen Arbeit, in tausend Jahren mal, is
   alles Gras weg. Die kriegen den Planet noch glatt.

DÜNNE FRAU Du denkst was.

SCHMITTEN Die Wolken auch. Heute Kugeln, morgen Quadrat. Es is nur lernen.

DÜNNE FRAU Du drehst auf!

SCHMITTEN Ob man es dem Kind – ansieht, von wem es is? Daß sie uns so ähnlich sehn, das sollt man nich glauben. Ich hab im Fernsehn gesehn, daß wir das – schon in uns haben, wie wir aussehn, in den Zellen, das nennt man –
Lachen.
Da is so – wie eine Schrift drin und alle... informieren sich gegenseitig, daß sie miteinander – Wenn man die... Zellen herauslöst, also, allein – vergessen die völlig ihre, ihre – Ich kanns nich erklären.

DÜNNE FRAU Mensch, bist du klug.

SCHMITTEN Und das, das alles bewegt sich drin, und wir spürens nich. Aber was geschieht bewußt? Ich mein, was tun wir selber dazu? *Hält ihren Leib.* Ich mein, im Vergleich zur Natur und so! Was da alles noch rauskommt, was mit uns is. Allein in einem Menschen.

DÜNNE FRAU Du drehst noch durch. Der soll dich heiraten.

SCHMITTEN Mich.

DÜNNE FRAU Der solls bereuen. Wir lauern dem auf.

SCHMITTEN Laßt den in Frieden, du!
Schweigen.

DÜNNE FRAU Ich mach, was du machst.

GRÜNER TISCH

Kaderleiterin. Kolb. Sekretärin.

KADERLEITERIN Meine Meinung: die ist feig, die ist faul, die ist stolz. Die will sichs leicht machen. Weil sie die Schmitten ist. Aber jeder ist auch Mensch und muß es können. Sonst kann ich ihn gleich ablehnen. Sonst kann er gleich Staub wischen im Büro.
Sekretärin steht auf, setzt sich stumm wieder.

KOLB So kannst du nicht mit Menschen umgehn. Nicht mit jedem. Für einen ists Sport, für die ists Quälerei. Von einer Wiese verlang ich kein Korn. Darf sie nicht grün sein? Die ist eben

dumm. Da fehlt ihr was, hier oben. Im Grund ein armes Tier.
Hilf ihr da raus.
Sekretärin steht wieder auf.

KADERLEITERIN Fehlt Ihnen was, Frau Sommer. Sie ist neu. Reden Sie.

SEKRETÄRIN *schweigt, dann förmlich:* Ja. Wird es regnen. Der
Himmel scheint so trüb.

KADERLEITERIN Regen, wieso.

SEKRETÄRIN Union, hat wieder verloren. Aber Dynamo, die sind
in Schuß.

KOLB Ich geh nicht zum Fußball.

SEKRETÄRIN Hm, Genossen. Essen Sie gern Käse?
Langsam ab. Kolb und Kaderleiterin sehn voneinander weg.

KADERLEITERIN Das ist unerhört.

UND ALS WIR GLEICHE WURDEN MENSCH UND
  MENSCH
  KAM ES HERAUS: WIR SIND DIE GLEICHEN NICHT

Schmitten. Ihre Kinder.

SCHMITTEN Wollt ihr dumm bleiben wie ich? Wir lern. Ihr habt
die Zahlen, ich hab das Buch. ELEKTRONIK. Ihr rechnet,
aber richtig; wo ihr nämlich Fehler macht, seid ihr dumm. Und
wer dumm is, wird dafür verkauft. Und den Letzten beißen die
Hunde. Ich muß das bringen.
Kinder rechnen an der Wand. Schmitten liest.

Ich denke ich ertrinke. Das
Wird mich ersäufen, steck ich erst den Kopf rein
Ein Meer seit Menschen denken
Das steigt und steigt. Hab ich schwimmen gelernt.
Wasser im Hals und Wasser in den Augen.
Bin ich Jesus der auf Teichen läuft
Die Wissenschaft für Fische die sich selber
Am Haken halten den das Wasser hat
Für den, ders versteht. Die klugen Leute
Halten sich strampelnd oben, die Erfinder
In der Flut die sie erfinden, stoßen

Sich gesund, die andern sacken ab
Von ihren Füßen auf den Grund getreten.
Ich weiß was ich kann. Ich gehe zugrund
Wenn ich hier einsteig, und ich seh den Grund
Der eine kann es und der andre nicht
Der kleine Unterschied der große Beschiß
An der Gattung die nach Gleichheit schwitzt
Held und Versager brüderlich getrennt:
Der lacht sich krank und der verblutet stumm.
Das sägt am Kollektiv mit seiner Feile
Und reißt den Kommunismus auseinander
Der feine Schmerz der dir den Schädel sprengt
Und foltert das Bewußtsein, so du hast
Besser du hast keins, wenn du nicht begabt bist.
Da hilf dir selbst, vor lauter Hilfe hilflos.
Hättst du dich rausgehalten: jetzt im Strudel
Du kommst nicht mehr aufs Trockne, schwitz dir Kiemen.
Die neue Zeit die Zeit der neuen Leiden
Und neue Freuden als der Leistungslohn.
Die Unterdrückten von der eignen Schwäche
Die Sieger über sich auf den Plakaten
Und Kain erschlägt Abel mit der Formel
Der Dumme ist der Sklave unterm Fels
Der Pyramiden oder wie der Staat heißt[3]

SCHMITTEN Habt ihrs?
DIE KINDER *zeigen an die Wand:* Richtig, richtig, richtig!
SCHMITTEN *legt das Buch weg:* Ich begreifs nich.

Als ich das erstemal den Einsiedel in der Bibel lesen sahe, konnte
ich mir nicht einbilden, mit wem er doch ein solch heimlich und
meinem Bedünken nach sehr ernstlich Gespräch haben müßte. Ich
sahe wohl die Bewegung seiner Lippen, hingegen aber niemand,
der mit ihm redet, und ob ich zwar nichts vom Lesen und Schreiben gewußt, so merkte ich doch an seinen Augen, daß ers mit
etwas in selbigem Buch zu tun hatte. Ich gab Achtung auf das
Buch, und nachdem er solches beigelegt, machte ich mich darhin-
ter, schlugs auf und bekam im ersten Griff das erste Kapitel des
Hiobs und die davorstehende Figur, so ein feiner Holzschnitt und

schön illuminiert war, in die Augen. Ich fragte dieselbige Bilder seltsame und meinem simplen Verstand nach ganz ungereimte Sachen. Weil mir aber keine Antwort widerfahren wollte, ward ich ungeduldig und sagte eben, als der Einsiedel hinter mich schlich: »Ihr kleine Hudler, habt ihr dann keine Mäuler mehr? habt ihr nicht allererst mit meinem Vater (dann also mußte ich den Einsiedel nennen) lang genug schwätzen können? . . . « . . . Der Einsiedel mußte wider seinen Willen und Gewohnheit lachen und sagte: »Liebes Kind, diese Bilder können nicht reden. Was aber ihr Tun und Wesen sei, kann ich aus diesen schwarzen Linien sehen, welches man lesen nennet, und wann ich dergestalt lese, so hältest du davor, ich rede mit den Bildern, so aber nichts ist.« Ich antwortete: »Wann ich ein Mensch bin wie du, so müßte ich auch an denen schwarzen Zeilen können sehen, was du kannst. Wie soll ich mich in dein Gespräch richten? Lieber Vater, bericht mich doch eigentlich, wie ich die Sache verstehen solle?« Darauf sagte er: »Nun wohlan, mein Sohn! Ich will dich lehren, daß du so wohl als ich mit diesen Bildern wirst reden können. Allein wird es Zeit brauchen, in welcher ich Geduld und du Fleiß anzulegen.« Demnach schriebe er mir ein Alphabet auf birkene Rinden, nach dem Druck formiert; und als ich die Buchstaben kennete, lernete ich buchstabieren, folgends lesen, und endlich besser schreiben, als es der Einsiedel selber konnte, weil ich alles den Druck nachmalet.[4]

ALPTRAUM oder DIE TRADITION ALLER TOTEN GESCHLECHTER

Schulzimmer. Schulmeister in preußischer Uniform, mit erhobenem Rohrstock. Buben knien, den Kopf geduckt. Goethe skandiert Fausts Monolog EIN SUMPF ZIEHT AM GEBIRGE HIN. Marx liest aus dem KAPITAL: DIE TRINITARISCHE FORMEL. Einstein nuschelt die ALLGEMEINE RELATIVITÄTSTHEORIE. Mädchen, abgesondert, stricken ihre Kleider über dem Kopf zu, plappern Kinderreime. EROICA.

SCHULMEISTER Freßt das, ihr Idioten.
   Läßt die Buben Papier fressen.
   Was hast du, Bub.
EIN BUB Es kratzt, Herr Lehrer.

SCHULMEISTER Die Glocke? Das Manifest? Die Algebra?

Der Bub würgt, erbricht sich.

Wie sprichst du unsere deutsche Sprache? Ich werd dich lehren.

Legt den Bub übers Knie, drischt ihn. Die andern Buben springen zu den Mädchen, rammeln sie.

Mich dünkt, Erziehung kann nichts vorstellen als die Veranstaltung eines Staates, seiner gesamten Jugend einerlei Grundsätze einzuflößen, sie auf einen herrschenden Geist zu stimmen, ihre Leibes- und Geisteskräfte und ihre Neigung nur auf diejenige Tätigkeit zu richten, die den vorgesetzten Zweck der Staatsverfassung bewirken kann, alle andere mögliche Ausbildung derselben aber nicht zum Augenmerk zu haben. Stillgestanden! Ab in den Krieg!

Buben marschieren ab.

Der Mensch ist das einzige Geschöpf, das erzogen werden muß. Unter der Erziehung nämlich verstehen wir die Wartung, Disziplin und Unterweisung nebst der Bildung. Disziplin oder Zucht ändert die Tierheit in die Menschheit um. Disziplin verhütet, daß der Mensch, indem er roh auf die Welt kommt, nicht durch seine tierischen Antriebe von der Menschheit abweiche. Der Mensch ist nichts, als was die Erziehung aus ihm macht. Es ist zu bemerken, daß der Mensch nur durch Menschen erzogen wird, durch Menschen, die ebenfalls erzogen sind –

Mädchen kichern.

In die Ecke! In die Ecke! In die Ecke der Geschichte!

Mädchen zwängen sich in die Ecke.

EIN MÄDCHEN Ich spiel nicht mit, ich spiel nicht mit, ich spiel nicht mit.

SCHULMEISTER Jutta Schmitten. Natürlich, wußt ichs doch.

Faßt sie am Wollfaden, dreht sie wie einen Kreisel: mit dem Rohrstock, ihr Kleid trieselt auf. Buben zurück, blutig, etliche Gliedmaßen und Köpfe fehlen. Lachen Schmitten aus. Langer Kanonendonner. Stille.

ZWEITER BUB Herr Lehrer, hier stinkts!

Das Schulzimmer klappt zusammen.

FEIER

I

Vor dem Kulturhaus. Kolb. Schmitten.

SCHMITTEN
  Kriegst du en Orden, für das neue Werk.
KOLB
  Ich fürchte: ja.
SCHMITTEN
                  Nimmst du mich mit hinein.
KOLB
  Was hast du davon. Reden und Gesaufe.
  Die setzen mich in die erste Reihe oder
  Hoch ins Präsidium.
SCHMITTEN
                  Schämst du dich mit mir.
  Ich sehs mir an.
KOLB
              Das wirst du bleibenlassen.
  Die werden denken, du willst provozieren.
SCHMITTEN
  Die denken viel, was du ihnen nich sagst
  Oder die Zeitung, drum sind wir groß im Denken.
  Ich denke mir, du hast mich über. Sags.
DELEGIERTE *bleiben stehn:*
  Die Schmitten und der Technische Direktor.
  Da hat er sich vergriffen. Die sich an ihm.
  Ist das deine, Karl?
  Kolb lacht verneinend.
                  Die kennt nich mein und dein.
  Ich halt dir einen Platz, Karl, am Buffet.
  Delegierte ab.
KOLB
  Eh ichs vergesse: du kannst deine Arbeit
  Weitermachen, bei der Bau-Union.
  Ich habe mir die Zunge wundgeredet
  In der Kaderleitung.

SCHMITTEN
                    Is mir recht.
    Deine Scheißfeier will ich sehn, von innen.
    Wo sie den Sekt trinken, das Leitungswasser.
    Wo du den Held machst, für die Delegierten.
    Kolb schlägt sie auf den Mund.
KOLB
    Ich komm zu dir, gleich wenn der Schmus vorbei ist.
    Dann feiern wir. Hast du was Schnaps im Haus?

2

*Schmitten, dünne Frau, krumme Frau, auf dem Bett, trinken
Schnaps, umhalsen Kolb. ROCKMUSIK.*

FRAUEN
    Der HELD DER ARBEIT.
    Laß mal sehn die Brosche. Die glänzt.
    Die steht ihm. Feiner Mann.
KOLB
    Schick die beiden weg.
SCHMITTEN
    Von wem redst du.
    Du bist betrunken, du
    Siehst nich durch.
    Ich bin allein und hab Lust
    Für drei, aber er sieht drei.
    Das ist ein Held.
KOLB *lacht:*
    Was wollt ihr.
SCHMITTEN, FRAUEN *ziehen ihn aus:*
    Jetzt kriegt ers mit der Angst.
    Jetzt soll er zeigen was er kann.
    Weil er immer redet redet
    HÖHER SCHNELLER WEITER.
    Mit dem stehts schlecht.
    Der is noch nich so weit
    Der muß sichs überlegen, mit der Arbeit.
    Nee, der is ausgezeichnet.

Hast du dich nich verpflichtet
Dein BESTES ZU GEBEN. Wo is es, Mensch.
Er kanns nich für drei, er schafft es nich
Er leistet nich genug
Aber wir brauchens.

KOLB *lacht:*
Laßt mich los.
Wehrt sich. Sie binden ihn ans Bett.

SCHMITTEN, FRAUEN
Jetzt steig nich aus, Kollege
ALLE BRAUCHEN DICH! Wir brauchen deine Leistung
Verpflichte dich, uns zu befriedigen, Kollege
AUF DEM WELTNIVEAU
AUF DEM STEIGENDEN NIVEAU
ES IS EINE NOTWENDIGKEIT, die Befriedigung
Von unsere Bedürfnisse
DER STÄNDIG WACHSENDEN BEDÜRFNISSE.

KOLB
Zu dritt, ihr Säue.

SCHMITTEN, FRAUEN
Ich bin allein, aber ich
Verlang nun mal was
Ich will Leistung sehn.
Jetzt mach nich schlapp
Wo sich die Mehrheit entschieden hat
Wo wir uns durchgerungen haben
Weils in der Zeitung steht steht
In der Zeitung stehts, und bei dir?
Da kannste nich mit, wie.
Das stehste nich durch, Genosse
Wenn wir loslegen
Wenn wir aus uns rausgehn mit UNSERN ELAN
Und uns EINSETZEN FÜR DIE SACHE FÜR DIE SACHE
ALLES FÜR DIE SACHE.
Für die Sache geb ich mein letztes Hemde.
VORWÄRTS ZU NEUEN ERFOLGEN
UND WIEDER EINE RUHMREICHE SCHLACHT
    GESCHLAGEN
MEHR VERTRAUEN ZU DIE UNTEREN ORGANE
JUGEND VORAN.

Was is denn los mit dem
Er ist doch sonst obenauf.
Ein Aktivist der späten Stunde.
Er will nich mitziehn mit der Mehrheit
DER SCHLIESST SICH AUS VON KOLLEKTIV
DER SABOTEUR, DER REAKTIONÄR
Der hat sein Bewußtsein verloren
Der is ohne Bewußtsein!
Wo wir Überzeugung verlang.
WIR ÜBERZEUGEN IHN
JEDER NACH SEIN FÄHIGKEITEN
JEDEM NACH SEINER LEISTUNG
Der kriegt seine Lektion, die er behält
Mit alle verfügbaren Mittel
Mit die verfügbaren Mittel.
Verstümmeln sein Geschlecht. Er schreit.
So das war genug. Das reicht.
Jetzt hat ers.
Der blut.
Mach dein Mund zu oder du erstickst.
Sei doch still Mensch!
Der blut wie ein Schwein.
Halt ihms Maul zu.
Das hab ich nich gewollt.
Wasn jetzt.
Jetzt haun wir ab.
Zun Doktor.
Sau, Schmitten.
Jetzt krieg ich Angst.

DREI FRAUEN, DEN MOND BETRACHTEND

Schlamm. Mond. Schmitten. Dünne Frau. Krumme Frau.

KRUMME FRAU *zur Schmitten:* Du kommst mit, zur Polente.
    Kampf im Schlamm.
SCHMITTEN Freut euch! Seid lustig. Wer will was? Wir könn auch
    was. Wir sind stark. Wir müssen nix. Das Leben! Wir machen
    was wir wollen. Wir tanzen!

DÜNNE FRAU *entsetzt:* Wer bist du.

SCHMITTEN Jetzt kennt mich keiner mehr. Wie heiß ich? VOR-
BILD VERBRECHER. Ich kann auch mitkommen. *Lacht.*

Ich bin Jutta Schmitten, dreißig Jahr drei Monate sechs Tage. /
Ich bin Zuschauer. / Ich seh mir zu. / Das ist ein authentischer
Fall. / Ich hab nicht gelernt mir zusehn. / Ich habe keine Zeit. /
Ich laufe wie eine Maschine auf der Großbaustelle zwischen den
Holzhaufen. Ich kann nicht aus meiner Haut. Ich laufe an mir
vorbei und seh mich nicht. / Das ist nicht mein Fall. / Ich starre
auf die Bühne, wo ich laufe und auf mich starre und mich nicht
sehe. / Das ist nicht meine Haut. / Paßt, Kollege. / Wir sind
gleich. Alles gehört allen. / Was ist alles. Was ist gleich. / Was ist
das für eine Haut. / Das ist die Kruste über dem Fleisch. Das
Fleisch wird durch den Wolf gedreht, durch die Mühle. / Was
hat das mit mir zu tun. / Dieses wie arbeiten. Dieses wie essen.
Dieses wie begatten. Dieses wie singen. / Was will ich in dieser
Haut dieser Narbe dieser Kruste. Das will ich nicht sehn. / Aus
diesem riesigen Panzer steigen in eine eigene Haut. Ein Meter
siebzig: wie ein Leib, wie ein Grab. / Das bringt mich nicht
um. / Mich selber sehn durch die Haut: jetzt bin ich das Letzte.
Jetzt bin ich der Anfang. Jetzt bring ich mich um mit einem
Messer in einem fremden Körper der schreit
Schrei Kolbs.
Jetzt ist es vorbei. Jetzt kann ich mir zusehn.[5]

Regen. Sie sitzen stumm.
FRAUEN Mach nich so ne Szene.
SCHMITTEN Okay.

KOMMENTAR DES TAGES

Kaderleiterin. Neuer Werkleiter. Polizist.

KADERLEITERIN *streicht in einer Liste durch:* Anne-Else Dorn.
Marie Sommerlatte. Jutta Schmitten. Das ist nicht kriminell,
gibts bei uns nicht. Das ist der Klassenfeind. Das ist der Einfluß, das sind die Rudimente. Das ist das beste Beispiel. Unser
Beispiel. Das muß man auswerten, im Kreismaßstab.

Krankenzimmer. In den Betten Kolb, zwei Amputierte. Film:
Kolbs Auszeichnung als Held der Arbeit.

KOLB *im Fieber:* Das bin ich, der Held. Ein ganzer Mann, was.
EIN AMPUTIERTER Hä?
KOLB Jetzt, jetzt krieg ich den Orden. Jetzt steh ich oben,
    Mensch. Ich bin der Größte.
ZWEITER AMPUTIERTER Was willer.
KOLB *panisch:* Nein! Nicht aufn Mond. Ich laß mich nicht ver-
    schießen, nicht ins All. Da ist leer.
ERSTER AMPUTIERTER Der spinnt.
ZWEITER AMPUTIERTER Das isses Fieber.
AMPUTIERTE *singen zweistimmig:*
    Was wolln wir auf den Abend tun?
    Schlafen wolln wir gahn.
    Schlafen gahn ist wohlgetan
    Jungfrau, willst du mit uns gahn.
    Lachen.
    Schlafen wolln wir gahn.

KNAST

Schmitten. Schließerin.

SCHMITTEN
    Entgraten mit der Feile, ohne mich.
    Da kann ich aufn Platz, Bretter entnageln.
SCHLIESSERIN
    Das führn wir nicht. Die Plaste braucht die Leute
    Bei jeder Amnestie wankt die Chemie.
SCHMITTEN
    Das is nich mein Problem, ich will was lern.
    Und wenn schon Knast, dann Schule.
SCHLIESSERIN
                           Sagst du Schule.
    Jetzt hast du Urlaub. Jetzt laß fünfe grad sein.

SCHMITTEN
Ich hab ein Recht auf Bildung, laut Verfassung
Du haftest mir dafür.
SCHLIESSERIN
Du bist ne Nummer.
SCHMITTEN
Wann seh ich meine Kinder, nämlich drei.
Was sagste dann, wenn die gelehrt sind, Mutter.
SCHLIESSERIN
Das hat Zeit. Sechs Jahre. Jetzt geh pennen.
SCHMITTEN
Die Zeit vergeht, ich will mich nich mehr kennen.

1 Brecht. Tonband, alle Stimmen
2 Entwicklung der Arbeit, Berlin 1978. Tonband, Stimme Neuer Werkleiter
3 Tonband, Stimme Schmitten
4 Grimmelshausen. Tonband, Stimme Kind
5 Tonband, mehrere Stimmen

Guevara oder Der Sonnenstaat

Personen

Guevara · Prado, Ranger · Selnich, Oberst · Urbano, Pablito,
Camba, El Medico, Chapaco, Marcos – Guerilleros · Alte Bäuerin
· Inti, Guerillero · Rodas, Bauer · Sein Sohn · Rolando, Guerillero
· Bauern · Ein Lehrer · Tania · Miguel, Joaquín, Braulio – Gueril-
leros · Major · Zwei Soldaten · Monje, Parteisekretär · Castro ·
Kinder
Bumholdt, Archäologe · Bedray, Philosoph

Die Guerilleros und Soldaten, in den Stellungen des Todes. Durch ein Loch in der Decke, das der Öffnung einer Grube gleicht, fällt der blutige, halbverbrannte Leichnam Guevaras herab.

Bumholdt kratzt mit dem Spaten in der Erde. Bedray sieht durch den Feldstecher in die Ferne. Beide in der Kleidung des Publikums.

BEDRAY Ich sehe nichts.

BUMHOLDT *hält inne, starrt in den Boden:* Es muß tiefer liegen. *Kratzt.* Der Boden hat es zugedeckt. Verschluckt. Unser aller Schicksal. *Hält inne.* Obwohl man sagen könnte, wir stehen im allgemeinen einen bis anderthalb Meter über dem Niveau der Inkas. *Lächelt breit, wird wieder ernst, streckt eine Hand vor:* Also etwa so hoch – *ändert die Höhe* so hoch wird die Menschheit in den nächsten fünfhundert Jahren kommen.

BEDRAY Hallo, haben Sie niemanden gesehen? *Bumholdt blickt unwillig zu ihm hin.* Haben Sie keinen Guerillero gesehn?

BUMHOLDT *nimmt einen Film aus der Kameratasche, betrachtet die Bilder:* Ich habe keinen Menschen gesehn.

BEDRAY *versucht, einen großen Stein zu erklimmen:* Man müßte höher stehn. Helfen Sie mir.

BUMHOLDT *gräbt:* Sie können mich Hugo nennen. Hugo Bumholdt.

BEDRAY Denis... *rutscht Bedray. Hält sich mit letzter Kraft. Sehr ruhig:* Also helfen Sie mir?

BUMHOLDT Wobei?

BEDRAY Hinaufzukommen.

BUMHOLDT *sieht ihm zu:* Aber Sie kommen doch herab.

BEDRAY Es sieht so aus. In Wirklichkeit bin ich dabei, hinaufzusteigen.

BUMHOLDT Ich verstehe nicht, Denis.

BEDRAY Stellen Sie den Spaten unter meinen Fuß.

BUMHOLDT Jetzt? *Macht es.*

BEDRAY Danke, Hugo. Das war die Rettung. *Sieht durch den Feldstecher.*

BUMHOLDT Also etwa an der Sohle Ihres Fußes werden die Straßen verlaufen, und dennoch bleiben die Straßen der Inkas ein
unerreichtes Muster. Die Spanier staunten nicht schlecht – *Sieht
zu Bedray auf:* Was machen Sie da?

BEDRAY Ich halte Ausschau.

BUMHOLDT In die Ferne?

BEDRAY Sehen Sie eine andere Möglichkeit?

BUMHOLDT Im Moment nicht.

BEDRAY Sehen Sie.

BUMHOLDT *gereizt:* Sehen Sie, sehen Sie.

BEDRAY Ich sehe nichts.

BUMHOLDT Ich benötige hingegen meinen Spaten.

BEDRAY Bitte, bitte. Lassen Sie sich nicht stören.

BUMHOLDT Danke.

Nimmt den Spaten weg. Bedray fällt herab.

Die Spanier staunten nicht schlecht, als sie die zwei soliden
Heerstraßen erblickten, die das andine Hochplateau und den
pazifischen Küstenstreifen der Länge nach von Norden nach
Süden –

BEDRAY Was ist? Konnten Sie mich nicht informieren, ehe Sie
etwas unternehmen?

BUMHOLDT Ja, wären Sie bereit, an meinen Ausgrabungen teilzu-
nehmen?

BEDRAY Ich denke nicht daran. *Sitzt starr:* Ich habe mir wehge-
tan.

BUMHOLDT Das ist das Fernweh. Wären Sie in Europa geblie-
ben.

BEDRAY Das ist noch kein Grund, alle humanitären Verpflichtun-
gen von sich zu weisen.

BUMHOLDT Ich interessiere mich nicht für lebende Menschen.

BEDRAY *erhebt sich auf die Knie:* Das ist eine interessante An-
sicht. *Strahlend:* Gestatten Sie, daß ich ihr widerspreche.

BUMHOLDT Widersprechen Sie, sie interessiert mich nicht. Zertreten Sie sie.

BEDRAY *enttäuscht:* Das gestehen Sie zu?

BUMHOLDT Scheißen Sie darauf. *Zieht einen Klumpen aus der
Erde.* Da haben wir etwas.

*Bedray blickt verächtlich weg. Bumholdt nimmt eine Spachtel,
säubert den Klumpen.*

Eigentümlich geformte Steinklumpen, in die Wasserleitungen

gelegt, sorgten für den günstigen Effekt der Bewässerung der bewässerten – der bewässerten –

Wischt sich den Schweiß ab. Bedray erklimmt den Stein.

Der Typ der bewässerten Terrassen andeutend die beträchtliche, nur bei staatlicher Leitung und Kollektivarbeit der Massen mögliche Erweiterung der Anbaufläche, indem die Inkas den Kannibalismus unterdrückten und die Unterdrückten, statt sie zu fressen ... statt sie zu fressen –

BEDRAY *sitzt oben:* Das hätten wir.

BUMHOLDT *betrachtet den »Klumpen«:* Irrtum sprach der Igel und kletterte von der Klobürste. Eine Coca-Cola-Flasche. *Trinkt den Rest, spuckt. Bedray stöhnt.* Was stöhnen Sie? Sie haben doch nicht getrunken.

BEDRAY Die Sonne blendet.

BUMHOLDT Die Inkas vergötterten die Sonne. Sie beteten sie an.

BEDRAY Ich habe einen Stich. *Bedeckt die Augen.*

BUMHOLDT Es macht nichts. Können Sie mich sehn?

BEDRAY Ich sehe nichts.

BUMHOLDT Es macht nichts. *Nimmt aus Bedrays Aktentasche verschiedenerlei Proviant, frißt:* Der Sonnenstaat... Keine Sklaven, keine Schulden, keine Unterschiede... Nachdem der Inka... am staatlichen Feiertag selbst... die Hand an den Spaten gelegt... hatte, wurde in gemeinschaftlicher Fronarbeit erst das Land der Sonne, dann... die Äcker der Armen und Kranken, der Witwen... und Waisen sowie der Armee... bestellt. Sodann war es jedem gestattet... sein eigenes Feld... Und zum Schluß der freiwillige Einsatz in den Kartoffeln des Inkas.

BEDRAY Sie sprechen so komisch, Hugo, wie mit vollem Mund.

BUMHOLDT Es macht nichts. *Geht zu Bedray.* Ich bin noch da. *Wischt sich Hände und Mund an Bedrays Hosenbeinen ab.*

BEDRAY Reichen Sie mir meine Tasche herauf, ich bleibe auf dem Anstand.

BUMHOLDT *gereizt:* Anstand, Anstand!

BEDRAY Ich passe die Kämpfer ab. Ein Interview wird herausspringen.

BUMHOLDT *hämisch:* Bei Sonnenuntergang.

BEDRAY *fischt in der Tasche:* Mein Proviant ist gestohlen worden.

BUMHOLDT Das ist unglaublich. Diese wilden Neger.

BEDRAY *zornbebend:* Man sollte Bomben schmeißen.

BUMHOLDT *erschrocken:* Moment. Doch nicht blind in die Menge. Lassen Sie sich von der erhabenen Natur beschämen.

BEDRAY Weg von der Natur. Hinan zur Menschlichkeit.

BUMHOLDT Hinab. Hinab zur Menschlichkeit.

BEDRAY *im Diskant:* Hinan, Hugo.

BUMHOLDT Hinab, wo sie begraben ist. *Gräbt.* Es muß tiefer liegen.

BEDRAY *steht auf dem Stein, sieht durch den Feldstecher, verliert das Gleichgewicht und stürzt fast hinunter:* Ich werde sie schon sehen.

DER KRATER

Guevara, unkenntlich, auf einer Bahre. Prado. Selnich herein.

PRADO
Es ist Guevara.
Selnich bleibt in Abstand stehn.
                    Er hat es selbst gesagt.
Erkennen Sie ihn.
Selnich in Abstand um Guevara.
                         Er kann sich nicht rühren.
Die Beine sind zerschossen, in der Brust
Zwei Löcher. Sonst komplett, Coronel. Er
Hat mir gezeigt, wie ich ihn flicken soll
Er wär verreckt ohne sich. Dort sein Gewehr.
Selnich fährt zurück.
Er wird es nicht mehr brauchen, und es ihn nicht.
Ansonsten ist er munter. Er hört zu.
SELNICH
Er hört uns, wie.
Schreit:
                    Können Sie uns auch sehn.
Was sehn Sie, Mensch. Ich, ein Soldat, und weine.
Sind Sie von dieser Welt, Mensch. Oder was
Sehn Sie in Ihrem Kopf. Sehn Sie die Toten.
Erledigt, feige, aus dem Hinterhalt.

Ein Leutnant, zwanzig Jahre, er war mir
Lieb wie ein Sohn. Ihr habt ihn abgeschossen.
Eine Heldentat, wie. Befreind die Menschheit.
Sie sind kein Mensch, Sie sind ein Tier das in
Den Wald ging, roher als ein Tier, der Wald
Der trockne, speit euch aus.
Für das hat selber die Natur kein Obdach.
Ihr seid ein Aussatz, Sie der Dreck vom Aussatz
beugt sich über ihn:
Ein Räuberhauptmann. Ein Banditenchef.
Guevara schlägt Selnich ins Gesicht. Selnich steht starr, rasch ab.
Prado stellt einen Stuhl vor Guevara.

PRADO
Willst du wissen, wie du uns ins Garn gingst
Guerillero. Das mußt du mal wissen.
Wir trabten seit zwei Wochen durchs Gelände
Betrachtend jeden Busch. Mit vorgeschriebnem
Argwohn die liebliche Natur berührend
Mit spitzen Zehn. An einem Sonntagmorgen
Gestern, warf sich uns eine alte Frau
Von ihrem Acker springend, in den Weg
Deutend zum Cañon, wo der leise Bach
Mit menschlicher Stimme spräche. Ich befahl
Dem Umstand nachzugehn, doch dergestalt
Daß sich ein Teil der Truppen an den Hängen
Ausruhte im Dickicht, andere
Raschbeinige sammelten sich andächtig
Im Hinterhalt. Ich schlenderte hingegen
Mit ruhigen Leuten auf dem Grund der Schlucht.
Zur Mittagszeit, nach einem Schuß ins Grüne
Hatten wir Kontakt mit unserm Feind.
Es war ein sauberes Gefühl. Denn wir
Zwangen ihm den Kampf auf, nicht er uns
Wie es natürlich wäre bei dem Mord.
Während er in den Hang schoß, rückten wir
Von hinten vor. Der erste, den ich sah
Und der nichts sah, schoß gut. Das war der auch
Der dich auf seine Schultern nahm und auf
Den Berg kroch, oben aber standen die
Im Dickicht und betätigten sich nun.

Ich sah, wie dir die Mütze wegflog, wieder
Getroffen, der legte dich hin und hob
Statt seine Hände hoch das Gewehr
Bis wir ihn umbrachten. Er hieß Urbano.

GUEVARA *keuchend:*
Urbano. Wo hat man euch ausgebildet.

PRADO
Das willst du wissen, ja. Wo lernt man das.

GUEVARA
In Panama. Bei den Ledernacken.

PRADO
Da habe ich studiert. Aber wo steht
Daß man bis auf den Tod kämpft.
Nimmt eine Broschüre.
          Also
Wenn einer sterben soll dann ists der Feind.
Ich will dir deine Fehler sagen, Bruder.
Der Guerillero, wenn er ins Gebiet
Des Gegners dringt, muß er das kennen wie
Seine Handfläche. Er muß angreifen
Und sich zurückziehn und den Feind einschläfern
Und wieder überfallen, ich kann lesen
Die Schläge müssen pausenlos erfolgen
Der Gegner muß, weil sich die Front um ihn dreht
Auf schnellen Füßen und er sich um sich
Den Eindruck haben, er sei eingekreist.
Das Partisanenmenuett: der Walzer
Mit dem verwirrten Feind, der sich entnervt
Ins Feuer wirft. Bei einem ersten Blick
Mag das als negativ erscheinen, aber
Das ist nur die Besonderheit des Kriegs
Krieg heißt der Kampf, bei dem der Gegner draufgeht
Und zwar wo ers nicht denkt und unerbittlich
Und intensiv, daß es Methode hat.
Das ist ein gutes Buch von dir, bleib liegen.
Lacht.
Es wurde unser Handbuch in dem Camp.
Wir schwitzten die Monturen durch beim Studium.
Lacht.
Wir sind auch Guerilleros, Bruder: Ranger.

Lacht.
Darf ich mich deinen Schüler nennen, Chef.
Lacht, fällt mit dem Stuhl um.
GUEVARA
Ihr seid das Gegenteil des Guerillero
Gekaufte Schweine.
PRADO
                        Nein. Sein Gegenteil
Lernte ich, ist der Guerillero tot.
Wirft den Stuhl über Guevara weg. Selnich, verbeugt sich knapp.
SELNICH
Ich heiße Selnich. Sagen Sie, Waldmensch
Wo hält sich Ihre Mannschaft auf. Sie läßt sich
Doch überblicken. Sie hatten zuletzt
Sechzehn Gefährten, denn die andern sind
Zum eignen Herd gefahren, oder Grab.
Sechs folgten heut, die liegen noch auf der
Erde, eh sie die über haben unten.
Aber rund neun verpfiffen sich im Wald.
Ich will Sie nicht verhören, Ihre Leute
Erzählen selber, einer, er heißt Camba
Sitzt eben zum Diktat.
Zu Prado:
                        Du mußt ihn sehn.
Prado lacht, ab.
Das ist der eine, und wo sind die neun.
Die sind davon und lassen Sie lebend
In unsern Händen.
GUEVARA
                        Tot.
SELNICH
                        Wer sagt Ihnen
Daß wir Sie töten werden.
GUEVARA
                        Weil ihr mich
Nicht lebend brauchen könnt aber tot haben.
SELNICH
Wir haben Sie, das ist so gut wie tot
Und toter sind Sie lebend abgetan als

Geschlagner, dem kein Hund mehr zuläuft.

GUEVARA

                                        Wer
Ist geschlagen, und lebst du denn.
Tot bist du seit du lebst in diesem Dienst
Und in dem Dienst, Toter, brauchst du mein Leben.

SELNICH

Die deine fade Theorie heb auf
Bis man dich reden heißt.

GUEVARA

                          Das wird nicht sein.
Weil ihr das fürchtet, daß ihr Toten mich
Vorladet vor Gericht, vor dem euch Toten
Ich von dem Leben rede. Glaub mir, da
Ist Gott vor in der Stadt La Paz. Wir werden
Nicht das erleben, Toter.

SELNICH

                      Sondern was.

GUEVARA

Fürchtest du dich. Vor meinem Tod auch und
Meinem Leben. Was macht es denn dir aus
Wenn ihr mich ausmacht.

SELNICH

                      Das hab ich nicht gelernt
In der Armee, Herr, in zwölf Jahren: morden.

GUEVARA

Hast du auch in Catavi nichts gelernt.
Als die Zinnminen streiken, und der Zug
Der sie mit Brot versorgt, fährt in die Stadt
Und plötzlich öffnen sich die Türen der
Waggons und eure Feuerstöße töten
Vierzig Miñeros und verstümmeln hundert.
Das ist kein Morden, das ist der Beruf
Der Toten, Bruder im Tode.

SELNICH

                      Sagst du Bruder.
Der bin ich nicht von dir. Und muß ich töten
Dann ohne Willen. Das ist dein Geschäft.
Jetzt in dem Wald hier, nachts in den Schuhen.
Ist das mein Wille oder deiner, wie.

Ich kann mir andres denken von mir selber.
Ich habe eine Frau zuhaus, zwei Töchter.
Einen Garten. Ich liebe meine Ruhe.
Sehen Sie: ein normaler Mensch. Ich säh mir
Den Film auch lieber an hier, als drin handeln.
Ich weiß das Unrecht. Will ich es begehn.
Was wollen Sie, Herr Guevara. Sie
Vermehren es, und zwingen uns zum Unrecht
Und rauben mir den Schlaf mit Ihrer Nachtschicht
Im Blut, in das Sie mich hineinziehn, und
Töten mein Gewissen.

GUEVARA
                              Lebst du noch etwas.
Der Teil von dir, der aus dir schreit noch.
Der Teil, den du selbst unterdrückst in dir
Weil er sich auch befrein will von dem Feind
Der dich abhängig hält in diesem Dienst
Der Dollar, der euch elend macht
Auf diesem Kontinent und seine Truppen
Landet in jede Freiheit.

SELNICH
                    Schweige du
Weil du lebst und selbst dein Elend machst.

GUEVARA
Der Lohn für meinen Schädel fünfzigtausend
Das ist das Schweigegeld für was da schreit
In dir auch, weil mein dein Verrecken ist
Das dir dein letztes Leben raubt.

SELNICH
                              Schweig, schweig.

GUEVARA
Bring dich ums Leben und mir meinen Tod.
Selnich schreiend ab. Prado, setzt sich auf die Bahre, lacht.

PRADO
Ich hör dich schrein von Truppen, die einreisen
Ins interessante Ausland. Bei dem Punkt
Kollege, laß uns bleiben. Das mußt du
Auch wissen. Wer ruft sie denn her. Ihr. Ihr
Zieht sie an diese Küsten mit euren
Gewehren. Eure rasche Freiheit lockt sie, in

Derselben Namen, sie uns abzunehmen.
Sagst du nichts, Monstrum. Und ich geb mich mit
Dir ab eh ich dich kenne. Dein Aufruf
zeigt ein Blatt
An die Völker der Welt. Wir brauchen einen
Langen grausamen Krieg, und niemand zögre
Ihn auszulösen. Einen Krieg aus vielen.
Schaffen wir zwei drei viele Vietnams.
Mit ihrem Blutzoll aus dem täglichen Schlachten.
Daß sich der Yankee totrennt in der Runde.
Wer schreibt der bleibt. Aber die Strategie
Wie deine Taktik wir, lernt die der Yankee.
In seinem Pentagon bist du der King
Und deine Konzeption fickt ihm die seine.
Vietnam mal x macht ein Amerika
Der ganze Kontinent. Das ist die Logik
Rückwärts aus deinem Text. Sprichst du nicht mit mir.
Stopft deine Rede dir den Hals, Redner.
Du warst zu schlau, du bist der Dumme.
Und deine Waffen schlagen deine Waffen
Undsoweiter.
Das ist die Welt. Du willst sie ganz verändern
Und siehst in keinem Land mehr Land, Genosse.

GUEVARA
Ich seh nur eine Welt, die blutig ist.
Die ein Vulkan ist vor er ausbricht, ich
Seh in den Krater. Kämpfen nicht mehr, kann ich
Doch sterben, fallend in das Loch. Ihr
Macht ihr mir Beine für den letzten Schritt
Daß die ihn sehen, die das Äußerste
Brauchen, eh sie das erste wagen: leben.

PRADO *lacht stärker:*
Vom Leben lügt das was und will den Tod.
Ein armes Tier. Das könnte dir gefallen
Ein Leben für den Tod. Der Tod fürs Leben.
Ein eitles Waldschwein, das sich mit Blut schminkt
Vor der erblaßten Menge. Nimm dir selbst
Was du willst, mit eignen Händen, so.
Dann lügst du nicht vom Leben mehr die Lügen.
Selnich, bleich.

Wie sehn Sie aus, Coronel.
Schweigen.
GUEVARA

                              Jetzt ists der Auftrag.
Aus La Paz. Reden Sie, das erleichtert.
SELNICH
Das ist der letzte Tod, in dem er drinhängt.
GUEVARA
Macht eure Arbeit.
PRADO

                    Kann ich, Coronel.
SELNICH
Nein. Nein.
PRADO

          Was.
GUEVARA

              Nimm die Waffe.
SELNICH

                              Nein.
GUEVARA
Schieß hierher.
PRADO *zu Selnich:*

              Willst du selber leben.
GUEVARA

                              Schießt.
Salve.
SELNICH *schreit:*
Verstecke ihn.
Verbergen hastig den Leichnam.
                    Sie werden ihn hier finden.
Wühlen den Leichnam hervor.
Willst du ein Golgatha, zu dem sie pilgern.
Verbrenne ihn.
Zünden den Leichnam an.
                    Christus der Agitator
Geschlachtet, und sein gut beweinter Tod
Siegt übers mächtigste der Reiche, Rom.
Soll er hier auferstehn. Laß ihn verschwinden.
Vergraben in fieberhafter Eile den Leichnam.

DER WALD

*Guerilleros, kaum wahrnehmbar, verwahrlost auf dem Boden. Ein
Maultier. Alle Bewegungen langsam und schwach.*

URBANO
  Er ist bewußtlos.
PABLITO
                    Habt ihr was geschossen.
CAMBA
  Der Wald hat nichts.
EL MEDICO
                    Staub und Stacheln, unser
  Menü. Habt ihr nicht Zecken.
CHAPACO
                        Dann dein Tier.
MARCOS *reißt Chapaco zurück:*
  Halt. Soll er hier verrecken mit den Wunden.
CHAPACO
  Und mit den Witzen.
EL MEDICO
                    Die Witze kommen
  Heraus hier, aber ich.
PABLITO *entsetzt:*
                    Was macht Urbano.
CAMBA
  Er frißt.
MARCOS
            Was ist das, fressen. Meinst du fressen.
CAMBA
  Es war das Dörrfleisch.
URBANO *dumpf:*
                    Weg.
  *Chapaco, Camba, Marcos fallen über Urbano her. Guevara be-
  wegt sich.*
GUEVARA
                    Wo sind wir oder
  Wann sind wir hier. Marcos.
MARCOS
                    Er fantasiert.

    Das Asthma bringt ihn um.
GUEVARA
                              Ich träume wohl.
    Richtet sich auf.
    Auf diesem Platz waren wir vor zwei Tagen.
    Wir sind im Kreis gelaufen.
    Marcos springt auf.
                              Du hast dich
    Geirrt, Marcos. Siehst du die Vogelknöchel.
    Wann fraßen wir das.
MARCOS
                    Siehst du meine Knochen
    Die der Wald frißt.
    Guevara wankt, fällt.
EL MEDICO
                    Könnt ihr euch nicht mehr riechen.
    Scheiße.
GUEVARA *zieht die Hose aus:*
          Ich bin beschissen wie ein Kind.
    Gibt es hier Wasser. Dann bleibt nur die Luft.
PABLITO
    Du kannst die Hose haben.
    Zieht seine aus. Motor.
CAMBA
                         Das Flugzeug, wieder.
GUEVARA
    Du zitterst ja, Mensch.
CAMBA
                    Nein.
    Wirft sich auf die Erde.
                              Ich will nicht sterben.
CHAPACO
    Gib her, Marcos.
MARCOS
              Spinnst du.
CHAPACO
                         Gib die Patronen
    Er hat mir zehn Patronen aus dem Gurt
MARCOS
    Du lügst.

CHAPACO
    Zehn Schuß.
Kampf. Marcos nimmt die Machete.
GUEVARA
                Leg die Machete weg
Oder zehn Schüsse hast du in dir, meine.
Schreit:
Steht auf.
Alle außer El Medico erheben sich. Keuchend:
            Nie seit wir diesen Krieg machen
Sind wir so tief gesunken. Marcos hebt
Das Eisen gegen den Freund. Und El Camba
Zittert, wenn nur das Wort Miliz fällt. Er
Fürchtet sich vor dem Feind. Er hat die Grenze
Der menschlichen Erniedrigung erreicht.
Das ist ein Augenblick, in dem wir uns
Entscheiden müssen. Also wir sind am Ende.
Und haben noch nicht angefangen leben.
Erst übend diesen Gang führt er ins Aus.
Ich bin ein Wrack. El Medico verwundet.
Die besten Männer tot. Miguel. Rolando.
Inti der Miñero. Wir sind allein
Auf dem Planeten. Wer sich nicht fähig fühlt
Den Krieg zu führen, also soll es sagen.
Die Art des Kampfes aber macht es möglich
Daß wir als Menschen uns bewähren wirklich
Und wir zu Guerilleros werden
Der höchsten Stufe, die der Mensch erreicht
Nicht fühlend seinen Körper, nur die Waffe
Die er ist des Volks. Ihr seid das Vorbild
Der Kern der Frucht, die in dem Kampf wächst, die
Elite ihr, die herrlichsten der Kämpfer.
Pablito bricht zusammen. Marcos heult.
Marcos. Du hast versagt. Der Held in Kuba
Der neben Fidel kämpfte in der Sierra
Er ist zum Hund geworden. Stoßt ihn weg.
MARCOS
Erschießt mich, eh ihr mich verstoßt. Schießt, schießt.
Schlägt um sich.

EL MEDICO
Warum nicht Hund sein, wenn wir Knochen werden.
Die taktische Verwandlung des Heroen.
Bellt.
GUEVARA *hysterisch:*
Dann kriech auf allen Vieren, Hund, ins Grab.
Ersticht das Maultier. Die Guerilleros stürzen auf den Kadaver,
zerstechen ihn und verschlingen hastig das rohe Fleisch. Es bleibt
nur das Gerippe. Währenddessen entfernt sich Camba. Dann
krümmen sie sich auf dem Boden.
PABLITO *viel später:*
Seht ihr Camba.
Sehn sich erschreckt an.
URBANO
              Den sehen wir nicht wieder.
Oder als unsern Feind bei seinem Feind
Den er so flieht, daß er sich zu ihm flüchtet.
GUEVARA
Der Sender brachte heute nacht: die Gruppe
Joaquíns sei ausgelöscht. Man hat die Leiche
Tanias am Rio Grande aufgefischt.
Das ist unglaublich.
Eine alte Bäuerin läuft durch den Haufen, verharrt, flüchtet
unbemerkt. Guevara lacht.
                Es ist eine Lüge.
Wir sind umzingelt, sagen sie. Komm, Marcos.
Zieht die Guerilleros hoch, sie sinken wieder zuboden, erheben
sich wieder aneinandergeklammert, stützen den zusammenbre-
chenden Guevara, er schleppt sie, wie Schlingpflanzen, mit sich
fort.
El Medico. Pablito.
URBANO
             Weitergehen
Das ist Selbstmord.
GUEVARA
          Oder das wahre Leben.

DIE MASSEN

Marcos, Urbano, Chapaco an die Wände einer Hütte geduckt. Regen. Inti schlägt an die Tür.

INTI
  Er macht nicht auf. Er hat sich eingenagelt
  In seine Bretter.
  Pfeift.
                    Der Wind pfeift durch
  Aber kein Laut der Freiheit.
MARCOS
                              Ist sie laut.
  Schwingt sich aufs Dach.
INTI
  Was machst du, Marcos. Willst du ihn erschrecken.
MARCOS
  Ich weiß, worauf der hört. Das haben wir
  Probiert, wie man den Reichen kommt, in Kuba.
INTI
  Wie soll der reich sein in dem Stall.
MARCOS
                              Ein Armer
  Würde uns nicht fürchten.
CHAPACO
                    In Kuba, wir
  Sind nicht in Kuba.
MARCOS
                    Deshalb wißt ihr nichts.
CHAPACO
  Und ihr wißt alles, ihr Kubaner.
MARCOS
                              Ja.
  *Bricht durch das Dach. Rodas und ein Junge verängstigt aus der
  Tür. Marcos schwingt sich aus dem Fenster.*
  Da ist der Bursche schon.
URBANO
                    Verkauf uns Mais.
  Rodas schweigt.

INTI
  Verkaufe uns ein Schwein.
  Rodas schweigt.
                              Hast du kein Schwein.
URBANO
  Ich geb dir Geld, und wenn der Regen aus ist
  Läufst du nach Lagunillas und kaufst Mais.
RODAS
  Ich habe nichts.
  Regen stärker.
CHAPACO
                    Laß uns herein.
RODAS
                                    Das geht nicht.
INTI
  Wir wollen dir nichts nehmen. Du bist arm, wie.
  Rodas schweigt.
  Es gibt doch Reichere hier.
RODAS
                              Ja, Vides.
URBANO
  Dann hilf uns. Wir bezahlen mehr.
RODAS *gierig:*
                                    Wieviel.
  Chapaco will in die Tür. Ängstlich:
  Ihr könnt nicht bleiben, Herr, die Kuh ist krank.
CHAPACO
  Wir schlafen nicht mit deiner Kuh.
URBANO
                                    Also
  Ein politischer Preis, verstehst du. Wir
  Helfen dir, Bauer.
RODAS
                    Wie ist der Preis.
  Großartige Geste Urbanos. Rodas öffnet zögernd die Tür. Inti
  gibt ein Zeichen. Guevara, El Medico, Camba, Pablito, Ro-
  lando.
GUEVARA
  Seid ihr fertig mit der Begrüßung. – Ich bin
  Maxpaulfritz. Wie heißt du.

RODAS

Rodas, Herr.

EL MEDICO

Friede den Hütten, Krieg dem Wald, Genossen.
Wers haben kann, der bette sich auf Rosen.
Alle drängen in die Hütte, die Tür geht nicht zu. Drei Bauern.

CAMBA

Da kommt noch wer.

ROLANDO

Schließe die Tür.

CAMBA

Ja, wie.
Die Bauern hasten zur Hütte, prallen zurück.

GUEVARA *innen:*

Haltet sie fest.

EL MEDICO *hebt das Gewehr:*

Würdet ihr bleiben, liebe
Mitmenschen.

DIE BAUERN

Wir wir sind wir wollen fort

EL MEDICO

Ja, daß ihr schwatzt in Lagunillas. Bleibt
Bis wir uns selber wegverfügen.
Alter Bauer.

Du auch.

Verschnaufe hier.
Zwei Bauern.

ROLANDO

Stellt euch dazu und schweigt.

CAMBA

Jetzt müßt ihr alles fangen, Rolando
Was übern Weg kriecht.
Immer mehr Bauern, ein Lehrer.

LEHRER

Ich muß in die Schule.

ROLANDO

Die fällt ins Wasser.

EL MEDICO

Welches ist dein Fach
Gehorsam, wie. Führ uns dein Können vor

In deinem Fach, mein Fachidiot. Gehorsam.
Ich bin der Arzt. Ich will euch untersuchen
Ob ihr das Leben liebhabt. Mesdames, messieurs
Betrachten Sie dies seltsame Gerät.
Die Frauen schreien panisch.
Das ist ein Bild des Menschen, und warum.
Er ist geladen, seht ihr, weil er zuviel
Schlucken muß, aber nimmt sich jetzt, seht ihr
Selbst in die Hand und legt es darauf an
Den Vogel abzuschießen, schon entsichert
Aller Rücksicht, seht ihr, die ihn niederhielt
Richtet er sich jetzt auf und sucht das Ziel
Und zieht, mit einem Finger, seht ihr, sich
Aus seinem Elend.
*Camba und Rolando lachen. El Medico schießt. Das Geschrei
bricht ab. Die Guerilleros stürzen aus der Hütte.*

GUEVARA
                    Geht es dir zu gut.
Hab ich dir nicht die Späße untersagt.

EL MEDICO
Verzeihung, Ernst.

GUEVARA
                    Gib uns dein Gewehr.
Stille. El Medico gibt das Gewehr ab.

MARCOS
Was denn nun mit dieser Volksversammlung.

GUEVARA
Brüder, eine Versammlung. Setzt euch hin.
*Die Guerilleros setzen sich auf den Boden. Die Bauern stehn
stumm aneinandergedrängt.*

PABLITO
Rede mit ihnen, Comandante, sie
Warten darauf, sie werden mit uns gehn.
Ohne das Volk, dann können wir nicht siegen
Jetzt sind wir viele.

GUEVARA
                    Brüder, worauf steht ihr.
Die Bauern glotzen ihn an.
Auf euerm Grund, den wir befreien werden
Mit euren Händen auch, die ihr uns gebt.

Die Bauern schweigen.

LEHRER

    Was meint ihr, Herr. Sie haben eignes Land
    Zum erstenmal seit dreihundert Jahren.
    Die Landreform des letzten Präsidenten.
    Sie haben keine Hand frei, auf dem Feld.

GUEVARA

    Ihr habt das Land, aber habt ihr das Recht
    Es auch zu nutzen. Und duckt euch unter das
    Gesetz, das Gleiche ungleich macht und euch
    Arm und unmündig.
    Die Bauern sehn auf den Lehrer.

LEHRER

                      Herr, das ist nicht so.
    Sie haben auch das Bürgerrecht erhalten.
    Sie sind nicht unzufrieden, und womit.

GUEVARA

    Der Bauer muß kein Stier sein der sich pflügt
    Mit seinen Knochen in den Grund, freiwillig
    Knecht, stolpernd auf das Grab zu demütig
    Das Leben schleppend. Ist die Erde das
    Tal der Tränen und der elende
    Ort, wo ihr euch das Himmelreich verdient.
    Glaubt das nicht mehr. Die Not ist nicht notwendig
    Wenn ihr sie wegwerft, Brüder, die Welt nämlich
    Läßt sich verändern.

LEHRER *sofort:*

                      Sie wollen das nicht.
    Die Bauern schweigen.
    Sie staunen über euern Dialekt, Herr.
    Seid ihr nicht Ausländer. Die Weißen lügen
    Denkt sich der Indio, und die Fremden stehlen.
    Er will die Welt nicht ändern, fragt ihn, Herr.

GUEVARA

    Was wollt ihr denn. Habt ihr das Glück im Sack.
    Und wenn ihr heimgehn könnt, seid ihr zufrieden.
    Freudige Bewegung der Bauern.
    So, wollt ihr gehn. Und wer kommt mit uns.
    Weichen an die Hütte zurück.

ROLANDO
  Die kannst du abschreiben, Comandante.
INTI
  Wo ist das Militär.
BAUERN
                    Ja das, ja so
INTI
  Da warten wir bis morgen. Wo ihr herkommt
  In Muyupampa, ists da ruhig.
BAUERN
                          Ruhig
  Alles ruhig, Herr. Da ist es ruhig.
INTI
  So, und in Lagunillas.
BAUERN
                    Ja, in, da
  Das Militär, Herr. Alles Militär
  Da ist das Militär. Da sind Soldaten.
  Dort sind sie. Die sind immer dort.
INTI
                              Sie lügen.
  Damit wir abziehn.
GUEVARA
                    Sie sind wie kleine Tiere.
  Die muß etwas ins Mark treffen, eh sie
  Menschliche Wesen werden.
MARCOS *schreit:*
                          Was für ein
  Scheißland, Inti.
  *Der Lehrer von Lachen geschüttelt. Chapaco springt Marcos an
  die Kehle.*
URBANO
                Wo ist dein Sohn hin.
  Wo ist dein Sohn, Rodas.
RODAS *zitternd:*
                      Er ist nach er
URBANO
  Nach Lagunillas um sich die Belohnung
  Stille.

INTI

Das Militär bezahlt noch beßre Preise
Als wir.

GUEVARA

Nehmt ihm die Kuh.

Rodas steht entsetzt.

Dann ists der Terror.

Der soll sie schrecken, daß sie nicht mehr wissen
Ob sie Fleisch oder Fisch sind, aber stumm wie
Fische. Wer nichts mehr hofft, der soll dann alles
Fürchten und aus dem Krieg sich ziehn zitternd
In sein Loch. Merkt euch den Fall.

Zu den Guerilleros:

Fort in das Unbelebte, in den Wald.

Die beiden Haufen durcheinander.

PABLITO *lacht:*

Ein großer Haufen, Che. Wir werden siegen.

Heult:

Keiner geht mit uns. Wir werden sterben.

*Die beiden Haufen rasch auseinander, ab. Rodas schlägt mit den
Fäusten auf den Boden.*

*Bumholdt steht bis zum Bauch in einem Loch, schachtet. Bedray
hängt an einer sehr hohen Felswand, knotet sich fest.*

BEDRAY Ein schöner Tag.

Bumholdt sieht gequält hinauf, wischt sich den Schweiß ab.

Sie müßten unterwegs sein.

*Bumholdt bückt sich in das Loch, wirft eine Thermosflasche und
einen BH heraus.*

Hallo, Hugo, ist jemand passiert?

BUMHOLDT *starrt in das Loch, gereizt:* Ist etwas passiert. Denis,
es heißt – *blickt hinauf:* Was soll denn passiert sein?

BEDRAY Wieso passiert?

BUMHOLDT Sie fragen, ob etwas –

BEDRAY Wieso was? Wer!

BUMHOLDT Wieso wer?

BEDRAY *resigniert:* Es passiert rein gar nichts.

BUMHOLDT Ich bin auf Kies gestoßen.

BEDRAY »Ein gutes Stück braucht viele Untiefen, undurchsichtige Stellen, eine Menge Kies und erstaunlich viel Unvernunft, und es muß lebendig sein, vor es etwas anderes sein will.« Bertolt Brecht.

BUMHOLDT Der Kies bedeutet was. Er deutet auf eine Begräbnisstätte. *Zieht ein Gewehr aus dem Loch, betrachtet es geistesabwesend.* Die Leichen wurden teils in Massengräbern, teils einzeln unter der widerstandsfähigen Kiesschicht –

BEDRAY Was halten Sie da in der Hand, Hugo?

BUMHOLDT Komisch. *Lauscht am Gewehrlauf.* Ich bin nicht tief genug. *Zielt auf Bedray.* Die Toten in zusammengekrümmter Stellung –

BEDRAY *schlotternd:* Könnten Sie das Thema wechseln, Hugo?

BUMHOLDT in zusammengekrümmter Stellung in Matten fest vernäht und verschnürt –

BEDRAY Ich bin es: Denis!

BUMHOLDT Wer ruft? *Donnernd:* Silencium!

BEDRAY *in wachsender Angst:* Immerhin soll sich niemand grundlos beunruhigen. Die Gefahr liegt darin, daß wir eine virtuell revolutionäre, tatsächlich kritische Situation mit den ideologischen Schemata, den Aktionsmethoden und auf gewisse Weise den ererbten Reflexen der früheren und überwundenen Etappen ansteuern und beherrschen müssen. »Wir haben eine Revolution gemacht, die größer ist als wir selbst« sagte Fidel eines Tages unter anderen Umständen.

BUMHOLDT *zugleich:* in Tierfellen und Matten fest vernäht und verschnürt. Diese Ballen wurden dann weiter in Decken gehüllt, und auf diese Weise größere Mumienballen hergestellt, denen man mit Vorliebe die Gestalt eines unter seinem Poncho sitzenden Indianers zu geben suchte, weshalb man nicht selten dem Ballen einen aus Kissen verfertigten falschen Kopf aufsetzte.

Lacht breit, hängt das Gewehr um. Bedray läßt den Feldstecher fallen.

BEDRAY Einen falschen Kopf?

BUMHOLDT Wer etwas zuerst findet, dem gehört es wohl. *Hängt den Feldstecher um.* Wenn ich tiefer bin, werde ich ihn brauchen.

BEDRAY Jetzt zeigen Sie Ihr wahres Wesen.

BUMHOLDT Schaun Sie nach Ihrem Erlöser. Nach Ihrem Idol.

BEDRAY Das werde ich. Sie sind für mich gestorben wie Ihre Mumien. *Klimmt noch höher, bis sein Kopf nicht mehr zu sehen ist.*

BUMHOLDT Die wurden jedenfalls nicht gefressen. In diesem sagenhaften Inkastaat wurden nur noch hervorragende Große aus den neu gewonnenen Gebieten geopfert. Diese hochkultivierten –

BEDRAY Nanu, mein Kopf.

BUMHOLDT Und nur bei ganz besonders feierlichen Gelegenheiten wurde ein Kind oder eine Jungfrau geschlachtet. *Bleckt die Zähne. Bedrays Kopf fällt herab.*

BEDRAY Geben Sie mir meinen Kopf.

BUMHOLDT *überrascht:* Wozu brauchen Sie ihn?

BEDRAY Aber ich habe doch die Augen im Kopf.

BUMHOLDT »Aber ich habe doch Augen im Kopf.« Das sind Redensarten. Sehen Sie zu.

BEDRAY Das ist eine Gemeinheit.

BUMHOLDT Sagen Sie, womit sprechen Sie eigentlich, Denis?

BEDRAY *beschämt:* Entschuldigen Sie. Mein Akzent klingt etwas verschwommen.

BUMHOLDT Ich meine, aus welchem Loch Sie sprechen?

BEDRAY *gekränkt:* Immer noch aus dem Hals, ja.

BUMHOLDT Wie Sie wollen. Ich werde Ihnen keine Vorschriften machen. *Nimmt die Spachtel, säubert den Kopf.* Ein schöner Kopf. Wie aus dem Gips der Académie française. Aus Ihnen hätte ein Philosoph werden können, Denis.

BEDRAY Ich schlage Ihnen in Ihre bourgeoise Fresse. Ich schicke Sie in die Steinzeit. *Wirft einen Brocken hinab, der zermalmt den Kopf.*

BUMHOLDT Sie haben sich den Kopf eingeschlagen. *Lacht.* Denis, Sie haben etwas am Kopf.

BEDRAY Ich gebe es auf. Sie werden sich nie ändern.

BUMHOLDT Ich sehe nicht ein wozu. *Bleckt die Zähne.* Ich fühle mich wohl. *Steckt Bedrays Kopf in die Kameratasche.* Sehen Sie zu.

BEDRAY Kümmern Sie sich nicht um mich.

BUMHOLDT *nimmt den Spaten, schachtet:* Jetzt aber ran an den Speck.

DIE FRAU

Guevara. Tania.

GUEVARA
  Bevor es Tag ist mußt du fort. Steh auf
  Du hast mich nie gesehn. Siehst du die Schlucht
  Dort unten die Soldaten. Du durftest hier
  Nicht warten, nicht auf mich.
TANIA
                    Du schickst mich weg.
GUEVARA
  Dein Auftrag schickt dich, in die Stadt zurück
  In deine Arbeit.
TANIA
            Gib mir ein Gewehr
  Um mit zu kämpfen, Comandante.
GUEVARA
                      Geh
  Wenn dir dein Leben lieb ist.
TANIA
                    Welches meinst du.
  Welches Leben, und ist mir das lieb.
  Ich habe mehrere davon. Vor drei Jahren
  In einem Zimmer in Havanna hatte
  Ich eins, das gab ich lachend her, Genosse
  Du weißt es. Meinen Namen legt ich ab
  Im Namen der Revolution. Mich gab es nicht mehr
  Für meine Freunde, und an ihren Blicken
  Ging ich vorbei wie fremd. Alle Freude
  Tauschte ich gegen kalte leere Worte.
  Es hieß nicht mehr Genosse, es hieß Herr
  Wo ich, in alten Ländern, suchen ging
  Nach meiner neuen Herkunft. Mit Gesichtern
  Die ich mir selber glaubte vor dem Spiegel
  Und Namen, an die ich mich gewöhnte
  Aus meinen Pässen. Haydée Bidel Gonzales.
  Marta Iriarte. Laura Guitérrez Bauer.
  Mein Leben, sagst du. Was ist meins. Tamara
  War ich auch, eingeborn von deutschen Eltern

Ich hatte schwarzes Haar und braune Haut
Und nach zwölf Wochen wurde das Haar blond
Die Haut ganz hell. Ich bin begabt, Genosse
Für euern Auftrag, ein Naturtalent
Nichts ist mir fremd mehr außer ich mir selber
Im Komitee für die Folklore, glücklich
Verehelicht mit einem Ingenieur
Aus Sucre zwecks Erlangung eines Visums
In seidner Wäsche in den höchsten Kreisen
Der Ausbeuter, fressend mit Präsidenten
Jetzt auch in leichtem geistigen Verkehr
Mit dem Chef der Information. Dank für die Blumen
Mir blühen Gärten in La Paz, Genosse
Bezahlt mit blutigem Zinn. In meinem Kopf
Ein Film der reißt und reißt, der Riß der Welt
Mein Lebenslauf. Ich lernte schießen
Im deutschen Friedensstaat und liege wehrlos
In dieser Schlachtschüssel, Bolivien
Und kann nicht kämpfen.

GUEVARA

                       Du kämpfst gut, Tamara.

TANIA

Nicht ich bins, und nicht niemand, jemand kämpft
Den keiner nennt und keiner kennen wird
Weil das kein Kampf ist, der sich sehen läßt
Und sich nicht sehen läßt, was das für Kampf ist.
Werde ich einfach gehen, in den Händen
Verdorrte Blumen. Wird mein Name, welcher
Gelöscht sein in den Stirnen wie ein Schweiß.
Wird keine Spur sich an den Boden halten.
Sind wir umsonst am Leben, Comandante.

GUEVARA

Der Tod ist nicht umsonst, wie kanns der Kampf sein.

TANIA

Ich kann nicht kämpfen, wenn es mich nicht gibt.

GUEVARA

Ich weiß von dir, und du. Das muß genügen.

TANIA

Und doch bist du es, der mich nicht erkennt.
Ich liebe dich.

GUEVARA
                    Du wirst es mir nicht sagen.
Schweigen.
Jetzt ist es Tag, Genossin.
TANIA
                    Liebe, sagst du
Das wichtigste, sagst du, Gefühl, sagst du
Des Revolutionärs: weil es ihn selbst
Verändert. So dein Text, Guevara.
GUEVARA
                              Geh
Eh sich der Hang entlaubt und nackt vor deinen
Sengenden Feinden stehst du abgetrennt
Von deinem Auftrag, denn nicht wieder
Wenn sie dich sahn, kannst du zur Stadt zurück.
TANIA
Ich weiß.
GUEVARA
        Dann geh.
TANIA *geht, bleibt stehn:*
                    Und wenn sie mich nun sahn
Mit ihren Augen in den Köpfen der
Deserteure. Die mich freilich sahn
Im Lager, wo ich sehr lang wartete
Bis ich dich sah. Jetzt sehe ich es auch
Ich durfte hier nicht warten, und nicht eilen
Hierher, in der Garage in Camiri
Meine Koffer im Jeep, wer sah die durch
Ich habe mich verraten dich zu sehn.
GUEVARA
Dann hast du gut gekämpft, aber umsonst.
TANIA
Umsonst.
GUEVARA
        Wenn sie dich sahn. Die unbekannte
Arbeit, die nützliche, bekannt wird sie
Unnütz.
TANIA
        Und unbekannt war ich doch etwas
Unter den vielen Masken, jetzt bekannt

Bin ich nichts mehr.
Schweigen.

                        Ich stürz mich in die Schlucht.

GUEVARA
  Daß uns dein Leichnam alle jetzt verrät.
  Zurück.
  Packt sie.

TANIA
                Jetzt hältst du mich in deinem Arm.

GUEVARA
  Du mußt hier bleiben, will ichs oder nicht
  Du bist nicht sicher und bist dus nicht wir nicht
  Dein und mein Leben sind jetzt eins und anders
  Als du dir träumst. Du wirst mit mir leben
  Das schöne Leben das den Tod kennt, und
  Leben um sicherlich zu sterben. Aber
  Nicht unbekannt mehr und mit deinem Namen
  Es wird dich geben, ja. Nimm mein Gewehr:
  Tania la Guerillera, das dein Name
  Von jetzt ab, den man kennen wird wie deine
  Tödliche Arbeit, die dich kenntlich macht
  Es wird dich geben, wenn es dich nicht mehr gibt
  Der Tod wird dich zum Leben bringen und
  Das Leben nach dir Tod den Unterdrückern.
  Mehr kannst du nicht verlangen. Schöne Frau
  Ihr Diener im Gefecht ach küß die Hand.
  Ich hab kein Fleisch an mir, ich bin aus Luft
  In meinem Schädel kein Gedanke an
  Weniger als die Welt. Der nämlich kämpft
  Muß ein Asket sein. Unser Gefühl
  Getarnt im Hinterhalt, das Schweigen im Walde.
  Ich bin so frei, Madame, nicht. Eine andre
  Liebe wird es nicht geben als die nach uns
  Uns umfängt. Erst die Befreiung aller
  Dann mein und deine. Heule nicht, Soldat.

TANIA *lacht:*
  Viel sagst du um ein wenig, Genosse, du
  Zitterst ja vor Begier, bricht dir der Schweiß aus
  Weil du dir so Gewalt antust, was siehst du
  Mich an wie ein Gewächs, das du dir ausreißt

Aus deinen Lenden, bist du bleich geworden
Bei der Operation. Was gilt mir das, Mann
Was zwei bewegt, wenn ich mit kämpfen kann
Und das jetzt kann ich. Das bewegt die Welt
Aus der ich mich, der alten, selbst jetzt schieße
Wenn mich was an ihr hält und seist du es.
Kann ich erst kämpfen, muß es mich nicht geben
Und ich leb nicht umsonst, wenn ich nicht lebe
Die Revolution mein Name.

GUEVARA

                              Wenn
Mich nichts hält, wie halte ich mich.

TANIA *schreit:*

                              Hände weg.
Schüsse aus der Schlucht.

GUEVARA
Wir haben uns verraten. Wirf dich hin
Jetzt mußt dus, wenn du bei mir bleiben willst
Und du wirst bleiben, aber nicht bei mir.
Jetzt mit den Kranken dieser Schlacht die aussteht
Wirst du uns, selber krank wie ich, langsam
In Abstand folgen und mit den Verrätern
Selbst fähig des Verrats wir beide, uns
Zu lieben. Führ die, bis sie gesund sind, weg
Und uns von uns. Das deine Arbeit jetzt.

TANIA

                              Ja.

GUEVARA *tonlos:*
Und in den Märchen, die man sagen wird
Einst, gehen wir zusammen, jetzt getrennt.
Auseinander ab.

HINTERHALT oder DER NEUE MENSCH

*Guerilleros unter Orangenbäumchen ausgestreckt. Mond. Das
Gespräch leise, mit langer Pause nach jeder Replik.*

MIGUEL
Ich langweil mich zutod in euerm Krieg.

MARCOS
Du hast noch nichts erlebt: du bist am Leben.
CHAPACO
Du auch, Marcos.
MARCOS
                    Ich hab es überlebt.
Freut euch des Lebens. Kuba, in der Sierra
Wir hundert Mann, der Feind zehntausend und
Jagte uns durch die Ebne oder wir ihn
Das war gar nicht zu sagen.
MIGUEL
                          Und du lebst.
MARCOS
Ich hab nichts gegen Langeweile, Miguel.
Schwaches Gelächter.
Dann dieser Wirbelsturm wischte die Landschaft
Weg mit den Straßen. Wir hangelten uns
Durch den Morast. Die Bäche waren Flüsse
Die Flüsse Ozeane. Die Moskitos
Hatten sich so vermehrt, daß sie irrsinnig
Wurden und wir nicht stillstehn konnten, keine
Stunde. Wir blind vor Hitze. Flugzeuge
Die auf uns Feuer spien. Der Feind meldete
Unser Ableben. So erreichten wir
Die Stadt Santa Clara, verschanzt ganz die
Hinter Panzern. Einer von meinen Leuten
Verlor beim Angriff das Gewehr. Ich sagte:
Hol dir mit deinen bloßen Fäusten eins
An der Front, oder du wirst erschossen.
Am Abend lag er blutend auf dem Schutt
Und röchelte: Genosse, hier ist es, das
Gewehr, und starb. Da hatten wir die Stadt
Schon eingenommen.
MIGUEL
                    Und war tot.
MARCOS
                          Aber
Er hatte zehn geschlachtet, Miguel. Jeder
Der fiel, schlachtete zehn.

MIGUEL
                    Schlachtete, sagst du.
INTI
    Soldaten, ja.
    Gelächter.
MIGUEL
                Hätten wirs hinter uns.
INTI *springt auf:*
    Nein, hätten wir sie vor uns. Patria o –
    Joaquín und Braulio tauchen vor Guevara auf, der an einen
    Baum gelehnt sichtbar wird.
JOAQUIN *laut:*
    Eine Patrouille, zwanzig oder dreißig
    Am Fluß.
GUEVARA
            Entfernung.
BRAULIO
                    Eine Stunde, Chef.
GUEVARA
    Jetzt kommen sie in Rudeln. Die Legende
    Der Guerilleros schlägt wie Schaum hoch, wir sind
    Schon Supermenschen, unbesiegbar. Gut
    Joaquín, geh mit der Vorhut übern Fluß
    Und warte. Wir halten das Lager. Marcos
    Du legst den Hinterhalt mit deinen Leuten
    Und dem Neuen, Miguel.
    Aufbruch.
MIGUEL
                    Einen Hinterhalt.
CAMBA
    Du brauchst dich nicht zu fürchten, sie falln um
    Eh sie etwas begreifen, Miguel, so.
    Läßt sich mit andern auf den Boden fallen, kugeln herum. El
    Medico tarnt sich mit einem Orangenbaum.
EL MEDICO
    Grün ist des Lebens goldner Baum
    Was dahintersteckt, das weiß man kaum.
    Schießt mit Orangen. Alle ab außer Miguel und Guevara.
MIGUEL
    Ich geh nicht in den Hinterhalt.

GUEVARA

Was sonst.
Hör zu, mit dir muß ich nicht reden, Student
Du hörst genug Reden.

MIGUEL

Das ist Mord.

GUEVARA
Und wirst noch viele hören in La Paz.
Nimm dein Gewehr.

MIGUEL *knickt in die Knie:*

Sprich erst mit den Soldaten
Und überzeuge sie.

GUEVARA

Wie denn sprechen
Mit welcher Sprache. Die du meinst, Student
Das ist nicht ihre. Die ihnen logisch klingt
Hat ihren Sinn von dem was ist, aber
Nicht sein muß, dem Unrecht, das sich in ihr
Absichert und erklärt, und wie Magie
Klebt das im Schädel. Solln sie sich dem entziehn
Mußt du unlogisch werden und nicht sprechen
Sondern schießen. Die Waffe ist die Sprache
Die den Sinn ändert, der da dulden heißt
Und wird handeln.

MIGUEL

Du willst sie töten.

GUEVARA
Und warum nicht. Ist die Gewalt ein Vorrecht
Der Unterdrücker. Das ist der Glaube, Miguel
Daß sie andere sind, die man nicht roh
Schlagend zurückschlägt. Von dem Irrsinn
Heilt sich der Unterdrückte erst der kämpft
Wenn seine Wut ausbricht und er sich selber
Findet in ihr. Die Stunde der Gewalt
Nämlich ist die der Wahrheit, weil die Maske
Zerreißt und der Staat steht nackt da und
Deutlich, Miguel. Dann gibt es kein Zurück mehr.
Miguel richtet sich auf.
Gegen Gewalt hilft nur Gegengewalt
Die der Mensch ist nicht mehr duldend. In dem Kampf

Befreit er sich von sich, dem Unterdrückten
Der in dem Elend wohnt satt und zufrieden
Und hatte nichts, jetzt aber hat er sich
Und löscht in sich die Finsternis und auch
Außer sich. Tötend wird er geboren in der
Verkehrten Welt. Er wird es nicht begreifen
Wenn du es sagst, doch er erlebt es. Töten
Heißt zweimal treffen: einen Unterdrücker
Und einen Unterdrückten. Und was bleibt
Das ist ein toter und ein freier Mensch.
Miguel steht auf den Füßen.
Der Boden unter seinen Füßen ist
Zum erstenmal sein Land. Zwischen den nackten
Zehen trägt ers mit sich herum. Die alten
Mythen, zehntausend Jahre wahr, verblassen.
Die um ihn sind, sind seine Brüder, jeder
Tötend und kann getötet werden. Im Haß
Erfährt er, sie zu lieben. Fühlend das
Geht er aufrecht und schält sich aus der Furcht.
Der Kampf aber erfindet seine Seele.
Er lernt das fühlen, was er nie konnte
Und seine Feinde nicht. Er überspringt
Die Stufen: er nimmt den Kampf nicht auf
Um seinem Feind zu gleichen. Er ist neu
Nicht achtend altes Leben mehr und seines.
Miguel nimmt das Gewehr, ab. Guevara merkt es nicht. Gepeinigt:
Ein neuer Mensch, beginnend mit dem Ende
Weil er getötet werden muß, er weiß es
Es ist nicht nur wahrscheinlich, es ist sicher
Der neue Mensch noch kann nicht alt werden
Durchbohrt die Kehle in Angola und
Im Kongo abgehackt die Hände. Er will
Lieber siegen als überleben, müde
Des Unrechts, das er sieht und das er tut
Das Unrecht mordend, und das Blut erstickt ihn.
Dies Müdesein macht seinen Mut unendlich.
Wo ihn der Tod jetzt trifft, er ist willkommen
Der Schritt ins Nichts macht aus ihm alles, und
Alles wird nichts sein gegen diesen Tod

Was sonst noch kommt nach diesem Sieg im Leben
Weiß ich, ders überlebt hat.
Erschöpft am Boden. Schüsse, dann Trommelfeuer. Guevara springt auf.

He, Miguel.

Stille. Joaquín und Braulio bringen einen Major und zwei Soldaten.

Ist es schon losgegangen, und ich halte
Reden. Ist das alles, was ihr geschnappt habt.

JOAQUIN

Zwei Tote.

GUEVARA

Zwei nur.

MAJOR

Lassen Sie uns leben.

Die Gefangenen plappern vor Angst. El Medico, Camba, Chapaco, Rolando, schweigend.

GUEVARA

Nehmt diesen Vögeln alles was ihr braucht.
Was ist. Ein mageres Resultat, wie. Zwei.
Woran hat es gelegen.
Schweigen. Marcos, Urbano, Pablito tragen Miguel.

Miguel, he.

Rasch, er verblutet.

INTI *bleich, mit zwei Gewehren:*

Comandante, ich
Ich hab zu früh geschossen.

GUEVARA

Inti, du.

INTI

Ich hab nicht abgewartet, die Soldaten
Konnten in Deckung gehn und fliehn und feuern.
Läßt ein Gewehr fallen. Guevara hält Miguel im Schoß.

GUEVARA

Miguel, halt durch. Wir werden siegen.
Miguel stirbt.

CAMBA

Wir.

Aber die Toten siegen nicht, Guevara.

DER FUNKTIONÄR

Guerilleros heben Inti, Tania, Monje aus der Tiefe.

GUEVARA
  Sie kommen, he.
INTI
                    Er sagt he. Das ist Che.
  Jetzt weiß ich, he. Dein Name ist ein Ruf.
  Che, Che.
PABLITO
            Und ihr kommt wie gerufen.
GUEVARA
                                Tania.
  Umarmt sie.
TANIA
  Wie siehst du aus, Che, ohne Bart.
  Lacht.
GUEVARA
                        Ein Opfer
  Für die Sache. Mein Haar ist weiß, siehst du.
  Ich bin nicht als ich selber eingereist.
  Jugend geht vor Schönheit. Das wächst wieder.
TANIA
  Ich nehm dich trotzdem.
  Lachen.
                    Das ist aus La Paz
  Der Führer der Partei.
INTI
                  Der Sekretär.
  Stille.
GUEVARA
  Du kommst, Genosse Monje. Und was bringst du.
  Monje schweigt. Guevara geht nach hinten, Monje folgt ihm.
TANIA
  Und das ist Inti, ein Arbeiter aus
  Catavi. Und sie streiken.
ROLANDO
                  Was, sie streiken.

CHAPACO
   In den Zinnminen.
   Freudiger Lärm.
MARCOS
                Habt ihr euch endlich
  Besonnen, Genossen.
INTI
              Sagst du besonnen.
Ja. Wie denn, wann denn. Zinn, wenn ihr wißt
Was das ist in der mörderischen
Hitze, fünfzig Grad, die Knochen schlagend
Im Takt des Eisens, noch im Schlaf gegen
Die Bretter oder den Körper der Frau.
Und warum gehn wir in die Schraube, Brüder
Besinnungslos. Und schinden in der halben
Zeit aus uns mit der doppelten Kraft das, für
Den Lohn. Und jetzt halbiert der Staat uns die
Peseten. Für das Doppelte ein Nichts.
He, seh ich aus wie einer der zuviel hat.
Seht mich an. Ist das eine menschliche
Gestalt, wie. Kann ich mich sehn lassen. Jetzt
Streiken wir und nichts tut sich und ich freß nichts
Aus den Versorgungszügen der Regierung
Die sie gnädig heranrollt. Und ich magre
Unbesonnen ab. Als ich mich eines Nachts
Zu meiner Frau beuge und sie wacht auf
Erschrickt sie und schreit: ein Gespenst! und schreit.
Sie hat mich nicht erkannt. Da hab ich mich
Besonnen, Brüder.
Verzerrt mit den Händen sein Gesicht.
               Ja, ich bin das Gespenst
Das umgeht in Amerika, und werde
Den Ausbeutern erscheinen mit dieser
Unmenschlichen Fresse, wenn sie bei Tisch
Sitzen und unser Fleisch verzehren. Ich
Hab mich besonnen, ja: auf die Partei
Und die Miñeros in Catavi warten
Daß sie euch führe. Sie erklären sich
Mit euch Gespenstern solidarisch.

JOAQUIN

Komm

An meine Brust, Gespenst.

URBANO

Fühlt ihr, Gespenster

Wie wir Fleisch und Blut werden.

TANIA *macht Freudensprünge:*

Leute, ich

Habe Musik im Koffer. Ich bin eine
Reisende in Folklore des Ministers
Für Erziehung.

EL MEDICO

Auch ein Gespenst. Señora

Weisen Sie sich aus.

TANIA

Bitte, Señores.

Tonband.
Si Kuba, Yankee no. Patria o muerte.
Alle mit Freudensprüngen ab. Musik und Lärm leiser.
Guevara und Monje, in Abstand.

GUEVARA

Hast du genug geschwiegen, Sekretär.
Willst du noch mehr Bäume ansehn, willst du
Dich hängen oder soll es ich. Was bringst du.

MONJE *mit Überwindung:*

Ich bringe mich, und mit mir die Partei
Vielleicht, ich meine: bald, ich meine: wenn ich
Die Führung der Guerilla übernehme.
Und lege dafür meinen Posten nieder.

GUEVARA

Der Chef bin ich, Genosse Sekretär.

MONJE

In diesem Wald, aber wer wohnt im Wald.
Reicht die Hand hin:
Wenn meine Hand euch helfen kann: sie ist die
Hand der Partei. In sie müßt ihr euch geben.

GUEVARA

Nein, die Partei sind wir, indem wir kämpfen.

MONJE *hält noch die Hand hin:*

Das hab ich nicht gehört, indem ich taub bin

Auf dem Ohr. Eine Partei ersetzen
Das nennt man einen Fehler, in dem Wald.
In dem du zuwächst, und kein Schreien dringt
Heraus. Der Kampf aber schreit nach dem Plan
Den du nicht finden wirst unter dem Farn
Und in den Schwämmen, wer das lesen könnt.
Der Plan wächst aus den Massen wie das Gras
Aus dem Boden. Komm auf den Boden, Che.
Nur die Partei, die Teil der Gegend ist
In der sie handelt, und vermischt mit allen
Sammelt die Kraft, die ihr verpulvert einsam.

GUEVARA
Ich höre immer handeln. Wer denn handelt.
Das ist das Warten auf Godot, Genosse.
Uns euch in die Hand geben. Daß ihr uns
Erdrückt. Ihr wollt nur mit dem Hirn arbeiten
Daß möglichst wenig Sachschaden entsteht.
Ihr habt die Revolution verlegt
In den Plüsch der Diplomatie und
Akkreditiert die Repression als Partner
Beim Narrentanz auf dem Genick der Massen.
Du siehst gut aus, Monje, dein Job ernährt dich.

MONJE *zieht die Hand zurück:*
Mir tut die Hand weh, leider, Herr Guevara.

GUEVARA
Ich habe keine Hand frei als für Taten.

MONJE
Die Ungeduld ist ein beschißner Arzt.
Man operiert nicht, wenns noch Medizin gibt.

GUEVARA
Das sind Sprüche. Man schneidet in das Fleisch
Und brennt den Kontinent an an vier Ecken.
Und lodert es, darf man nur noch das Licht sehn:
Das sagt José Martí, falls dir das neu klingt.

MONJE
Und was sehen die Bauern, wenn ihr Hof brennt.
Blöd glotzend aus der Wäsche, Zuschauer
Beim Auftritt eines Helden, eines Monsters
Das mit der Waffe fuchtelt. Aber als
Die Waffen wichtiger ist das Programm

Das in die Massen dringt, oder Aus dem
Gewehr kommt keine Macht sondern Gewalt, oder
Mit Bajonetten kann man vieles tun
Nur sich nicht darauf setzen, auch Zitate
Breshnew bis Bonaparte, und dein Fall
Ist nicht so neu, wie dir dein Tod sein wird.
Und alt sähen wir aus so angeführt
Und ohne Führung alle mit zwei Führern
Und demoralisiert die Kraft, verwirrt
Des Volks. Das ist nicht dein Tod nur, Guevara
packt ihn
Du liquidierst uns alle, die Partei
Wie sie jetzt lebt, indem du uns ins Aus schlägst
Mit deinem Aufbruch und wir sehen zu
Wie Feiglinge und können uns nicht helfen
Weil dir nicht mehr zu helfen ist.
Läßt ihn los.
                                        Aber
Dein Heroismus ist nicht das Mistbeet
Der Revolutionen, und dein Tod
Wird uns so wenig führen wie dein Leben.
GUEVARA *lacht:*
Bau die Guerilla, und der Rest ergibt sich.
Und nur der Guerillero kann sie führen
Und nach dem Sieg auch er, der alles wagt
Er soll alles bekommen und nicht ihr
Die in den Städten zaudern, lustlos, Beamte
Und dienstbeflissen auf die Weisung warten.
Packt ihn:
Wie wird es mir gefallen an der Macht
Und sei es nur, um die Lakaien jeder
Sippschaft ans Licht zu ziehn und mit dem Rüssel
In ihre Schweinerei zu stoßen.
Läßt ihn los.
                                   Genosse
Dies ist die Zeit des Apparats nicht mehr.
MONJE
Wie soll ich das verstehen.
GUEVARA
                        Wie dus kannst.

Er hatte seine Zeit. Als blind die Massen
Und blicklos krochen in die Arbeit wie
In ein Schicksal. Jetzt sind sie erwacht
Und unter Schlägen, und den Schlägen auch
Der Gouvernante, die sie an die Hand nahm
Schrill wie die Herrschaft selber, die dem Diener
Das Denken austreibt und die eigne Lust:
So gängelt die sie weiter, die das spüren
Wie Moder der Vergangenheit am Körper.
Jetzt ists die Gleichheit und nicht nur das Brot
Wonach die Menge giert, die Gleichheit endlich
Sich selbst zu schaffen jeder frei, und alle
So wie der Letzte. Und nur die Partei
Nicht eingeschnürt in die geteilte Arbeit
Kann in sich selber schon die Freiheit bilden
Weil jeder in ihr gleich sein kann. Das wird sie:
Nicht Macht über Menschen sondern der Plan von Taten.
Und wo sie sich verschließt aber dem eignen
Sinn, wird das alles sinnlos, und vergessen
Muß man Parteien und Doktrinen und
Mit einigen Männern muß man und Gewehren
Aufbrechen und mit der Entschlossenheit
Das zu ersiegen.

MONJE

                Schnell trägst du deine Träume
Zu Grab, weil es nicht aufgeht wie ein Teig
Dies Brot des Volkes heute. Das ist eine
Ganz kindliche Vision, das Abenteuer
Von Ignoranten. Selber ein Diktator
Bist du, nur ohne Volk ganz, die Elite
Der Lebensmüden, Jefe maximo
Im Wald und auf der Heide. Nicht die Hoffnung
Der Massen trägt dich, nur deine Verzweiflung
An allem Leben, und deine abstrakte
Raserei wird dich konkret vernichten.
Für diesen deinen Selbstmord keinen Finger
An meiner Hand und keinen Mann von uns
Vor oder hinter dir sondern nur über
Deiner Asche, wenn du begraben bist.

Ruft:
Inti.

GUEVARA *entsetzt:*

    Was machst du.

MONJE

              Was ich sage, Herr.

Inti.
Wir werden hier nicht alt, auch wenn wir blieben.
Inti schweigt. Die Guerilleros und Tania.
Pack deine Sachen.
Inti rührt sich nicht.

          Hörst du nicht, Genosse.
Nicht diesem blutigen Clown und Fraß der Flöhe
Folgst du auf seinem Holzweg unters Gras.
Sag ihm dein Beileid und steig aus dem Grab.

INTI
Ich seh kein Grab, Monje. Ich seh mein Leben
Wie in einem Brennglas. Elend und aller Kampf
Geballt in eine Tat. Und wenn ich sterbe
Hab ich alles gelebt mit diesen lebend.
Schreit:
Immer dir folgte ich, wär ich nicht hier
Schon und verriete die, wenn ich mich abzieh
Aus dieser kleinen Summe großen Muts.
Schwach:
Wär ich nicht mitgekommen mit dir. Mit dir
Nicht geh ich wieder, wenn du die verläßt.
Dies Leben schmecken, und dann fad ist alles
Und langsam sehr und wenig brüderlich.
Lacht irr:
Und wenn es blutig wird, dann ists ein Blut
Wir Brüder wirklich, und ich unter Brüdern.

GUEVARA *zu Monje:*
Und daß du dich herausreißt aus dem Kampf
Genosse, mit blutender Seele, aus
Gekränktem Ehrgeiz ist das, hab ich recht
Du wolltest dir den Posten sichern hier auch
Zu deinem andern. Lauf zu deinem Posten
Daß der nicht ranzig wird, in der Partei.

MONJE
Das auch kann ich nicht mehr, denn nicht nur du
Auch ich riskierte alles, in die Büsche
Mich schlagend ohne Willen der Partei
Um dir die Wände vor dem Kopf zu zeigen
Und die nun recht gehabt hat mit dem Unrecht
Gegen mich, weil du die Wand im Kopf hast.
Ich kann nicht hier noch dort sein sondern nirgends
Ich hab den Stuhl geräumt, und säß ich drauf noch
Er kippte jetzt, weil ich mich mit dir einließ.
Und kippte er nicht, ich könnt mich nicht mehr setzen
Nach allem was ich weiß und weiß, Guevara.
Geht.
GUEVARA
Wo gehst du hin.
MONJE
                    Das weiß ich nicht. Ins Nichts.
Ab.
GUEVARA
Da geht er wie zum Galgen. Das ist auch gut.
Jetzt sehn wir klarer wer wir sind und sie sind.
Jetzt sind wir aller Kompromisse ledig
Und frei zu kämpfen, ohne zu zittern
Um jedes zarte Band zwischen den linken
Betschwestern.
INTI *zittert:*
                    Kämpfen. Wie denn wo denn was denn.
Brüllt:
He.

*Bumholdt, bis zum Hals in seinem Loch, blickt mürrisch nach
oben, wo Bedray nicht mehr zu sehen, aber noch zu hören ist.*

BEDRAY *singt:*
Es war, als hätt der Himmel
Die Erde still geküßt
Daß sie im Blütenschimmer
Von ihm nur träumen müßt.
BUMHOLDT Denis, beherrschen Sie sich.

BEDRAY *niest, singt:*
Die Luft ging durch die Felder
Die Ähren wogten sacht
Es rauschten leis die Wälder
So sternklar war die Nacht.

BUMHOLDT Seit er kopflos ist, kann er nur mehr singen. Man muß ihn in ein Opernhaus einliefern.

BEDRAY
Und meine Seele spannte
Weit ihre Flügel aus
Flog durch die stillen Lande
Als flöge sie nachhaus.
Ho, ho, ho!

BUMHOLDT Hä?

BEDRAY Ho.

BUMHOLDT Der arme Denis. Das ist der Europazentrismus.

BEDRAY Lalala, lalala.

BUMHOLDT Er hat sich zu weit in die falsche Richtung begeben. *Schachtet angestrengt.* Hinab, hinab in die Materie, in die Geschichte, in die Tradition. Immer Mensch bleiben. *Nimmt das Gewehr ab, entsichert es, legt es auf den Rand des Lochs.* Denis?

BEDRAY Hurrah, hurrah, hurrah!

BUMHOLDT Und doch kann er seinen braven Kern nicht verleugnen. *Sieht durch den Feldstecher nach oben.* Er hat sich einen Hochstand gebaut auf einer Zeder und blickt kopflos auf die Erhebungen. Lieber ab in die Versenkung. *Schachtet unsichtbar im Loch.*

BEDRAY O.k., o.k., o.k., o.k., o.k.

BUMHOLDT *dumpf:* Verspüre ich einen Hunger. *Schachtet wild.* In Mexiko sollen bei einem einzigen Festakt 20 000 Personen geopfert worden sein, und sicher hat man einen guten Teil davon gefressen. Das Land war übervölkert, man brauchte Naturaltribute vom Nachbarn, mußte also Krieg führen und hatte so den Vorwand, Kriegsgefangene nicht etwa in die Heimat abzuschieben, die ohnehin ihrer Lebensmittel entblößt war, oder in die Produktion einzugliedern, denn dann hätte man sie ernähren müssen, sondern zu fressen. Denn Fleisch war knapp, bei der Lage der Landwirtschaft. Man schätzte Menschenfleisch so hoch, daß der Conquistador anonimo den Kannibalismus in

Mexiko als Ursache der Kriege bezeichnet hat. Die Priester er-
dachten eine Ideologie dafür. *Hält inne.* Denis. *Lauter:* Denis.
Brüllt: Denis!

BEDRAY *singt:*
Wachet auf, wachet auf
Verdammte dieser Erde
Es nahet der Tag –

BUMHOLDT Er will nicht hören. Wer nicht hören will –

BEDRAY *singt:*
Tag –
Tag –

BUMHOLDT Jetzt reicht es mir. *Nimmt das Gewehr.* Denis, mel-
den Sie sich. Denis, sind Sie es. Denis, wenn Sie es nicht sind,
kann ich nicht länger Rücksicht üben. *Lauscht.* Es liegt ihm
nichts daran. Ich mache mir viel zuviel Gedanken. *Zögert:*
Hallo, Denis? *Entschlossen:* Das ist ja krankhaft bei mir. Also,
Achtung, Denis!
*Schießt mehrmals. Bedray quiekt, dann fällt sein Leichnam in
Bumholdts Loch herab.*
Da ist er ja. Na also.
Geräusch knackender Knochen. Mit vollem Mund:
Ein weicher Bursche... Alles was recht ist. Er hatte eine schöne
Stimme... Ach, Denis. *Kaut schmatzend, wirft die Knochen
aus dem Loch, beginnt schließlich wieder zu schachten.* So, vor-
wärts.

DER SCHREIBTISCH

*Guevara, nur in Hosen, hat einen Asthmaanfall, inhaliert. Castro
schweigt, bis es Guevara besser geht. An die Tür schlagen lärmend
Kinder.*

CASTRO
Jetzt sind es vierzig Stunden, die wir reden
Hier eingeschlossen in dein Zimmer, Che
Aus dem du nicht heraus als zur Vernunft kommst.

GUEVARA
Will ich heraus.

CASTRO
                    Und nicht auf die Tribüne
    Vor alle Welt, der du den Kampf ansagst
    Bleib auf dem Teppich.
GUEVARA
                              Auf dem roten, wie.
CASTRO
    Auf deinem Posten, Führer, und gebraucht
    Als jeder mehr lebst du herrliche Tage
    In der Revolution. Du hast erreicht
    Das Freudigste, ein freies Volk, nicht deins
    Doch du gehörst zu ihm, du bist Kubaner
    Von ihm ernannt.
GUEVARA
                        Ich werd es immer bleiben.
CASTRO
    Dann bleib in deiner Arbeit.
GUEVARA
                                  An dem Tisch.
    Legt die Füße darauf.
    Als Bankdirektor, so. Als Finanzier.
    Zündet sich eine Zigarre an.
    Ich der das Geld haßt wie eine Pest
    Jetzt leb ich für Renditen und für Raten.
    In dieser Zuckerdose der Welt ich.
    Ich leb auf Raten unter Wert
    Nach dem Wertgesetz, Prämien Preis Löhne
    Die ganze ökonomische Scheiße.
    Was habt ihr mit mir angestellt, Kubaner.
    Ich in der Maske des Kapitalisten.
    Ein Angestellter bin ich und wovon
    Wenn ich das wüßte. Einer Apparatur
    Von vorsintflutlicher Mechanik, wie aus
    Batistas Zeiten oder Rockefellers.
    Man muß auf das Geld scheißen, diesen Anreiz
    Des kapitalistischen Bewußtseins
    Der unsre Freundschaft korrumpiert auch
    Bist du mein Freund noch. Kann ich dir noch sagen
    Was ich denke.

CASTRO
                    Sprich dich aus, Genosse.
GUEVARA
    Willst du ein Finanzwesen haben oder ein
    Neues menschliches Wesen. Nämlich wie
    Die Produktion wichtig ist das Bewußtsein
    Das sie produziert. Den Sozialismus
    Kannst du nicht mit den morschen Waffen baun
    Die der Kapitalismus liegenläßt.
    Etwas Neues suchen. Die neue Ordnung
    Oder nur das verbesserte Modell
    Der alten, wie. Ist das der Schreibtisch, der
    Mich bürokratisiert, oder ich ihn.
    Stößt den Tisch um.
    Die Revolution muß alle die Strukturen
    Wenn sie jetzt dauern soll, infragestellen
    Um brüderlich zu sein.
CASTRO
                        Muß. Jetzt. Alle.
    Das sind zu viele Worte für eine
    Einfache Sache. Reicht dir nicht das Muß.
    Das neue menschliche Wesen muß fressen
    Und fragt nicht nach dem Besteck. Soll es fasten
    Weil du das Porzellan zerschlägst der Herrschaft
    Und nackt gehn auf der Messerschneide unsrer
    Entschlüsse. Nach uns der Kommunismus. Aber
    Vor uns der Alltag. Soll ich die Tür aufmachen.
    Ich höre dich, aber ich höre die.
    Sollen sie wieder dünn sein wie die Sprotten
    Und verlernen ihre Milch und ihre Schuhe.
    Wenn wir die Schlacht nicht schlagen, schlägt sie uns
    Täglich mit der gewöhnlichen Waffe
    Elend und Dummheit. Lern das Alphabet
    Wieder, das du die Kinder lehrst.
GUEVARA
                            Sind wir Kinder.
    Zu viele Worte, kann ich noch mehr sagen.
    Mach die Türe auf, da liegt Vietnam.
    Blutend der Dreck unter den Füßen, da
    Mit denen wir gehen unsre stolze Bahn

Des Wohlstands in dem sogenannten Frieden
Ost und West, das aber ist allein.
Dicht neben unsrer Feigheit, fast verlassen
Und Gleichgültigkeit, mit der wir schwatzen
Von Solidarität. Der Widersinn
Schnürt mir die Kehle zu. Es wird keinen
Sozialismus geben, wenn wir uns nicht

CASTRO

                                      ändern
Und brüderlich statt alles festzuhalten
Was wir besitzen dieses Eigentum
Das wir uns retten das die Völker trennt
Dies Leben für uns selbst und Ungleichheit
Und fremd und sinnlos Handel zwischen uns
Wie zwischen Kapitalisten wir Komplizen
Der Ausbeutung und Handel mit der Freundschaft
Erpressend auch den Freund im Gleichgewicht
Der Blöcke Blöcke um unseren Hals
Und Vietnam verblutet und wir sehn in die
Arena wie das Blut fließt dieses Spiel
Das uns zum Äußersten treibt. Ich höre höre.

GUEVARA

Worte, Hoffnung der Welt.

CASTRO

                         Worte das Elend.

GUEVARA

Alles ist wahr, kannst dus nicht hören, Freund
Was du dir sagst.

CASTRO

               So kannst du nicht reden.

GUEVARA

Ich kann es nicht, ah ja, ich kann es nicht.
Dann ist der Kampf unmöglich hier auch.

CASTRO

                                      Wir
Kommen in Teufels Küche durch dein Reden.

GUEVARA

Was willst du machen mit mir. Kann ich bleiben
Und reden oder nicht bleiben.

Schweigen.
                              Siehst du
Du kannst mich nicht mehr brauchen. Wie verfährt man
Mit den zu früh zu schlau Gewesnen noch
In allen Revolutionen, Frankreich Rußland
Soll ich dir Namen nennen. Oder kannst du
Sie auch nicht hören. Hörst du sie. Das sind
Die Toten die in deinem Kopf schrein. Aber
Du mußt mich nicht zum Schweigen bringen.
Steht auf.
                                        Statt das
Zuende denken hier, wo ich das muß
Such ich den neuen Anfang, wo ichs darf
Zurück in den Urschleim. Hier mein Posten
Mein Bürgerpaß. Die Kubaner werden
Mich nicht länger ertragen müssen.
Lärm an der Tür.
CASTRO
                              Diese
Da auch nicht, deine Kinder.
Guevara will die Tür öffnen.
                              Warte, Che
Bis wir am Ende sind. Es sind auch meine.
Sie warten seit zwei Tagen, daß wir öffnen.
Sie werden warten lernen, deine, auf
Niemand, vielleicht.
Will die Tür öffnen. Guevara stemmt sich dagegen.
GUEVARA
                    Ja, ich bin niemand.
Und lieber das, als jemand der nichts tut.
Tu was du willst.
CASTRO *läßt die Tür los:*
                    Ja, es ist so unmöglich
Kämpfen, daß man nur kämpfen kann. Es ist
So sinnlos, daß nichts andres Sinn hat, und
Stillhaltend bricht der Haß mir aus dem Hals
Gegen den Zwang, der uns an Drähten hält
In alter Zeit, und ich kenn mich nicht mehr.
Es geht nichts, also muß ich gehn und meine Haut
Hinhalten, meine Wahrheit zu beweisen

Und leben wieder wie ich denke.
Trommeln an der Tür.

GUEVARA

                              Du
Du kannst es nicht, du mußt bei deinem Volk bleiben
zeigt auf die Tür, lacht:
Das seine Schlachten kämpft auf seiner Insel.
Das ist dein Platz hier, aber meiner nicht mehr
Der seine Pflicht getan hat, euer Gast
Und zahl die Freundschaft jetzt mit meinem Abgang
Ins Bodenlose, wo die Zukunft liegt.
Ich kann das tun, was du nicht tun kannst, und
Gehn in den Kampf, der einmal deiner war und
So bei dir bleibend bei deinem Beispiel.

CASTRO *schwer atmend:*
Könnt ichs noch einmal.

GUEVARA *fröhlich:*
                         Du kannst nur noch das
Mögliche: indem du recht hast, im
Zucker der dir zum Hals steht und die Welt
Versüßt mit euerm Schweiß, die neue Arbeit.
Versenk dich in die Zucht von Ziegen und
Von Krokodilen, bau Tomaten an
Sie schmecken mir, ah, und die künstliche
Befruchtung der Fabriken und Kühe, bleib
In deiner Revolution, Genosse.
Castro stößt rasend die Tür auf. Die Kinder umringen beide.

CASTRO
Habt ihr gewartet, wie.

DIE KINDER
                    Was macht ihr hier.
Warum ist zugesperrt. Wollt ihr
Nichts essen heute. Fisch. Wir haben Kreide.
Wollt ihr es sehen.

GUEVARA
            Kreide.

DIE KINDER
                  Aus der Schule.
Schreiben an die Wände ihre Namen.

CASTRO
    Das ist sie, meine Revolution.
EIN KIND
    Warum seid ihr so still. Habt ihr gestritten.
GUEVARA
    Wir, nein, wir sind ein Leib und eine Seele.
EIN KIND
    Was ist das, Seele.
CASTRO
                            Und du fliegst davon
    Unsterblich.
GUEVARA
                    Aber ich halte mich an dir.
    Springt auf Castros Rücken. Die Kinder lachen.
    Nennt man dich nicht caballo, he, das Roß.
    Er muß mich tragen. Mein Rosinante.
    Dann bin ich Don Quijote, der in den Krieg zieht.
CASTRO
    Ihr seid die Windmühlen.
    Die Kinder schleudern die Arme.
GUEVARA
                                Sturmangriff, los.
    Die Männer fallen.
CASTRO
    Der Ritter von der traurigen Gestalt.
GUEVARA
    Ach, Kinderei.
CASTRO
                    Die linke Kinderei.
EIN KIND
    Warum seid ihr so lustig.
GUEVARA
                            Warum nicht.
    Wenn es ans Leben geht.
DIE KINDER
                        Wir spielen mit.
    Wälzen sich ausgelassen, jubelnd auf dem Boden.

Großer Frieden

Personen

Wang, Philosoph · Gau Dsu, Bauer, Heerführer, Kaiser von Tschin · Soldaten · Fan Feh, Frau Gau Dsus · Geist · Bauern · Hu Hai, König von Tschin · Eunuch · Personal · Dschau, Wei – Statthalter · Tschu Jün, Lyriker, Heerführer, Kanzler · Königin · Träger, Beamte, Geistersoldaten · Bau Mu, Chefin eines »Blumenhofs« · Mädchen · Su Su, Jing Jing, Meh Meh – Frauen Tschu Jüns · Koch · Ein Truppführer, Aufseher · Hsien, Soldat, Heerführer · Tschu To, Magier, Beamter · Zwei Prüfer · Zwei Kandidaten, Zensoren · Hsi Kang, Gelehrter · Zweiter Aufseher · Bezirksgott · Drei Kaufleute

Die Bühne terrassenförmig, die Höhe der Spielorte zeigt die soziale Stellung der Figuren. Die Stufen sehr hoch: Aufstieg und Abstieg mühsam und riskant. In den Kriegswirren (3, 4) die Stufen aus den Fugen. Zu Beginn des »Großen Friedens« (5, 6) die Bühne plan; während des Aufbaus der neuen Ordnung restauriert sich die Terrasse.
Die Geisterszenen im Dunkeln: das alles gleichmacht.

DARSTELLER DES WANG *ohne Kostüm:* Damen und Herrn, im letzten Jahrtausend vor unserer Zeitrechnung sprachen sich in Asien Texte herum, aufgeschrieben und gesammelt unter dem Titel HÖCHSTER FRIEDEN oder GROSSE ORDNUNG oder GROSSER FRIEDEN, aus welchem Buch ich Ihnen vorlese. *Liest:* Als der Wahre Weg noch wirkte, war alles unter dem Himmel Gemeingut. Die Weisesten wurden gewählt, die Fähigsten betraut. Man sprach die Wahrheit. Es herrschte Gemeinsinn. Deshalb sah man nicht nur in den eigenen Eltern seine Eltern, nicht nur in den eigenen Kindern seine Kinder. Die Alten konnten in Ruhe sterben, die Kräftigsten nach Kräften arbeiten, die Jungen ungehindert wachsen. Alle Männer hatten ihr Land, alle Frauen ihr Haus. Man verabscheute es, brauchbare Dinge wegzuwerfen, doch darum hortete man sie nicht etwa für sich. Man verabscheute es, seine Kräfte zurückzuhalten, doch darum gebrauchte man sie nicht etwa zum eigenen Vorteil. Die Niedertracht hatte keinen Boden, Raub und Gewalt sahn kein Land. Man mußte die Tore nicht verschließen. Das hieß der Große Frieden. *Lacht, lauscht.*

STIMMEN *über Lautsprecher:* IM GROSSEN FRIEDEN IST IN DEN HERZEN KEIN HASS, IN DEN HÄLSEN KEIN STREIT. DIE ANNALEN DES KRIEGS SIND LEER, FLAGGEN UND BANNER NICHT VERWIRRT IN DEN WEITEN SÜMPFEN. / HA, DAS GESETZ LIEGT WIE MORGENTAU AUF DEM LAND. ES UNTERSCHEIDET NICHT FEINE UND UNFEINE, SIE STEHEN AUF EINER STUFE. / HA, DIE MENSCHEN HABEN ZUTRAUEN WIE VÖGEL IM GEÄST, UNVERGLEICHBAR DER FAMILIE. SO KÖNNEN SIE OHNE UNTERSCHIED ZUSAMMENWOHNEN. / NATURKATASTROPHEN UND SCHLECHTE MUTATIONEN SIND BESEITIGT, UND GLÜCKVERHEISSENDE OMINA TRETEN HERVOR, SO DASS DIE LEUTE URALT WERDEN UND WER IMMER SIE SÄHE VERGESSEN MÜSSTE, DASS ER SELBST ALTERT, UND DIE MINISTER VOR GLÜCK GLÄNZEN UND NOCH UNTER DEN WÜRMERN UND FLIEGEN FREUDE LEBT. / HA, HIMMEL UND ERDE STRAHLEN MIT DOPPELTER HELLE, SIE

DRINGT BIS IN DIE ACHT ENTFERNTEN GEGEN-
DEN, UND DIE VIER BARBARENSTÄMME SEHEN ES
UND EILEN HERBEI, SICH ZU UNTERWERFEN. / DIE
GROSSEN WEISEN KOMMEN VON SELBER UND HEL-
FEN DEM HERRSCHER REGIEREN, OHNE ZU VER-
SCHWINDEN. / HA, WENN GEMEINSINN HERRSCHT,
IST KEIN KLEINER FRIEDEN WIE JETZT SONDERN
FRIEDEN SCHLECHTHIN. / HA, MANN UND FRAU
NEHMEN SICH HIMMEL UND ERDE ZUM VORBILD,
DREIHUNDERTFÜNFUNDSECHZIGMAL IM JAHR
VERKEHREN SIE MITEINANDER UND TAUSCHEN
IHRE FLUIDA AUS, OHNE MÜDE ZU WERDEN. / REIN
UND UNSCHULDIG WIE SIE SIND, WACHSEN DEN
MENSCHEN KEINE TRICKREICHEN HERZEN. SIE
FÜHLEN SICH WOHL, WENN IHR MUND GEFÜLLT
IST, UND LUSTWANDELN BAUCHTÄTSCHELND EIN-
HER. / HA, WIE BRÄCHTE MAN ES FERTIG, DIE ABGA-
BEN ZU VERVIELFACHEN UND DIE STRAFEN ZU
VERHÄRTEN, UM DEM VOLK FALLEN ZU STELLEN? /
HA, WER WIRD NOCH EIN RÄUBER UND REBELL,
WER RUINIERT SEINEN NAMEN? SOBALD ES ABER
SOLCHE MENSCHEN NICHT GIBT, GIBT ES KEINE
SOLCHEN GEDANKEN. INNEN UND AUSSEN WER-
DEN EINS. / HA, MAN KENNT NICHT DIE VERWIR-
RENDEN REGELN VON AUFSTIEG UND ABSTIEG. /
HA, ALLE HABEN KONTAKT ZU DEN GÖTTERN UND
DEM HIMMEL. / SPIESSE UND PANZER LIEGEN ZER-
NICHTET, DIE ARME HÄNGEN LÄSSIG, NUR ZUM
GRUSS ZUSAMMENGELEGT UND NICHT MEHR BE-
NUTZT, EINANDER ZU VERLETZEN. MIT GLEICHEM
SINN TUT MAN NUR GUTES, UM DEN HERRSCHER
ZU ERFREUEN. / HA.

Darsteller des Wang grinst, ab.

I

DER STAAT TSCHIN. LANDLEBEN IM LETZTEN JAHR DER REGIERUNG DES KÖNIGS HU HAI

1.1

Hütte. Soldaten, schlagen mit Lanzen aufs Dach. Bauer.

ERSTER SOLDAT
  Die Hirse für den König.
ZWEITER SOLDAT
                    Bist du taub.
  Schlagen auf die Hütte. Bauer springt hin und her.
ERSTER SOLDAT
  Er kennt uns nicht. Gestern war er kulanter.
BAUER
  Ja, Herr.
ZWEITER SOLDAT
  Heute ist auch ein Tag. Zahl den Tribut.
  Bauer schlägt sich an die Stirn.
ERSTER SOLDAT
  Soll ich dir helfen, daß es in den Kopf geht.
  Wenn sich dein König durchringt, zweimal in seine Tasche zu
  greifen, willst du ihm die Hand festhalten, Bauer. Wem gehört
  die Erde.
BAUER
  Dem König, Herr.
ERSTER SOLDAT
  Jetzt hat ers drin.
  Schlägt ihm auf den Kopf.
ZWEITER SOLDAT *lacht:*
                    Verzeih es deinem König.
  Soldaten mit der Hirse ab. Soldaten.
ERSTER SOLDAT
  Der Tribut, wie es Brauch ist, wenn du
  Uns bescheißt, ist es gleich aus.
  Bauer knickt in die Knie.
ZWEITER SOLDAT
  Da haben wir dich schon. Wem ist die Erde.

BAUER

Dem König, Herr.

ZWEITER SOLDAT

Er lügt mir ins Gesicht.

ERSTER SOLDAT

Dafür stehst du uns grade.

Spießt ihn auf.

ZWEITER SOLDAT Nennst du das einstehn für einen Irrtum, Schuft, wenn ich dir sage, daß das die Erde des Statthalters Dschau ist solange du denken kannst, das sind drei Tage. Was blickst du in den Himmel, siehst du dort Land, das ihm nicht gehört, wir schicken dich hinauf als seinen Knecht. Wie war der Name.

BAUER

Dschau.

ERSTER SOLDAT

Sieh an, er weiß es. Geht dem Freund zur Hand.

Soldaten stülpen die Hütte um.

BAUER

Wovon soll ich leben.

ZWEITER SOLDAT

Von der Erde.

Stopfen ihm den Mund, ab. Soldaten.

BAUER *von Lachen geschüttelt:*

Der Tribut für wen. Ich hab nichts, greift zu.

Soldaten dringen in die Hütte, sie zerfällt. Sehn eine Frau, stehn starr vor ihrer Schönheit.

ERSTER SOLDAT

Er hat nichts, aber er hat einen Schatz.

Die Frau schreit.

ZWEITER SOLDAT

Was auf der Erde wächst, gehört dem Wei.

Bauer stürzt sich auf die Soldaten, sie trampeln ihn in den Schlamm.

DRITTER SOLDAT

Sie jault wie eine Hündin. Bück dich, Tier.

Legen der Frau einen Strick um den Hals, ziehn sie auf den Knien fort. Bauer steht benommen auf. Die Erde dröhnt: Hakken/Traktor/Industrie. Zugleich Keuchen/Schläge/Exekution. Bauer springt auf dem Fleck, als werde der Boden heiß.

Bauer schläft. Geist der Revolution schwebt herab. Bauer setzt sich mißmutig auf. Geist öffnet einen Vorhang vor seinen Augen: gefallene Bauernheere. Die Toten erheben sich, nehmen ihre Waffen. Bauer gähnt usw. Geist zieht einen andern Vorhang auf: das Paradies. Bauer, amüsiert, steht auf, um hineinzugehn. Er kommt nicht von der Stelle. Geist zieht ein Schwert aus seinem Haupt, übergibt es dem Bauern. Der dreht es in den Händen. Geist schwebt auf, die Bilder verlöschen. Bauer will sich mit dem Schwert töten. Geist fällt ihm in den Arm. Führt ihn fort.

2

VERSUCH DES PHILOSOPHEN WANG, DEN KÖNIG AUF DEN WAHREN WEG ZU FÜHREN. DIE STATT-HALTER UNTERRICHTEN DEN HERRSCHER VON VERÄNDERUNGEN IM REICH

Thron. Der ungeheuer dicke König Hu Hai. Wang. Eunuch.

WANG *heiser:* Die weisen Könige des Altertums waren nicht arm
   an Gut und Geld,
   Hu Hai blickt auf.
   aber sie sorgten sich, daß sie arm sein könnten an Einsicht in den
   Wahren Weg.
   Hu Hai nickt ein.
   Die weisen Könige des Altertums waren nicht arm an Gewän-
   dern und Waffen,
   Hu Hai blickt auf.
   aber sie sorgten sich, daß ihnen das Kleid der Tugend nicht
   passen könnte.
   Hu Hai nickt ein.
   Diese weisen Könige schliefen –
   stampft mit dem Fuß. Hu Hai rekelt sich.
   schliefen auf weichen Kissen, und bauten doch die Ordnung, sie
   aßen von vollen Tellern, und verbreiteten doch das höchste...
   erschöpft Glück – *Empört:* Schläft der Mensch nur?
EUNUCH Siehst du nicht, daß du dem König auf den Docht gehst?
   Er ist ganz matt von deinem Text.

WANG Ich sehe nicht ein, warum ich bei einem Kleinen Menschen weilen soll, unbegabt, dem Weg der wichtigen Worte zu folgen. *Nimmt seine Schriften.* Drei Tage rede ich ihm von seinem Glück, und er nimmt es nicht zur Kenntnis. Drei Monate wate ich durch gelbe Erde und den Schlamm etlicher Flüsse und esse ungemischte Kost, und er läßt mich, wie jeden beliebigen Präfekt, bei seinen Hunden warten. Ich schlafe im Hühnermist, Herr. So behandelt man die Wissenschaft im modernen Asien. An die vierzehn Fürsten habe ich versucht aus dem Sumpf zu ziehn und habe auf Granit gebissen. Wohin man sieht, das anmaßende Grinsen der Beschränktheit. Von den Behörden schweige ich, deren Impotenz Bedingung ist, den Staat zu tragen.

Gewalt und Dummheit, und das Volk auf Knien
Wie seine Weiber, die er schockweis stemmt.
Das Land verfault, Herr. Die Zeit geht fremd.
Setzt seine Kappe auf, will ab.

HU HAI *hellwach, erfreut:* Wer ist die Sau.

EUNUCH Der Philosoph Wang, Euer Hoheit.

HU HAI Ich entsinne mich.
Wie lang ist der dein sogenannter Weg.
So lang, ah. Ich aber lebe jetzt.
Steht auf: Ich bin nun mal ein Schwein, ich kenne mich doch, da leg ich Wert drauf. Wozu habe ich die Riten, wenn ich mir nicht ein Loch laß, nach dem mir der Sinn steht, was heißt Sinn. Mein Speer steht mir nicht nach Höherem, mein lieber Schwan, ich bin nicht klug genug für deine Lehre. Ihr müßt schon ein wenig Geduld haben, Herr. *Klimmt eine Stufe herab.*

WANG *bereitwillig:* Ja, der König Wen von Tschu war auch ein großes Schwein vor dem Himmel, in seinem Park betrieb er ausgesprochene Sauereien mittels vortrefflicher Tiere und abgerichteter Frauen, deren Schönheit bewirkte, daß die kahlen Bäume ausschlugen und die geilen Kanarienvögel explodierten. Der Park war so groß, siebzig Quadratmeilen, so steht es geschrieben –

HU HAI Wie, so groß?

WANG Das Volk hielt ihn noch immer für zu klein.

HU HAI *eine weitere Stufe herab:* Mein Park mißt vierzig Meilen, und dennoch erachtet ihn das Volk als zu groß.

WANG Ha, der Park des Königs Wen hatte siebzig Meilen, aber wer hineingehn wollte, Gras schneiden oder Holz lesen, konnte

es tun. Wer hineingehn wollte Fasane schnappen oder Karau-
schen angeln, konnte es tun. Der Park hätte viel größer sein
können, und dem Volk wär er noch zu klein gewesen.

HU HAI *drei Stufen herab:* Das leuchtet mir ein.

WANG Oder groß wie das Land Tschu, und das Volk hätte nichts
dawider gefunden.

HU HAI *zieht Wang eine Stufe hoch:* Logisch. Logisch.

WANG Der König besaß ihn also in gleicher Weise wie das Volk.

HU HAI *fixiert Wang:* Halt. *Überlegt. Läßt sich vom Eunuchen
eilig die Stufen hinaufhieven.*

WANG Das ist der Sinn des Wahren Weges, daß der König alles in
gleicher Weise wie das Volk besitzt.

HU HAI *oben:* Tötet ihn.

*Personal. Schlachten Wang unter Anleitung des Eunuchen, legen
die Teile Hu Hai vor. Der blickt wütend zur Stelle, wo Wang
gestanden hat. Dschau, Wei, Tschu Jün, in Kriegsrüstung, höchst
flüchtiges Zeremoniell. Personal ab.*

DSCHAU
  An der Arbeit, Herr.

WEI
              Laßt Euch nicht stören.
  Die Lage wie folgt, falls Ihr ein Ohr habt
  Für Dinge, die Ihr nicht mehr ändert, Herr.

DSCHAU
  Und wir nicht. Nämlich die Grenzen sind
  Unverletzlich, sind sie erst gezogen
  Meine nördlich langt jetzt übern Fluß
  Und begreift Yen ein.

HU HAI
            Ihr habt Yen genommen.

DSCHAU
  Es konnte sich nicht halten gegen Dschau.
  Nennt wie Ihrs wollt. S ist trockner Boden, Herr
  Kaum malerisch. War es nicht meine verdammte
  Pflicht, es zu melden.

HU HAI
          Das ist richtig, Dschau.

WEI
  Gleichwie die Berge morgens, die mein Blick
  Immer geliebt hat, mir jetzt angehören.

HU HAI
Die Berge morgens, wie. Mann, das ist Sung.
WEI
Sung gibt es nicht mehr. Ich hab es geschluckt.
Zeigt einen Kopf.
HU HAI
Er hatte Söhne.
WEI
Hatte er, ist wahr.
Ich leugne es nicht. Das sind die Tatsachen.
HU HAI *zum Kopf:*
Mein Freund.
TSCHU JÜN
Sprecht mit dem Toten nicht so roh
Es ziemt sich nicht.
HU HAI
Wer ist der freche Mensch.
Reißt ihm das Maul aus.
DSCHAU
Der Statthalter von Tschu.
HU HAI *verblüfft:*
Von Tschu. Da irrt er sich. Den kenne ich.
TSCHU JÜN *kalt:*
Ich hab ihn auch gekannt.
HU HAI *verwirrt:*
Neuigkeiten.
TSCHU JÜN
Viel Neues, heißts bei den Alten, und nichts Gutes.
HU HAI
Sein Name. Ein Mensch ohne Namen mit einem
Kopf voll Dreck.
TSCHU JÜN
Wärs so. Ihr überschätzt mich.
Mein Name, fürcht ich, hat gewissen Klang
Bei Kennern schöner Verse. Letzterer
Der harten Maße wegen, lieb ich Schlachten
Und Umgang mit Gemeinem. Herr, die Kunst
Giert nach Leben.
WEI *lacht:*
Wessen, wenn man fragt.

HU HAI *aufgebracht:*
  Ich will Tschu sprechen. Was sagt Tschu dazu.
TSCHU JÜN
  Was soll er sagen, Herr. Er kann nichts sagen.
  Zeigt einen Kopf. Hu Hai springt entsetzt auf.
HU HAI
  Mein Schwager.
DSCHAU *zu Tschu Jün:*
                    Seiner Nebenfrau Bruder.
  Jetzt muß sie hängen, wenn Ihr Tschu seid. Seid Ihrs.
TSCHU JÜN
  Ist das die Sitte.
DSCHAU
                  Kann sie Seine Frau sein
  Wenn Tschu, ihr Bruder, tot ist und Tschu lebt
  Und ist nicht ihr Bruder.
HU HAI *zum Eunuchen, schreit:*
                    Ruft die Frau.
TSCHU JÜN *für sich:*
  Dies blutige Land, stumpf von Gehorsam, blind
  Seine Regeln kauend, rettet nichts
  Als sein eigener Schrei aus seinem selber
  Zerrissenen Leib.
  Eunuch bringt die Frau. Hu Hai sieht Tschu Jün an.
HU HAI
                  Nun, werter Herr
  Ihr kennt die Sitten, sagt nun wer Ihr seid.
EUNUCH
  Ist das dein Bruder, Frau.
  Die Frau stürzt zuboden. Zu Tschu Jün:
                      Bist du jetzt Tschu.
  Tschu Jün neigt seinen Kopf. Hu Hai sinkt auf die Frau.
HU HAI
  Grolle mir nicht, wenn du dort unten bist
  Bei den neun Quellen, Liebste. Bringt sie weg.
  Eunuch reißt die Frau weg.
WEI
  Er hat Euch unterschätzt.
TSCHU JÜN
              Ihr seid wie Kinder.

Zieht das Schwert:
Jetzt, auf den Weiden vor der Hauptstadt, seh ich
Meine Tiere. Was, das Land ist gut
Ich red mich nicht heraus. Die Tiere daselbst
Sind mir zugelaufen. Wo soll ich sie lassen.
Schweigen.
Die Äcker in der Ebne, samt kleinen
Pfirsichbäumen und mehreren Städten, verschont
Künftig mit fremdem Anspruch. Der mich wurmt.

HU HAI
Das ist Verrat. Die Truppen.

DSCHAU
                                Sind beschäftigt.
Die Basis ist porös. Die Bauern ziehn
In Haufen durch den Wald, Herr.

WEI *sofort:*
                                  Angesichts
Besonderer Umstände, die Euch entgegen
Sind und uns günstig, wäre ich bereit
Wie diese Herrn, Ihr macht zum König uns
Jeden auf seinem Grund.
*Wei und Dschau klimmen die Stufen hinauf. Hu Hai will sie
hinunterwerfen.*

TSCHU JÜN
                            Ein Jeder König
IN GLEICHER WEISE, wie der Slogan geht
In der Tiefe, und bis an den Thron steigt
Die Stufen überspringend bis der tanzt.
Rasch hinauf.

HU HAI
Ich bin der König.
Wei, Dschau, Tschu Jün lachen, besetzen den Thron.
Einen Strick.
Eunuch bringt vier Stricke.
                    Hab ich gesagt vier.
*Eunuch verteilt die Stricke. Hu Hai steckt seine Kappe unters
Hemd, in Panik ab.*

TSCHU JÜN
Ins Feld, Ihr Herrn.

3

207–206 v. u. Z. DIE DREI SCHLACHTEN BEI HSIEN-YANG. DER BAUER GAU DSU TRIUMPHIERT ÜBER DREI GENERALE

3.1

Binsenfeld. Soldaten, vorüber. Soldaten, vorüber. Bewaffnete Bauern, fliehn vorüber. Gau Dsu: der Bauer aus 1.

GAU DSU *keucht:*
    Das war, vor ich die Luft anhielt, ein Feld.
    Das hat es hinter sich. Drei Heere
    Die sich schlachten um den Thron, der König heillos
    In den Wiesen, jagen den Hauptfeind
    Der aus dem Acker kriecht. Der Witz davon:
    Es darf ihn keiner kriegen. Wer ihn kriegt
    Ist König. So viele
    Verwirrende Feinde, und meiner Mutter Sohn
    Hat fast keine Angst im Kopf
    Wenn er denkt.
    Soldaten. Gau Dsu will flüchten, bleibt mit der Sandale in einem Strauch hängen.
ERSTER SOLDAT
    Ein Fleisch im Strauch. Wie tot.
ZWEITER SOLDAT
                     Für wen bist du
    Tot, Schuft.
GAU DSU *zittert:*
            Für den großen Schlächter, den klirrenden
    Statthalter aus Eisen.
ERSTER SOLDAT
              Unsern Feldherrn Wei.
    Du stehst vor ihm.
WEI
          Was bringt er.
ZWEITER SOLDAT
                  Dieser Mann
    Glaubt, daß er tot ist in einem dunklen
    Bezug zu Euch.

GAU DSU

Nein, nicht zu Euch, zu dem angst-
Einjagenden Helden, der Spieße frißt
Wie Stroh, ihr Herrn.

WEI

Was faselt dieser Bauer.

GAU DSU

Nennt mich nicht Bauer, der Beruf ist tot
Weil dem der Tod Beruf ist, Bauern metzelnd
Wie Hühner seit der Frühe, saht ihr einen
Der nicht was kürzer war als seinen Kopf
Den der aufs Feld pflanzt, seins, als Ausweis blutig
Heißts, für den Thron.

WEI

Als Ausweis für den Thron.

DRITTER SOLDAT

Seit der Frühe. Bauern.

WEI

Wo ist der Hund.

GAU DSU

Er hält sich hier im Wald.

WEI

Dschau oder Tschu.
Ich wußt es, daß er, ein schartiges Schwein
Seinen Schnitt macht an ihren Hälsen.
Faßt Gau Dsu an die Kehle.

Ist es das.

GAU DSU

Genau, Herr.

WEI *laut:*

Ruft ihn.

ZWEITER SOLDAT

Wen.

WEI

Tschu oder Dschau.

SOLDATEN *lustlos:*
Tschu/Dschau

WEI

Nennt ihr das schrein. Blökt man
So in den Krieg.

SOLDATEN *schwächer:*
               Tschuau.
WEI *zu Gau Dsu:*
                    Ja, wenns Bauern
     Wärn, gleich stürzt das auf das Feld, Säue klaun
     Und mit dem Speer die Kammern öffnen für
     Ein Getümmel in haarigen Löchern.
SOLDATEN *nurmehr klagend:*
                                   Dschauuu.
WEI
                                        Gegen Männer
     Hat das kein Herz.
ZWEITER SOLDAT
                         Was nun.
WEI
                         Das ist nichts.
     Brüllt unglaublich:
                                   Dschau.
     Währenddessen Dschau, Soldaten.
DSCHAU
     Und was bedeutet das nun. Übt Ihr, mich
     Zu grüßen, Freund.
WEI *kollegial:*
                    Hört zu, die Sache machen
     Wir unter uns. Ihr wollt den Thron.
DSCHAU
                                        Mag sein.
     Wollt Ihr ihn nicht.
WEI *seinen Spieß prüfend:*
                         Das ist nicht die Frage.
     Ehe Ihr weitergeht in dem Geschäft
     Müßt Ihr durch diesen Spieß.
DSCHAU
                                   Ein schönes Ding.
     Schlägt ihm den Mantel zu:
     Ihr holt Euch in der Morgenluft den Tod.
WEI
     Indem es Krieg ist, Herr.
DSCHAU *zu seinen Soldaten:*
                         Es kann etwas dauern.

WEI

Sie werden warten können.

DSCHAU *hebt seinen Spieß:*

Wenn Ihr zäh seid.

Es wird kein Kinderspießen.

Gibt Gau Dsu seinen Mantel:

Haltet das.

WEI

Ans Werk.

GAU DSU

Gute Verrichtung, Herr.

DSCHAU

Macht los.

Kampf. Dschau fällt mit einem kurzen Laut. Wei zerhackt ihn.

WEI

So klanglos, guter Freund. Räumt die Truppen
Weg.

*Dschaus Soldaten fliehn, verfolgt von Weis. Gau Dsu schau-
dernd über der Leiche.*

GAU DSU

Der, sagt Ihr, ist Dschau.

WEI

Ja, und weiß

Vom Tod geschminkt.

GAU DSU *tollkühn:*

Dann ists der Falsche, sag ich.

WEI

Wie.

GAU DSU *wegwischende Geste:*

Gings nicht um Bauern.

WEI

Die er, sichelnd

Zum Thron sich häuft.

GAU DSU

Wer. Nicht Dschau.

WEI

Wer denn, Mensch.

GAU DSU

Noch mal von vorn. Einer will König sein.

WEI

Machst du mich zum Witz.

GAU DSU

Gleicht das nem König.

Ich war dabei, das ist sein Mantel, Herr
Der schwache Eintopf aus wäßrigen Knochen, Ihr
Habt ihn selbst verrührt. Hätt ich mich dem verdingt.
Zurück zum Thema. Der Fleischer, der mit zwei
Armen Heere schleift untern Sand, im Rücken
Blut, das Mühlen antreibt. Der allerdings
Wovon ich ausging, bekannt ist mit dem Namen
König, vor ers ist.

WEI

Tschu, der milchige

Knabe von der Lyrik.

GAU DSU

Ha, da haben wirs.

Ruft ihn.
Ruft:

König Tschu.

WEI

Nicht König.

GAU DSU

Bitte.

Seht wie Ihr hinkommt.

WEI *brüllt:*

Tschu.

Tschu Jün, steigt über die Leiche. Soldaten.

TSCHU JÜN

Ich finde Euch

In guter Muße, das unsinnige
Gerangel um den Vorsitz aufzuklärn
Mit kleinen Schnitten am Puls der Zeit. Der Krieg
Wiewohl ich ihn verachte schwächerer
Neigung wegen, löst vieles. Langer Groll
Verdickt das Blut, die Sprache wird unsinnig
Verständnis Zufall. Laßt uns freundschaftlich
Mit Eisen ausgleichen was hindert
Das Fleisch zu leben.

WEI
                    Ich versteh nicht gut
    Eure Lyrik, Herr. Jedoch versteh ich, Ihr wollt
    Das Eisen schmecken.
TSCHU JÜN
                        Habt Ihr eine Hand
    Es zu führen. Ich seh Euch scheußlich alt.
WEI
    Habt Ihr nicht Weiberwangen, fett vom Schleim
    Eurer Huren.
TSCHU JÜN
                    Schlägt Euch nichts mehr aus
    Stoßt mit dem Eisen.
WEI *reißt sich den Mantel ab, zu Gau Dsu:*
                        Halt, Junge, das auch.
GAU DSU
    Auf mir bleibts hängen.
    Soldaten Weis zurück.
WEI
                        Laßt das Werkzeug draußen
    Ein neues Hacken.
SOLDATEN
                    Auch gut. Ein Aufwasch, Herr.
TSCHU JÜN
    Mit eurem Blut.
    Seine Soldaten um ihn.
                    Dort ist der Spülicht Tschins.
WEI
    Raus aus dem Käfig, Vogel.
TSCHU JÜN
                        In die Luft
    Die dir ausfällt.
    Kampf.
SOLDATEN
    Tschu/Wei/Tschu/Wei/Tschu
GAU DSU *lacht:*
                        Auf, ihr Engerlinge
    Im Sold, marschiert ins Eisen. Die Erde
    Um die sie streiten, hab ich an den Händen.
    Wei stirbt mit lautem Gebrüll. Tschu Jün sieht ihm erstaunt zu.

TSCHU JÜN
    Entwaffnet sein Schlachtvieh.
    Seine Soldaten überwältigen die des Wei.
                                Armes Volk
    Versaut ganz für den Frieden. Stecht es ab.
    Morden sie. Gau Dsu, schreckbleich, erbricht sich.
    Verschon die Mäntel, Mensch. Wo bist du her.
    Gau Dsu läßt die Mäntel auf die Leichen fallen, will davon.
    Soldaten halten ihn.
    Raus mit dem Text.
SOLDAT
                        Eines Bauern Hemd.
    Stinkend nach Erde.
GAU DSU
                        Gau Dsu. Und mein Heer
    Liegt im Strauchwerk, bis wir unsern Gang
    Erledigt.
    Soldaten lassen ihn lachend los. Nimmt sein Schwert. Tschu Jün
    sprachlos.
                Geht dahin, Herr. Gut, bleibt. Jetzt
    Müßt Ihr doch den Spieß nehm.
    Pfeift. Bauern. Soldaten springen zurück.
                                    Arbeitet, Herr.
    Tschu Jün greift mechanisch an, Spieß gegen Schwert. Hält inne,
    schüttelt den Kopf, geht zu Gau Dsu.
TSCHU JÜN
    Gau Dsu.
    Geht zurück, dann wieder auf ihn zu.
            Dein Heer.
    Will ihn niederstechen. Gau Dsu wehrt ihn ab. Furchtbarer
    Kampf. Bauern und Soldaten stehn gelähmt. Gau Dsu hält sich
    nur mit Glück auf den Beinen. Dunkel, sie fechten weiter. Hell.
    Bauern und Soldaten schlafen.
GAU DSU
    Jetzt werkeln wir vier Tage, Herr. Gebt auf
    Ich mach Euch nicht das Frühstück.
TSCHU JÜN
                                Sagst du Frühstück.
    Halten ein. Essen aus einem Topf. Tschu Jün plötzlich vollkom-
    men erschöpft:

Laß es bewenden mit dem Anfang. Später
Sehn wir weiter.

GAU DSU *hält sich an Tschu Jüns Spieß:*
Richtig. Nichts übereilen.

TSCHU JÜN *am Boden:*
Tschu Jün.

GAU DSU
Gau Dsu.

TSCHU JÜN
Freue mich. Die Arbeit
Schmeckt milder, die man teilt.

GAU DSU *legt sich:*
Ich teile gern.
Das ist der Kriegsgrund, Herr.

TSCHU JÜN
Ein Grund auch wärs
Für Frieden.

GAU DSU *nach einer Weile:*
Wer denkt denn gleich so was.

TSCHU JÜN
Als Freund
Von Wendungen ins Unfaßliche, den zähen
Gang biegend, unerwartet dem stumpfen
Sinn der Planung, seh ich die Dinge die kommen
Gelassen, Herr.

GAU DSU
Denkt Ihr den Kampf also
Einzufrieren, bis der Thron getilgt ist.

TSCHU JÜN
Getilgt, und leer der erste Platz und alle
Ihre Kräfte schmeckend, auf einem. Herr
Der Vermögende scheut nicht die Gleichheit.

GAU DSU *steht auf:*
So seid Ihr der Sieger. Laßt trommeln, Feldherr.

TSCHU JÜN
Feldherr seid Ihr auch. Gebt den Befehl.

GAU DSU
Trommeln.
Trommeln. Soldaten und Bauern erwachen, aufeinander los.

TSCHU JÜN
                    Steht. Hier ist kein Feind.
    Gemeinsam auf den König.
    Bauern und Soldaten umarmen sich lautlos. Dann
GESCHREI
                    Schlagt den König.
TSCHU JÜN
    Weil wir den Kampf aussetzen, Freund, mein Wort
    In der Hauptstadt hab ich ein paar Tauben:
    Scharf, Ihr könnt sie braten. Teilen wir.
GAU DSU
    Mit allen.
    Alle unter Trommeln ab.

3.2

*Hu Hai in einer Sänfte, geschleppt von zwanzig Trägern. Königin
in einer anderen Sänfte, getragen von zweien.*

HU HAI Beeilung, meine Herrschaften.
    Träger setzen die Sänfte ab.
ERSTER TRÄGER Entschuldigt.
    Rauben König und Königin aus auf die Haut.
KÖNIGIN Was gibt es, König.
HU HAI Nicht so brutal, Mensch.
    *Träger ab bis auf einen, der ihm die Schuhe auszieht. Hu Hai
    steigt aus der Sänfte, steht, lacht gekitzelt:*
    Was ist das.
ZWEITER TRÄGER Die Erde, Hoheit. Gras.
HU HAI Die Erde, ah. *Geht.* Das ist die Erde. *Befühlt sie.* Gut,
    wie?
KÖNIGIN Ich setze keinen Fuß darauf.
HU HAI *gereizt:* Tu, was du nicht lassen kannst.
KÖNIGIN Ich tu es nicht. *Wirft sich in der Sänfte auf den Rücken.*
    Komme was will.
ZWEITER TRÄGER Es gibt Soldaten, Madame.
    Königin lacht nervös. Hu Hai entfernt sich.
HU HAI Was sind das für Wesen.
ZWEITER TRÄGER Unbeschnittene Bäume.

HU HAI Erstaunlich. Die stehn so da.
Träger mit Hu Hais Schuhen ab.
Ein Feld, natürlich. Etwas wächst. *Greift hinein.* Wieder Erde.
Nach hinten ab.

4

DIE HELDEN DER ERSTEN STUNDE

Trümmer. »Blumenhof«. Bau Mu. Wang. Entfernt Trommeln.

WANG
  Schließ dein Etablissement. Die Zeit ist aus
  Für Herren und für Huren.
BAU MU
                    Ich habs schriftlich.
  Weißt du, was ihr euch einbrockt mit der Sünde
  Die Mädchen auszusperrn.
WANG
                    Die Magerstuten
  Dürfen auf die Weide. Eine neue
  Epoche, Mutter. Veteranin auf
  Dem Schlachtfeld des erhobnen Speers.
BAU MU
                    Du Sau.
  Soll ich dir sagen was deine neue Zeit macht, wenn sie die heilig-
  sten Institutionen antatzt mit ihren Bauernpfoten. Ich, Bau Mu,
  seit dreißig Jahren in der Firma, gedient von der Pike auf, ich
  weiß was ich sage, die Freude ist eine menschliche Voraussetzung wie Beton. Der Bauer hats im Stall, aber der Staat hat mehr
  Personen, die auf Achse sind, wer soll sie ihnen schmieren. Wie
  soll denn der Reisende seiner Gefühle Herr werden, wenn ihr
  die Rasthäuser entblößt und er auf dem nackten Tuch liegt,
  wollt ihr Gewaltverbrecher züchten. Die schöne Rede ver-
  kommt, die Tanzkunst schläft ein, die Musikpflege im Arsch,
  Herr. Ihr vergewaltigt das Kulturerbe aus bloßer Schamhaftig-
  keit, die Zivilisation lebt von den Privilegien, greift sie an und
  wir sinken in die Steinzeit.

WANG Hörst du die Trommeln. *Vernagelt die Tür.*
  Solln dir die Truppen deinen Stall ausmisten.
  Die Privilegien sind abgeschafft
  Die Revolution macht keinen Bogen um
  Dein Loch, Verehrteste, sie zieht hinein.
  Du wirst arbeiten wie die Blümlein selber
  Aus denen du dein Heu machst. Jetzt sind alle
  Gleich, gewöhn dich dran.

BAU MU

                    Aber das Loch ist zu.

WANG
  Arbeit allen, Gleichheit allgemein
  Die Parasiten kennst du am Schrein.
  *Mädchen springen aus den Fenstern. Gau Dsu, Soldaten. Bau
  Mu mit ihren Geldtaschen ab.*

MÄDCHEN
  Soldaten.
  Schreien. Soldaten nähern sich sacht.

SOLDATEN
              Fangt sie. Blumengewächse.

MÄDCHEN
  Sie tun uns nichts.
  Bleiben verblüfft stehn. Stumme Verbrüderung.

GAU DSU
              Ein Anblick.
  Faßt Fan Feh: die Frau aus 1. Sie steht starr.

SOLDATEN *ausgelassen:*

                    Frauen. Frauen.

FAN FEH
  Wer ist das.

WANG
          Zittert sie. War das die Tour
  Wie sie sich wegwirft.

EIN SOLDAT

              Unser Held Gau Dsu.

MÄDCHEN
  Gau Dsu der Krieger –

GAU DSU

                    Frau.
  Läßt sie los. Schweigen.

MÄDCHEN

Er ists. Der Bauer.
Jetzt schlägt er sie tot.

FAN FEH

Lebt Ihr und heil. Ich
Wünsch Euch Glück, Herr.

GAU DSU

Halt. Bin ich ein Herr.
Was ist das, Glück.

FAN FEH

Ihr hattet keins mit mir.

MÄDCHEN

Fan Feh die Schöne. Laß den Held nicht anstehn.

GAU DSU

Was schwatzt ihr. Bin ich nicht dein Mann.

FAN FEH

Ihr und jeder, der über die Schwelle kam.
Wollt Ihr mich nehmen nach den andern, Herr.

GAU DSU

Vor ihnen war ichs. Bist dus nicht nach ihnen.
Auf Knien geschleift vom Feld, mehr weiß ich nicht
Nur daß du mir gehörst.
Packt Fan Feh. Tschu Jün mit Su Su, Jing Jing, Meh Meh.

Seht ihr ne Frau hier.
Ne Königin, wenn ich sie liebe. Verpfeift euch
Auf diese Spieße. Macht zum König jeden.
*Soldaten mit den Mädchen ab. Wang vernagelt die Fenster. Fan
Feh reißt sich los.*

TSCHU JÜN

Was treibst du, Bruder.
Fan Feh umschlingt Gau Dsu.

GAU DSU

Bist du toll.

TSCHU JÜN

Hast du dich
Eingedeckt. Hier bring ich meine Tauben
Zu deiner Nutzung. Su Su, ein gutes Baujahr
Ein Tempel blüht ihr Schoß für ein Gebet
Morgens und abends. Jing Jing die selbstlose
Nimmt nichts zu sich außer Liebe flüssig.

Meh Meh, die kluge Zunge, flüstert einen
Text, der dir den Leib sprengt, sieben
Sätze und dein Inhalt strömt.
MEH MEH *flüstert:*

ORegen
AufmeineFüße ichwilldurchPfützengehn
TSCHU JÜN
Das war der erste.
Wang haut sich auf die Finger.
GAU DSU

Laß sie flattern. Mein
Bedarf ist diese Frau.
FAN FEH

Wenn mir so ist
Mein Herr, kann sein mir ist oft so.
Gau Dsu steht verwirrt. Tschu Jün lacht.
MEH MEH
Menschüberschwemmmichnichtichfließeweg
GibmirdeinkleinesPaddelindenKahn
GAU DSU *schreit:*
Bringt meine Frau zu meinem Zelt.
Frauen ab.
TSCHU JÜN

Du sagst
Zu häufig mein, Gau Dsu.
WANG

Mein Finger.
Das ist nicht meine Arbeit. Solln sie sich
Selber das Loch verspunden.
TSCHU JÜN

Ein Gelehrter
Mit einem Hammer. Halt ihn fest, Meister
Daß er dich nicht ins Brett schlägt.
WANG

Große Stunde
Der Philosophie. Feldherrn, euer Diener
Weil ihr den Wahren Weg geht, gleich gesellt jetzt
Volk und Soldaten nach der Schrift der Weisen.
GAU DSU
Ein weiser Mensch, wie.

TSCHU JÜN

               Der gelehrte Wang.

GAU DSU

Warum ist er gelehrt. Weil er den Finger
Für den Nagel, den er hält, hält. Weil seine Kappe
Schwarz ist und er aus Schwarz Weiß macht.
Speit.

                                    Rotz

Auf deine Weisheit.

TSCHU JÜN

              Reiß einem kurzen Mann
Nicht den Kopf ab wegen einiger langer Gedanken
Die er sich um uns macht.

WANG

                    Nicht um euch, Herr:
schnell: für euch, denn ich bin es, den ihr braucht, infolge
die wahre Lehre auf die Straße tritt und lebendig wird in der
Arbeit der Massen. Ich habe die Idee der Gleichheit verfaßt,
die zur Gewalt geworden ist in euerm Marschschritt und die
Aristokraten zerstampft im Mörser der Wissenschaft. Arbeit
allen, Gleichheit allgemein: die Theorie in Versen für den gemeinen Verstand, ich habe ein Anrecht, daß mich der Staat
ernährt. Nämlich wie heißt es: die einen arbeiten mit ihrem
Geist, die andern mit den Händen, die mit dem Geist arbeiten
regieren, die mit den Händen arbeiten werden regiert, die regiert werden erzeugen Hirse Kraut Speck, die aber regieren
erhalten Hirse Kraut Speck: daß dies richtig ist, ist allgemein
und überall unter dem Himmel bekannt, und jetzt wird es
wahr.

GAU DSU

Das hast du alles in der Kappe, wie.
Schreibst du das in die Bücher, bildend
Nichts als Sätze, ich versteh die Bohne
Warum, wers liest oder nicht liest bleibt dumm
Wenn ers nicht im Kopf hat was er denkt.

TSCHU JÜN

Tatsachen, Mensch, und nicht Scharteken, willst du
Die Zukunft auf Pappe oder auf den Leib.

GAU DSU *nimmt ihm die Kappe ab:*
Zeig deinen Deckel, wie er innen aussieht

Leer. Wie ein Scheißloch. Fülln wir ihm den Kopf.
Pißt in die Kappe. Wang lacht mit.
Scheißwissenschaft. Pisse mit Algebra.
Setzt ihm die Kappe auf.
Schon steht der Weise wie im Buche da.

TSCHU JÜN *scharf:*
Was bist du: ein Soldat, nein. Handwerk, nein.
Also das Volk, da brauchst du nur zwei Hände
Lang in die Trümmer. Mach der Not ein Ende.
Wang mit langem Gesicht ab. Bauern.

BAUERN
Der Krieg ist aus. Hoch der Große Frieden.

ERSTER BAUER
Indem die Stadt in Fetzen ist, der König
Sich verkrümelt hat in den gelben Sumpf
Und die Felder bedeckt sind vom Aas räudigen Adels
Sind wir des Sinns, heimzugehn
Und uns unser Teil aus dem Braten zu schneiden
Auf den wir scharf sind.

TSCHU JÜN
                    Wollt ihr euch aus dem Staub
Machen, und Straße und Kanäle
Liegen wüst. Könnt ihr nicht warten bis
Kämmend die Ordnung mit euren Spießen
Aus Krieg Frieden wird.

ZWEITER BAUER
                    Das können wir nicht.
Indem das Land verteilt wird an solche wie uns
Die es sich selber nehmen
Und bestellt sein will.

DRITTER BAUER
                    Und unsre Weiber
Uns ihre Freude mitteilen möchten in den lange
Zu leeren Betten.

BÄUERIN
                    Indem das so ist.

ERSTER BAUER
Uns seht ihr nicht mehr, Herr.
Werfen die Waffen ab.

GAU DSU *wirft fröhlich die Arme hoch:*
  Dann geht nachhaus
  Nehmt euch die Fische aus dem Topf heraus.

5

AUSRUFUNG DES GROSSEN FRIEDENS, 2000 JAHRE
VOR UNSERER ZEIT

Soldaten, auf einem langen Tisch, werfen Gau Dsu in die Höhe.
Tschu Jün. Jubel einer riesigen Menge.

TSCHU JÜN
  Das war die Moral. Und jetzt kommt das Fressen.
  Setzen sich an den Tisch. Koch.
  Die Hirse, Koch.
KOCH
                  Ich eile schon.
  Bleibt mit dem Kessel stehn.
  Ich eile und bleib stehn wie mein Verstand.
  Der das verdauen muß bevor ers frißt.
  Hör ich recht, dann hört sich alles auf
  Alle sind gleich, einer wie der andre
  Hackt seinen Acker sozusagen und
  Spinnt seinen Faden, weil die Maus nichts abbeißt
  Bis es in einen Topf kommt wo es kocht
  Und was herauskommt ist der Große Frieden.
  Zu Gau Dsu:
  Das habt Ihr gut gesagt, Herr, fast begreif ichs.
  Gleich wie die Mägen, Hunger hat ein jeder
  Ob der Bauch dick oder dünn ist, jeder trägt
  Sein Teil davon und trägt sein Teil daher
  Gleich was er denkt, denn jeder denkt jetzt gleich
  In der Frage, andre Fragen sind nicht.
  Nämlich was frag ich noch, wie schmeckt es? Ich sitze mit zu
  Tisch, wie mich meine Mutter gemacht hat. Kein Vermögen als
  meine Nase, kein Name als Menschmachschon, jedes Herrn
  Abtritt und Kübel, in den er seine Laune spie. In seinen Därmen
  lag mein Glück: ein Glück noch wenn er drauf schiß. Jeder

Hund hatte es besser, ich mußte ihm dienen mit meinen Knochen. Wenn ich je fröhlich war, wars ein äußerliches Gewürz auf
meiner Seele. Jetzt gelte ich gleich einem Präfekt oder Kornein-
zieher, und mein Bauch gilt soviel wie meine Nase, alles gilt
gleich. Ich werde mir selber ähnlich wenn ich mich anseh in der
Suppe, die nach meinem Geschmack ist: so daß es einst heißen
wird, der Koch regiert.

TSCHU JÜN

Regier die Hirse her. Sonst ist sie kalt.

KOCH

Ich sagte, daß ich eile, Herr.

GAU DSU

                       Nicht Herr.
Dies Wort streich aus der Kehle.

KOCH

                     Ja, Herr. Und wie
Sag ich notfalls.

ERSTER SOLDAT *tritt ihn:*
              Notfalls halt das Maul
Bis es uns voll ist.

TSCHU JÜN *reißt den Soldaten am Bein:*
              Du hast ein gutes Bein.
Steh auf und hilf ihm laufen.

ERSTER SOLDAT

                Mit der Hirse.
Ich bin Soldat.

GAU DSU

           Und das hört auch auf, daß wir
Nichts sind als eins. Im Großen Frieden, Krieger
Bleib friedlich, bist du auch Koch.

ERSTER SOLDAT

               Sags dem Soldaten
Ich bin auch Feldherr und befehle mir
Nicht zu tun was du willst sondern was ich will
Denn wir sind gleich und wolln also das Gleiche
Und deshalb tu ichs.
Greift zu.
            Denk nicht ich tus ungern
Weils gegen meine Ehre ist, der Frieden
Auch hat seine Natur, unblutig zwar

Da heißts sich umstelln, aber weil er groß ist
Hört er nicht auf zwischen dem Volk, keiner
Macht dir den Feind mehr, auch der beste Freund nicht
Ein Friedensfreund zur Zeit, und die ist friedlich
Weil sie groß ist wie die Arbeit selber
Denn Knochenarbeit bleibts. Hierher die Speise.

GAU DSU
Der Weg ist kurz, Junge, aber krumm.
Das andre Volk zuerst. Und wir am Schluß.

KOCH
Das ist gegen den Ritus.

GAU DSU
                    Wirf ihn weg.
Ich kenn das Ding nicht.

KOCH
                  Wie Ihr meint.
Wirft sich hin.
                        Wenn ich
Trotz meiner andern Meinung Euerm gültigen
Wunsch nachkomm und Euch als Letzten abspeis
Mögt Ihr mir das, als unfreiwillig, nachsehn.

GAU DSU *brüllt:*
Liegst du im Dreck. Die Regeln alle kannst du
In deine Blutwurst kochen, sie sind blutig
Gib sie den Hunden. Chinesisch rückwärts wie
Die alten Texte, wie. Zeig deinen
Willen, Mensch.

KOCH *erhebt sich, überlegt:*
               Was. Wem. Euch oder mir.
Die Frage lös ich nimmer oder hier.
Läßt den Kessel los, läuft weg.

TSCHU JÜN
Er hat einen Willen.
Lachanfall.

ERSTER SOLDAT
            Und ich hab die Mühe.
Mit dem Kessel ab.

GAU DSU
Das Lachen erstickt dich, Freund.

TSCHU JÜN

                              Von deinem Witz.

GAU DSU

   Ist dein Hals zu dünn für ein befreiendes
   Lachen, Tschu Jün.

TSCHU JÜN

                      Vielleicht das neue Leben
   Greift dem alten zu heftig an die Gurgel, ah.

SOLDATEN

   Schreit Ihr vom Hunger so. Wo bleibt der Fraß.

TSCHU JÜN

   Da kommt ein Fresser mehr.
   Soldaten mit dem Eunuchen in Stricken.

ZWEITER SOLDAT

                              Ein Eunuch.
   Er hatte sich versteckt im Hirsespeicher.
   Der war leer.

TSCHU JÜN

               War leer. Sein Pech.
   Lachen.
                                        Schuft
   Willst du mit uns speisen, am Tisch
   Deines gnädigen Volks.

EUNUCH

                      Ich seh die Tische leer.

ZWEITER SOLDAT

   Da sieht er viel.

EUNUCH

               Ich hab nicht euern Blick
   Der den blauen Dunst sieht. Ich für mein Teil
   Möchte nicht teilen mit euch eure Wahrheit
   Die schon die halbe ist.

TSCHU JÜN

                      Mit dir geteilt
   Wäre sie Lüge.

EUNUCH

               Wenn alles unters Volk kommt
   Bleibt dir kein Funken von eurer Wahrheit.
   Du selber, der nicht dumm war, machst den Dummen
   Verlaß dich drauf, Tschu Jün. Teile nur alles

Bis es dich selber teilt, Arm Kopf Maul
Sich zerreißen um nichts: das übrigbleibt.
Alles Wasser ist nichts auf alle Steine.
Und wenn ihr mich an diesen kahlen Baum hängt
Nackt wie der wird eure Lehre dastehn
Großzügig wie sie ist. Ich denk mein Teil.

GAU DSU
Behalts für dich, wenn du den Kopf dazu
Behalten willst.

EUNUCH
                Auch ohne die Bedingung, Herr.
Soldaten schleppen ihn fort.

TSCHU JÜN
Wir hätten ihn hängen sollen. Damit der Baum
Blätter hat.

GAU DSU *verwundert:*
             Warum ist er kahl.
Erster Soldat mit dem leeren Kessel.
Warum ist er leer.

ERSTER SOLDAT
          Es kommt nichts mehr.

GAU DSU
Was, kommt. Dann geht. Reißt die Speicher auf.

DRITTER SOLDAT
Die leeren.

GAU DSU
           Sagst du: sie sind leer.

ERSTER SOLDAT
                Weißt dus nicht.
Das Land ist trocken. Die Kanäle Schlamm.

VIERTER SOLDAT
Seht doch die Bäume an. Sie schreien, Herr.
Schreit. Gau Dsu packt ihn an der Kehle.

GAU DSU
Hol den Verwalter aus der Küche.

VIERTER SOLDAT
              Einen Dreck
Hol ich dem Bauern.

SOLDATEN *werfen den Tisch um:*
          Nämlich wir holen dich.

Deine Genossen sind davon in ihre
Gemüsebeete. Stich sie aus dem Acker
Mit dem Schwert, die Maden. Soll unsre Haut
Leerstehen voll Narben. Füll sie uns
Mit was uns fehlt, oder du fehlst dir selbst
Bauer, den Kessel füllend.
Stoßen Gau Dsu in den Kessel.

ERSTER SOLDAT
Nimm das als Helm, Held. Daß dir nichts zustößt.

TSCHU JÜN *greift Gau Dsus Schwert, ersticht den Soldaten:*
Ist dir was zugestoßen, Knecht.
Setzt Gau Dsu das Schwert an den Hals:
                              Siehst du
Genosse, was wir ohne Regeln sind
Uns selbst fressende Schweine. Die Gewalt nur
Die graue Formel, alter Zeit Rechnung
Die ihnen aufgeht noch wie Licht des Himmels
Hebt ihre Zähne weg von deinem Hals
Und drückt sie auf dem Bauch in den Schlamm
Der das braucht, ihn auszuwringen
Auf den verteilten Boden.
Gibt ihm das Schwert.
Treib sie zu Paaren in ihr Eigentum
An solcher Arbeit. Mach deine Faust zur Sonne
Nach der ihr Speichel trieft. Ich mach den Mond
Den Schatten dir, daß nicht dein Ruhm erblasse.
Sei du die Sonne, weil ich Speichel hasse.

6

ZWEI JAHRE NACH DEM SIEG IST DIE HAUPTSTADT
NOCH EIN HEERLAGER. FORTSETZUNG DES
KAMPFS ZWISCHEN GAU DSU UND TSCHU JÜN

Umgestürzter Thron. Soldaten am Boden, trinken. Fan Feh zwischen ihnen, lacht. Gau Dsu, im dreckigen Bauernhemd. Ein Truppführer.

GAU DSU

Da ist sie, Kamerad. Auf allen vieren
Zwischen dem Abraum aus dem Stab.

TRUPPFÜHRER

Ein Fressen

Für die Reptilien, lieber Herr.
Sie greifen gern in weißes Fleisch.

GAU DSU

Mein Fleisch.

Ich hab die Nägel im Blut. Soll ich sie
In Stricke binden.

TRUPPFÜHRER

Vielleicht liebt sie das.

GAU DSU

Sie ziehn sie mit den Blicken aus.

TRUPPFÜHRER

Obwohl

S ist nicht viel Arbeit, Chef.

GAU DSU

Machst du dich lustig

Über deinen Feldherrn.

TRUPPFÜHRER

Nicht ich. Die Katze

Die dich zum Schloßhund macht.
Heult. Laut:

Sie kann die Schule

Nicht verleugnen, wo sie rechnen lernte
Mit gespreizten Knien.

GAU DSU *schreit:*

Bindet den Mann.

Fan Feh steht auf. Tschu Jün, Soldat Hsien.

SOLDATEN

Er sagt uns was. Wen. Den dicken Fu.
Worum gehts denn, Herr. Erklär dich näher.
Lachen. Tschu Jün tritt den Thron weg.

TSCHU JÜN

Wo sind wir, Freund. Ist das eine Stadt
Unter meinen spitzen Zehn. Leckte je Kultur
Dies Volk an. Schlamperei des Blutfelds
Die Leichen wälzen sich im Scheintod

Aus der Flasche. Aas wärmt sein letztes Leben
Auf dem Eisen unsrer Armee. Meine Herrn
Wollen Sie das Schwert essen.
Truppführer und Soldaten davon.

                              Fan Feh die Schöne.
Sie feiert ihre Freiheit auf den Knien.
Sie teilt ihre Freude, daß sie jetzt
Sich gehört, mit allen.
*Fan Feh läßt keinen Blick von Hsien. Tschu Jün auf Gau Dsu
zu:*

                    Gut siehst du aus
Revolutionär, ein Dreck dein Hemd
Und Erde in den Taschen. Das Chaos
Sieht dir aus den Löchern, das du züchtest
Aus deiner unbeschäftigten Armee.

GAU DSU
Wen soll sie schlachten noch. Die Aristokraten
Hängen ohne Land in den Baumwipfeln.

TSCHU JÜN
Viel schöner Schatten in Tschin also, wär die Sonne
Aufgestiegen. Siehst du sie. Ich seh einen
Bauern im Kot. Du kannst im Sattel siegen
Aber nicht herrschen, Soldat.

GAU DSU
                    Was machen.

TSCHU JÜN
Fick die Truppen. Stoß sie in den Vorteil
Der ihnen nicht im Feld blüht. Bieg ihnen
Das aufsässige Kreuz mit Posten. Die Kameraden
Aus den blutigen Wiesen am Han-Fluß
Wollen befriedigt sein.

GAU DSU
                    Meinst du Posten.

TSCHU JÜN
War dir so. In deinen Ohren also
Ist kein Dreck.

GAU DSU
             Was sagt man dazu, Fan Feh.

FAN FEH *den Blick auf Hsien:*
Ich hör euch zu. Das ist schön, Gau Dsu.

GAU DSU
    Sie ist ein Tier.
    Scharf:
                    Und Ämter, wie. Und Länder.
    Und die Hengste von der Truppe setzen sich ab in die Güter, mit
    einem Grinsen, dem Adel aus dem Gesicht geschnitten. Rekeln
    sich auf den Schaukelstühlen der Provinzen, die Hände in den
    Taschen der Bauern. Aus dem Kämpfer fürs Brot der Beamte bis
    zum Tod. Ist das die Zukunft, die aus dem Blut dampft. Hieß es
    das: alles auszureißen was die Macht verhaßt macht. Wofür ha-
    ben wir gekämpft, Tschu Jün.
TSCHU JÜN Um die Macht.
GAU DSU Ja. Und um nichts sonst, wie.
TSCHU JÜN
    Um nichts vor dem ersten Schritt unter
    Der Angst vor, die dich knien macht. Dich
    So gut wie sie, die deine Frau ist und
    Deine Frau nicht aus selber Angst
    Daß ihr ein Nichts seid und nichts könnt
    Wenn ihr euch nicht gemein macht mit der Masse.
    Die Angst, selber zu leben, unser Tod ists.
    Häng dich, damit du aufrecht bist, Genosse
    Wenn kein Wind geht.
GAU DSU Begreif ich was du sagst. Red weiter. Aufrecht. Wo.
    Unter den Trümmern, die Toten auf dem Rücken, die nach
    Glück schrein. Macht. *Speit.*
TSCHU JÜN
    Aus den Trümmern des Palastes, wo du
    Flüchtig rastest, flattern die alten Geier.
    Gierig auf, was sie wieder sehen, Land.
    Solang die Stühle leerstehn, will sich wer
    Setzen, Junge. Lieber der eiserne Hintern
    Von Figuren die an Drähten gehn
    Ins neue Leben, als der alte blutige
    Dreck aus fürstlichen Hirnen.
GAU DSU
                            Du bist kein Bauer.
    Du sagst das Wort Macht ohne zu spein.
    Du kannst atmen mit dem Wort Macht
    In den Zähnen.

TSCHU JÜN
                    Sagst du Bauern.
Die Masse die im Feld liegt, Krieg oder Frieden, zuunterst
immer.
Aber im Frieden kommt er einzeln vor
Getrennt durch seine Arbeit, die ihn krummschließt
Hinter sein Holz, das er ins Erdreich drückt.
Ein kleines Reich, was. Von Morgen bis Morgen
Und weiter kennt er keinen. Dieser Saurier
Hebt seine Stirn nicht aus der Furche. Wo
Hat er sein Büro.
Der Bauer kann sich nicht selbst vertreten.

GAU DSU Also braucht er, daß man ihn vertritt. *Lacht.* Wir sein
Kopf, mit dem er herrscht.

TSCHU JÜN Weißt dus nicht, Bauer.

GAU DSU Nein. Ich kann nicht denken.

TSCHU JÜN
Ja, dazu braucht es Köpfe, Herr. Beamte
Ich laß sie einsammeln in der Taiga.
Clevere Leute mit dem Blick aufs Ganze
Leben und Tod der Sache.

GAU DSU *läuft nach hinten, brüllt:*
                    Bauern.
Ruft die Bauern. Laßt die Bauern kommen!
Lange Stille. Gau Dsu weint.

TSCHU JÜN Hsien, sag meinem Freund, was ihr getrieben habt
diesen Sommer am Han-Fluß.

HSIEN *immer den Blick auf Fan Feh:* Wir haben Leute gesucht für
ein Amt im Staat, Herr.

TSCHU JÜN Erzähl meinem Freund, wer uns grüßen läßt.

HSIEN Euer Onkel, Herr.

TSCHU JÜN Der alte Magier Tschu To, geflohen auf sein Landgut.
Seine letzten Worte, was.

HSIEN Um ein Haar, Herr.

TSCHU JÜN Überschlag dich nicht.

HSIEN Wir drangen in den Landsitz, er war nicht enteignet –

TSCHU JÜN Aus Angst vor den Geistern, mit denen der Alte um-
ging beruflich, der Privatbeamte im halbgöttlichen Haushalt
des Königs, unentwegt die Vorzeichen des Unglücks beobach-
tend aus dem Orakel mit Schafgarbenstengeln. Sie fanden ein

Archiv von Heu, mit dem ganzen Zweck, das göttliche Mandat des Herrschers zu beweisen.

HSIEN Er saß, als wir hineinrannten, auf seinem Stuhl in der Halle und rührte kein Glied –

TSCHU JÜN Weil er beschlossen hatte, durch absolutes Nichtstun zu überdauern, so wie der Weise sagt: das Herz leeren und den Bauch füllen, denn wo man nicht handelt bleibt nichts ungeordnet. Er glaubte wahrhaftig, er sei unverletzlich geworden, indem er sein Ich an den Nagel hing.

HSIEN Und als ihm die Lanze durch das Fleisch fuhr, sah er mit verwunderten Augen zu.

TSCHU JÜN Er ist genesen. Er beschränkte sich darauf, die Luft in bestimmter Weise durch den Körper zu ziehn, so daß ihm der Schmerz gleichgültig wurde, ein vollkommener Landbewohner von Tschin. Er ist bereit zu beweisen, daß das Mandat einem Unwürdigen entzogen wurde, um die kosmische Harmonie zu retten: eine Argumentation, die die Wissenschaft hinter uns bringt wie einen Mann. Wir werden Beamte haben aus bestem Mehl, Herr.

GAU DSU Ersticke an dem Mehl.

TSCHU JÜN
Bruder, für die Sache
Nähre ich mich von minder feinem Stoff.
Willst du von der Luft leben.

GAU DSU Soll ich sie dir nehmen. *Packt ihn.*

FAN FEH *zu Hsien:*
Ich liebe dich, Soldat.

HSIEN *beiseite:*
                          Sagt das nicht, Frau.

FAN FEH
Ich bin wild auf deine Zähne, deine Hand
In meinem Schoß.

HSIEN
                          Sprich nicht weiter, Frau.

FAN FEH
Liebe mich, Hsien.

GAU DSU *läßt Tschu Jün los:*
                          Was tut ihr da, Fan Feh.

HSIEN
Nichts, Herr.

GAU DSU

           Bin ich blind. Sie verführen
Mit dreckigen Sätzen, wie.
Hsien schweigt. Zu Fan Feh:
                  Und du ziehst sie
Wie Sahne ein.

FAN FEH

          Mir ist übel, Gau Dsu
Von seinem Atem der mich anspringt mit
Gemeinem Antrag.

GAU DSU

           Ist das so, Hsien.

HSIEN *bleich:*
  Es ist wohl so, Herr.

GAU DSU *kopflos:*
             Schleppt ihn in das Loch.
Zieht ihm die Haut ab, daß er nackt dasteht
Wie sie ihn sehn will, und die Lüge ihr
Blaß wird auf den Lippen, die sie lügt.
Soldaten, schleppen Hsien und Fan Feh weg.

TSCHU JÜN
  Ein König hätte ihr verziehn, Gau Dsu.
  Du bist von unten, wie. Hört dein Traum auf
  Von Gleichheit vor dem Bett, wo dir der Kamm schwillt.
  Wie soll sie sich befreien von dem Strick
  Den ihr die Furcht dreht, unter deiner Furcht.
  Hast du Ansprüche an die Frau, ihr Stöhnen
  Dein Eigentum Nacht für Nacht, wann
  Erwachst du, Bettler.
  Selber auf die Knie ziehst du sie
  Wie du ein Tier, ich sagt es, siehe oben.
  Gau Dsu würgt ihn. Tschu Jün wirft ihn zuboden.
  Aus solchem Dreck muß ich nen König baun.

7

BEAMTENPRÜFUNG IN HSIEN-YANG

Tschu To und zwei andere Prüfer. Zwei Kandidaten.

ERSTER PRÜFER Die Kandidaten, Herr Tschu To.

TSCHU TO Wohlan denn, wie es im Buche steht. Laßt sie uns zeigen, ob sie würdig sind, dem Volk zu dienen als seine Führer. Nicht mehr die hohe Geburt, die hohe Einsicht in die Große Lehre ist der Ausweis für ein Amt. Das Volk hat dem erblichen Adel den Laufpaß gegeben, der Adel der Vernunft nimmt Platz auf den Stühlen des Staats. Nur wem wohl? den Besten gibt das Volk seine Stimme, sie ihm zu leihn in seiner Sache, dem Großen Frieden, wie er im Buche steht. Sprecht zu der Sache.

ERSTER PRÜFER Der freie Vortrag, Freund.

ERSTER KANDIDAT Der Große Frieden, Hoffnung des Volkes. Der Große Frieden, Brüder –
Tschu To räuspert sich.

ZWEITER PRÜFER Nicht dieser kumpelhafte Ton.

ERSTER KANDIDAT Der Große Frieden ... ist das Wetter der Gleichheit, dessen anhaltendes Licht die Ungerechtigkeit ausbrennt wie Moder. Denn was wäre die Helle des Friedens ohne die Wärme der Gleichheit? Nur ein Betrug unter Brüdern, ein Hindämmern in der Einbildung, Sinken in den Schlamm der alten Strukturen der Unterdrückung. Der Frieden, wenn sein Sinn erblühn soll, ist der Kampf wider alle Ungleichheit der Erde.

ERSTER PRÜFER Wetter der Gleichheit. Nun, es stimmt.

TSCHU TO Etwas originell gesagt. Erfundene Formulierungen.

ERSTER KANDIDAT Ich sagte Wetter der Gleichheit, weil –

TSCHU TO Schlauer als Gau Dsu selber, wie. Das wolln wir doch nicht sein. Sprich klar und wortgetreu.

ERSTER KANDIDAT *gepreßt:* Diesem Zweck der Gleichheit dienen die gleichmachenden Regeln des –

TSCHU TO Vielleicht sollten wir überhaupt mehr den Aspekt des Friedens betonen, zu dem ja die Gleichheit führt. Denn was hat das Primat.

ERSTER KANDIDAT Ja, der Frieden ist die ... Wetterwende –
Zweiter Prüfer lacht.
deren Licht die Gleichheit –

ERSTER PRÜFER Nun?

ERSTER KANDIDAT Zeigt. Denn was wäre die Gleichheit ohne den Frieden? Ein Betrug. Der Frieden, kann man sagen, i s t die Gleichheit. Die Gleichheit ist der Kampf um den Frieden, wenn sie einen Sinn haben soll.

ERSTER PRÜFER So ist die Ausdrucksweise viel besser.

ZWEITER PRÜFER Zwischenfrage: inwiefern sind die Menschen gleich, wenn sie gleich sind? Ja, da steckts.

ERSTER KANDIDAT Ja, der tieferen Einsicht nach sind sie noch nicht' gleich.

ZWEITER PRÜFER Müssen sies denn sein?

Kandidat schweigt.

Es geht nicht um die tiefere Einsicht sondern um die höhere, ha.

Prüfer lachen.

TSCHU TO Hat er schon gesagt, daß der Frieden zum Gesetz wird?

ERSTER PRÜFER Nein, das fehlt.

TSCHU TO Aber das ist das Wesen der Sache.

ERSTER KANDIDAT *mit geschlossenem Mund:* Er wird nicht, er i s t, es ist das Wesen des Friedens, zu sein als reales Gesetz. In diesem Licht –

Zweiter Prüfer lacht.

muß man die Gleichheit sehn. Sie sind nur gleich, insofern sie nicht gleich sind. Das ist genau das, was ich meine.

Man sieht sich an.

TSCHU TO Etwas leise, was.

ERSTER PRÜFER Aber sonst –

TSCHU TO Mit dem Gesetz, da sind noch Schwächen, weiß er das.

Kandidat nickt.

Nunja, als Landmann.

Reicht ihm den Gürtel. Zweiter Prüfer drückt dem Kandidaten den Kopf herab, er verbeugt sich.

Der andre denn.

Zweiter Kandidat spring nach vorn, verharrt auf einem Bein. Erster Prüfer bedeutet ihm zu beginnen.

ZWEITER KANDIDAT *singt:* Die Bedingung des Friedens ist der Frieden. Denn der Frieden ist das Höchste Gut, das nur unter der Bedingung des Friedens gesichert wird, weshalb der Frieden geradezu die Voraussetzung ist, daß Frieden eintritt, denn was wäre ohne ihn? Krieg, also genau das Gegenteil dessen, was Frieden bedeutet, während das Gegenteil des Kriegs und zugleich seine Überwindung der Frieden ist als Garant seiner selbst.

TSCHU TO Als Garant wessen?

ZWEITER KANDIDAT Des Friedens.

TSCHU TO Ah, gut. Richtig, genau.

ERSTER PRÜFER Und sehr schön gesagt.

ZWEITER PRÜFER Einwandfrei.

TSCHU TO Da sehen wir keine Probleme. Aus der Praxis, wie?

ZWEITER KANDIDAT Verwalter der staatlichen Obstgärten, Freunde.

ERSTER PRÜFER Nun drum.

Tschu To reicht ihm den Gürtel, Kandidat verbeugt sich. Kandidaten ab.

ZWEITER PRÜFER *resigniert:* Schlechte Leute. Das ist das Resultat. Die Elite.

TSCHU TO *wütend:*
Was soll ich machen. Der Staat, den Gurt
Weigert nicht, wenn einer spurt.
Hebt die Hände: Armes Tschin.
Hsi Kang.
Wer ist da noch.

ERSTER PRÜFER Das ist der Mann, den Ihr holen ließet.

TSCHU TO Ah, Hsi Kang. Der Enzyklopädist. Der berühmte Lehrer.

HSI KANG *verängstigt:*
Ich komme nicht freiwillig, und ich komme
Um wieder zu gehn.
Will ab.

TSCHU TO
                    Setzt Euch da, Hsi Kang.

HSI KANG
Nicht neben Euch. Ich bins nicht wert, mein Hintern
Neben den Euren, Herr, in den man kriecht.
Seht Ihr: ich bin nicht, wofür man mich hält
Daß er sich einschraubt in den Apparat.
Mir fehln die Windungen in der Natur
Worin Ihr so gewandt seid, Herr. Man sagt

Wer seine Zeit durchschaut kann sie ertragen
Und in der Maske des Gemeinen gehn
Mit dem Strom, das Kreuze innen aber
Intakt. Dazu bin ich zu schwächlich
Mein Gewebe wie Zunder, das brennt
Bei jeder Erregung. Ich sags wies ist
Der Staat hat Sitten und Gebräuche, ich aber
Ein mieser Mensch, hab keine. Schon morgens:
Ich lieb zu schlafen. Mit dem Amt am Hals
Und der Wächter rasselt mich aus dem Traum, undenkbar.
Schweigt.
Entschuldigt, es kostet Überwindung, ich bin
Zu faul schon zum Reden.
Schweigt.
               Oft wasch ich mir
Ein Jahr lang nicht das Haar. Erst wenn das Jucken
Unerträglich wird, nehm ich ein Bad
Widerwillig.
Kratzt sich fortwährend.
       Wie soll ich mich verbeugen
Beim Zeremoniell, wenn es mich hier und da
Striezt wie Krätze. Wenn ich pissen muß
Halt ichs solang zurück, bis sich die Blase
Schmerzhaft spannt, und grad bevor sie platzt
Erledige ichs. Genauso mit den Akten
Wärs, das häuft sich auf dem Tisch, Eingaben
Schaum aus den Registraturen etc.:
Ich fasse das erst gar nicht an, und bums!
Heiß ich respektlos. Oder Beileidsreden.
Kann ich nicht. Das ergrimmt die Leute aufs Blut
Man hat mir schon ein Messer in die Wade
Gestoßen dieserhalb –
zeigt seinen Hintern.
             Auch ekelts mich
Körperlich vor vulgären Menschen
Und als Beamter müßte ich mit ihnen
Kollegial verkehren.
Schüttelt sich fortwährend.
          Und ich lieb zu schweifen
Freien Fußes in der Landschaft, dichtend

Meinen eignen Vers. Keinen Schritt mehr, Mann
Könnte ich tun, ohne daß Bullen hinter mir
Trampeln. Herr, es fehlt mir an Geduld.
Ich bin ein engherziger Mensch, ich nehme
Nicht alles hin. Ich hasse alles Böse
Starrköpfig. Verrückt, wie.
Verwandelt sich in einen räudigen, sich kratzenden, unflätigen,
irr lachenden, furzenden Tölpel. Tschu To steht entsetzt auf.
                              Herr, das Studium
Der Klassiker hat mich dahin gebracht
Allem Zwang zu spotten. Ich kann meine Zunge
Nicht mehr festnageln, jedes Unrecht läßt sie
Flattern vor Empörung. Ich bin verlottert
Wie ein Materialist. Ich habe Flöhe, Herr
Angina, Durchfall. Ich bin ein Sektierer
Und Fäkalist. Ich habe nicht die Gaben
Ehrenwerter Männer zum Regieren
Was andern höchstes Glück ist: aufzusteigen
Zu Würden, läßt mich kalt. So krank bin ich.
Seht her, bin ich zu retten für dies Leben.
Selbst wenn mir gar nichts zustößt auf dem Posten
Ausschluß Verbannung Tod oder Totschweigen
In meine Brust der Zwang stößt wie ein Geier
Daß meine Eingeweide sich auflösen.
Mein eignes Elend brächt mich um sowie
Um den Verstand. Wenn Ihr mich derart haßt
tobt
So müßt Ihr mich befördern. Ah. Uh. Schwein.
Ich bin soweit. Zu Euern Diensten, Herr.
TSCHU TO Entfernt den Menschen.
  Prüfer drängen Hsi Kang hinaus.
Haltet den Mann im Auge. Folgt mir zu meinem Neffen Tschu
Jün. Er studiert das Ritual ein für die Krönung des Kaisers.

8

AUFSCHWUNG DER LANDWIRTSCHAFT. DIE STUFEN VON TSCHIN

*Terrassenfeld. Wang und eine Bäuerin treten ein Wasserschöpfrad.
Über ihnen ein Aufseher: der Truppführer aus 6. Auf den Stufen
krumme Rücken sichtbar.*

BÄUERIN
Ein Wunder. Das Wasser läuft bergauf. Es schwillt.

WANG
Wie meine Beine. Das linke und das rechte.
Sie fallen mir vom Leib ab. Kein Wunder.

BÄUERIN
Ein Sieg der Technik. Und das Land steht naß
Bis an den Halm.

WANG
                Ich bin naß bis aufs Hemd.
Halt an.

BÄUERIN
            Tritt zu, Mensch. Der Kanal muß voll sein.

WANG
Ich hab den Kanal voll.
Fällt vom Rad.
                  Meine Eingeweide
Sind zerrissen.

BÄUERIN
          Laß es dir nicht merken.
Sonst darfst du nicht mehr mittun bei der Großen
Arbeit, Freund.
Tritt mühsam allein.

WANG
          Da wär ich aber traurig.

BÄUERIN
Was sagst du.

WANG
        Ich wäre traurig, sag ich.

BÄUERIN
                  Eben.

WANG *setzt sich:* Tritt zu, wenn du schon redest, ich setze mich, um dir mit einem Satz zu antworten, wie sichs gehört. Da denke ich und denke ich, um davon zu leben, und denk mir nichts dabei! O Irrtum, ausgedachter Irrtum. Die einen mit dem Geist, die anderen mit den Händen – *stöhnt* den Füßen, den Füßen, und wenn sie schmerzen? Dann denk ich gleich anders. Tritt zu, der Aufpasser sieht auf uns herab als auf einen faulen Apfel, es paßt ihm nicht, wenn du nichts tust, warum, sonst hat keinen Sinn, daß er nichts tut. Wie kommt der Mensch dazu? Über uns zu stehn mit dem starren Aug eines Ausbeuters, und wo nicht mehr auf den Rücken, auf das Bewußtsein zu schlagen mit ledernen Sätzen. Der Boden ist verteilt, und das Wasser wird verteilt, und das ist die neue Zeit, die angebrochen ist über Tschin, und keine Haare mehr an den Waden und keinen Flaum auf den Schenkeln.

Aufseher schnalzt.

Ich hab den Satz gleich. Tritt zu, tritt zu, er lächelt schon, ein aufmöbelndes Zitat auf der Lippe. Welch edle Fähigkeit hat er: zu herrschen, als unsere: zu dienen? Es heißt, der Himmel hat das Volk gefügt aus Oben und Unten. Soll das heißen, der blaue Azur hat große Reden geschwungen und solcher Absicht Ausdruck verliehen? Ich sag dir, es gab eine Zeit, da hing der Himmel unten und die Erde oben, und es ging. Die Berge waren Löcher und die Flüsse ragten auf: wie wir es jetzt versuchen. Die Erde drehte sich, und die sechs Himmelsrichtungen wechselten, ein Palast ein Stall, ein Dreck morgen. Die Zeit reißt dir das Land unter den Knien weg, in deiner Haut haben Millionen gesteckt und du wirst sie nicht behalten, du ziehst sie aus im Grab, aber besser gleich.

Bäuerin kommt aus dem Tritt.

Tritt zu, mein Satz ist schon zu Ende, wir haben den Boden verteilt und müßten die Arbeit verteilen, daß sie Hand und Fuß hat zugleich, wie der Mensch. So wird ein Schuh daraus, für meine wunden Füße, und dir wachsen Muskeln im Kopf, daß dir die Zunge fliegt.

BÄUERIN *steigt vom Rad:* Ich bin entrüstet. Ich weigere mich zu arbeiten mit einem Bauern, der so denkt über die neue Zeit, die mir Erde gibt und Wasser. *Ruft:* Aufseher.

Wang federt hoch. Die Rücken richten sich auf.

AUFSEHER Er hat keine Lust, wie.

BÄUERIN Schlimmer. Er macht sich lustig.

AUFSEHER Dann wird es ernst. *Nimmt eine Tontafel.* Ich muß dir
wohl etwas vorlesen, Freund.
Die Rücken wieder krumm. Zieht Wang das Tuch vom Kopf.
Mach deinen Schädel frei, damit es reingeht.

WANG Ich kenn die Texte. Ich hab sie mit verfaßt.

AUFSEHER Du, das. *Lacht laut.* Du gehörst zum Volk.

WANG So eingestuft, ja. Auch ein Irrtum. Wie viele Irrtümer
braucht ein System, bis es steht.

BÄUERIN Seht Ihr, er hat keinen Schimmer von der Größe des
historischen Siegs und der Hirse, die er abwirft, Herr.
*Die Rücken richten sich auf. Wang klimmt die Stufe zum Auf-
seher hinauf, stellt sich hinter ihn. Der läßt es verblüfft zu.*

WANG Beugt euch.
Die Rücken wieder krumm.
Schaut auf.
Richten sich wieder auf.
Seht ihr die Stufen hier. Das ist das Übel.

AUFSEHER
Wieso sind sie ein Übel, wenn der Acker
So mehr trägt. Durch die Abstufung.

BÄUERIN
                                    Und wie
Der Acker braucht sie Mensch und Vieh.

WANG
Die Menschheit ist kein Acker, denn wer pflügt sie
Sie selber sich; kann das ein Acker, nein.

BÄUERIN
Der Acker aber, Mensch, die Stufen braucht er.
Die Stufen Wasser, und das Wasser Füße
Die es treten, s ist ein Zwang, und Zwang
Braucht Leitung. Da kannst du gleich die Welt umräumen.

WANG Ja.
Aufseher lacht.
Ich sehe alles ein. Ich lebe gern.
Arbeite esse rede. Aber was
Ist das woran mein Kopf stößt und ich steh
Betäubt. Und mir den Atem wegnimmt wenn ich
Bloß gehe. Schritt vor Schritt
Um nicht zu stolpern falln den Hals zu brechen

Hinab oder hinauf, die Knochen schneller
Als der Verstand, oder viel verstehend
Hocke ich da, lachend über die Gangart
Der Mitbürger auf demselben Terrain
Das sie trickreich bewohnen. Was zum Teufel
Kratzt mich unter den Sohlen auf dem Marsch
Ins Morgen. Gestern wußt ichs aber heute
Muß ichs lernen. Stufen. Der Abgrund
Ist zugeworfen mit dem Dreck der Kriege
Der Himmel eingerollt, die falsche Fahne.
Aber der Boden, eigen schon und fremd noch
Ist abgestuft wie eine Himmelsleiter
Oder Kellertreppe, Mensch und Mensch
Einen Kopf kürzer oder länger, wie sein Amt ihn
Hebt oder staucht. Sein Amt ist seine Arbeit
Die eine reißt den Plan auf das Papier
Die andre frißts und macht sich keinen Kopf drum:
Die eine hat ihn. Kopf Hand Schwanz
Hängend wie fremdes Fleisch, Gliederpuppen
Zerrissen von dem Zwang, nur eins zu tun
Zu sagen oder machen, Chef und Kuli
Zählebend. Ich sag nichts gegen Buckel
Schiefohren oder Zungen, die wachsen
Auf dem gestuften Mist. Mich läßt das Grinsen
Der Unterdrückung kalt: das seh ich ein
Wie gesagt, ich lebe gern.
Rede esse arbeite diese Arbeit
Die sich zerreißt bis wir sie ausreißen
Ein Jahrtausend für den Job, die Grenzen
Die sich nachziehn seit Olims Zeiten
In den Staat, gekränkt der ganz von Stufung
Die Seuche, an der unsre Macht krankt und
Sie zum Gespenst macht das auf Mauern geht.
Das ist viel, doch alles.

AUFSEHER
                        Habt ihr es begriffen.
Es ist doch logisch. Er ist arbeitsscheu.
   Bauern lachen.
WANG Das ist gar nicht die Frage.

AUFSEHER
  Die Frage ist: willst du oder nicht.
WANG
  Ich will, daß ihr es wißt.
AUFSEHER
                    Also nicht.
  Pfeift. Zweiter Aufseher. Einige Rücken krümmen sich.
  Er ist eingestuft als Volk und will nicht auf die Tretmühle.
ZWEITER AUFSEHER Nunu.
ERSTER AUFSEHER Aber wer sich zu einer andern Berufsgruppe
  schleicht, um so der Arbeitspflicht der eignen zu entgehn, dem
  folgt das Gesetz auf dem Fuß.
ZWEITER AUFSEHER Uh.
WANG Das ist nicht das Problem.
ZWEITER AUFSEHER Nunu.
ERSTER AUFSEHER Es fehlt ihm an Bewußtsein.
ZWEITER AUFSEHER Uh.
  Schleppt Wang rasant weg. Alle Rücken krümmen sich. Bäuerin
  aufs Rad, Erster Aufseher steigt mit auf.
ERSTER AUFSEHER Na, heidi. Mal die Füße vertreten.

9

DIE GESCHICHTE VON HSIEN UND FAN FEH.
DIE GESCHICHTE VOM KÖNIG HU HAI

9.1

Bewaffnete Bauern, Hsien, marschieren.

HSIEN
  Liegt da die Stadt.
ERSTER BAUER
                    Die Stadt.
HSIEN
                              So gehn wir da.
  Biegt ab. Bauern folgen.
ZWEITER BAUER
  Kein Hauen, Soldat.

Hsien wirft sich auf den Boden. Bauern tuns nach. Hsien steht auf.

HSIEN

Kein Hauen.

DRITTER BAUER

Wie lang das

Marschieren.

HSIEN

Ein Jahrhundert, zwei.

BAUERN *lachen:*

Zwei.

VIERTER BAUER

Willst du uns foppen, Hsien.
Packt ihn, läßt ihn los. Marschieren.

FÜNFTER BAUER

Der Tag wie Blut.

ZWEITER BAUER

Gut Wetter für den Aufstand.
Hsien stürzt sich in ein Lehmloch, kommt besudelt heraus. Bauern tuns nach. Hsien lacht laut.

HSIEN

Wollt ihr siegen
Und nichts selber wissen. Lauft ihr wie Teufel
Auf den Bratrost. Nur nicht denken, wie.
Was für ein Sieg mit euch Strohköpfen, hä.
Lauft auf das Feld und laßt euch weiter schinden
Ein Jahrtausend.

BAUERN *zerknirscht:*

Zwei.

Marschieren. Fan Feh, auf Knien.

ERSTER BAUER

Die Frau wieder.

HSIEN

Jagt sie weg.

BAUERN

Wie. Sie krallt sich in den Lehm.

Drei Nächte.

HSIEN

Schlagt sie tot.
Bauern rühren sich nicht. Hsien peitscht Fan Feh.

FAN FEH

Ja.

BAUERN

Sie sagt was.

Sie bleibt liegen.
Marschieren. Stoßen wieder auf Fan Feh.

Die Frau, Soldat.

HSIEN

Marschiert.

Bauern ab. Fan Feh umklammert seine Füße.
Bin ich nicht tot. Liebst du Gespenster, Frau.
Hab ich noch Haut. Willst du mein Blut lecken.
Peitscht besinnungslos. Hält inne.
Läufst du nicht. Liebst du nicht deine Haut
Zu retten, wie.
Peitscht sie.

FAN FEH

Schlag, Hsien, dann gehst du nicht.

HSIEN

Bin ich entkommen, um dir zu verfalln
Der dich haßt.

FAN FEH

Ja. Schlag den Haß
In meine Haut. Spei ihn in mein Gesicht.
Lächelt.
Sieh, wie er sich verwandelt.

HSIEN

Ein Tiergesicht.

Fresse einer Hündin. Fraß für Hunde.
Verrecke mit den Hunden.

FAN FEH

Ja. Red weiter.

Dann bist du da.
Hsien hebt sie verwirrt auf. Herausfordernd:

Was machst du, Hsien, bin ich
Ein Mensch.
Will sich ducken. Er hält sie.

HSIEN

Frau.

FAN FEH
                    Von diesem Augenblick an.
Hält Hsien im Blick. Er starrt sie an.
HSIEN
  Bist du toll.
FAN FEH
              Ich glaub es. Weil ich zu mir
  Komme.
HSIEN
        Wie.
FAN FEH
            Siehst du es.
Hsien lächelt überwältigt. Fan Feh schluchzt erschöpft.
HSIEN
                    Weine nicht
  In dein neues Gesicht. Mit deinen Händen
  Wirst dus nicht sehen, aber mit meinen.
  Hält ihr Gesicht.
  Kannst du das aufbehalten, lachend, so.
FAN FEH
  Ich versuch es, Hsien.
HSIEN *hingerissen von ihr:*
                    Das ist zu wenig.
  Du mußt es weil ichs weiß, ich weiß was du mußt
  Weil alles anfangen kann und nichts bleibt
  Was uns das Blut ins Fleisch treibt oder aus ihm:
  Ich hab es überlebt. Zieh dich aus!
  Den Gehorsam, der das Glück war, ein-
  Gebleut dem Kind und angewöhnt den Massen.
  Wie groß muß die Gewalt sein, bis wir sie sprengen ein Jahr oder
  zehn, um sie zu vergessen und sie wieder zu lernen aus den
  Fehlern, die wir machen bei ihrer Abschaffung. Die Unterdrük-
  kung hat mehr Leben als die Katze, ein Schlag genügt nicht und
  der nächste nicht, du mußt ihr die Erde an den Hals binden und
  sie ersaufen machen in dem Meer aus Haß.
  Warum stöhnen wir, wenn der Druck nachläßt
  Den wir litten. Bist du blaß und ich
  Wenn uns das Unglück umschlägt in ein Glück.
  Schmerzt es, die Glieder zu strecken, mehr
  Als sie zu ducken. Dieser Zeit Stoff

Liegt roh auf dem Boden. Schreiend
Nach dem Werkzeug, das ihn schlägt ätzt formt
Nach unserm Maß, das wir nicht kennen.
Eine Arbeit, die uns verbraucht alle
Blutig oder nicht. Weißt du den Weg
Den ich wähle.
Beide den Bauern nach.

9.2

Hu Hai, sehr dünn, frißt Gras. Königin, mit dickem Bauch.

KÖNIGIN Ist das der König? Ja. Natürlich. Hier.
HU HAI Wo kommst du her.
KÖNIGIN Das seht Ihr doch.
HU HAI Ein Soldat, wie.
KÖNIGIN *lacht nervös:* Ein Soldat. Es wimmelt davon.
HU HAI Das ist allerhand.
KÖNIGIN Das kann man sagen. Wie seht Ihr aus, Hu Hai.
HU HAI Gras macht nicht fett, wenn du das meinst. Ich hab mirs
  auch schöner vorgestellt in der Natur.
KÖNIGIN Schlamm und Wolken. *Lacht nervös, schließt die Augen.* Man muß sich umstelln.
HU HAI *gereizt:* Umlegen. Wind und Kies. Ich bin auf dem Wahren Weg vermutlich. Meine Knie schimmeln.
KÖNIGIN *wirft sich über ihn:* König, tragt bei zu meinem Kind.
HU HAI Fort, fort, hemme mich nicht bei der Auflösung.
KÖNIGIN Werdet Ihr unsterblich, Herr.
HU HAI Das entscheidet sich dieser Tage. Mein Kopf ist schon
  ausgeblasen wie ein Ei.
KÖNIGIN *lacht nervös:* Soldaten.
  Soldaten, der Eunuch. Königin lehnt sich zurück.
HU HAI Ich bin nicht fertig mit mir. Bin ich eine Ratte. *Wühlt sich
  unter die Erde.*
EUNUCH Frau, werft Euer Becken nicht so in den Wind. *Deutet
  auf die Soldaten:* Die einfache Natur, die die Scham kennt, wird
  Euch zerfledern bis zum Steiß. – Pardon, die Königin.
ERSTER SOLDAT Wo ist der König.
KÖNIGIN Gehört Ihr zu seinen Eunuchen.

EUNUCH Seht Ihr nicht, daß ich Euerm Fleisch standhalt ohne sinnlosen Aufwand an Moral, Madame.

KÖNIGIN Gewiß, Ihr haltet Euch.

ZWEITER SOLDAT Ein Toter, Herr.

HU HAI So gut wie. Laßt mir eine kurze Spanne, Herrn. Ich hänge nur noch in der lauen Luft, an den Fäden der Dinge. Ich löse mich von selbst. Ich atme nur noch gelegentlich, wenn ich die Kraft brauche, dies zuendezubringen.

EUNUCH Der König!

SOLDATEN Heil dem König.

HU HAI Was will das. Bin ich schon von Sinnen.

EUNUCH Hoheit, Eurer Armee Rest bittet, Euch folgen zu dürfen in die Schlacht für den Thron.

HU HAI Ich entsinne mich. Der Speichel des Kronrats. Hund, willst du einen König.

EUNUCH Wir brauchen Euch, Euer Gnaden, als ein Banner.
Soldaten heben Hu Hai auf.
Bringt ihn ins Zelt.

HU HAI Mit Gott, Ihr Herrn. Ich hab einmal genug. *Rennt mit Wucht den Kopf gegen einen Baum.*

DRITTER SOLDAT Er ist tot, na.

EUNUCH Helft der Königin.

10

KRÖNUNG DES BAUERN GAU DSU ZUM KAISER VON TSCHIN

10.1

Gau Dsu sitzt vorn an der Rampe, zusammengesunken. Su Su, Jing Jing, Meh Meh beginnen, ihm die kaiserlichen Kleider anzulegen. Tschu Jün, betrunken. Personal installiert den neuen Thron. Arbeitslicht.

PERSONAL *laut:*
Nach links, Mann. Weiter. So. Und höher rauf.
Ganz hoch. Na also. Festkeilen. Macht kein Mist.
Schon mal was von Arbeitsschutz gehört.

Wer soll denn da sitzen, Mensch. Jetzt isser fest.
Der hält hundert Jahre. Wenn nich der Wurm drin is.
Pfoten weg. Sieht gut aus, wa. Für das Geld
Kannste den Saal bestuhlen. Unser Geld.
Räumt auf.

SU SU *dazwischen:*
Das Hemd könnt Ihr nicht anbehalten, Herr.
Ziehn es aus. Dreck fällt aus den Taschen.

GAU DSU
Erde.
Hält das Hemd an sich gedrückt.
      Das bleibt hier. Meins.

TSCHU JÜN
                 Mach hin, Freund.
Blick nicht mit so unwesentlichem Gesicht
Auf ein historisches Datum. Deine eine
Frau holst du nicht mit gerungenen Händen
An deine Knie wieder. Komm zu deiner
Substanz.

GAU DSU
        Laß sie aufspüren im Reich
Tschu Jün. Ich brauch sie.
Fällt vornüber.

TSCHU JÜN
               Diese Auffassung
Von Tragik stammt aus einer alten Ästhetik.
Liest du dein Schicksal nur aus deinem Dreck.
Von deinen Eingeweiden strahlt dein Stern nicht.
Was ist noch Schicksal, wo Geschichte ist.
Exzeß:
Gleiches Recht, Junge, fordert einen
Gröbern Blick aufs Leben. Auf den Trümmern
Des alten Glücks das neue, eins das andre
Hindert wie Lehm das Gehn. Alles private
Eigentum an Schmerz frißt das gleiche
Gesetz, das keine andre Macht als sich kennt.
Jedem die Türe auf in Grund und Abgrund.
Nur Verdienst zählt noch und nur Versagen.
Strafe und Lohn die Zangen, die aus uns
Die Kraft zerrn, unerbittlicher

Als Lust. Bis das Gesetz wie ein Reflex
Im Fleisch der Ordnung spielt und wütet
Mit Eigensinn einer Naturgewalt
Alles hinwegsengend was ihm entgegen
Lebt. Zuletzt in der von ihm durchtränkten
Welt selber überflüssig wie ein Thron
Gerümpel, Schrott. Sei das Gesetz, Gau Dsu.

Gau Dsu, angekleidet, bleibt apathisch sitzen. Tschu Jün gibt ein
Zeichen. Tschu To, zwanzig Beamte. Sie stemmen den unwilli-
gen Gau Dsu Stufe für Stufe hinauf. Tschu Jün lacht. Oben
verharrt Gau Dsu hilflos und komisch.

EIN BEAMTER Hoheit, die Kappe.

Setzt sie ihm auf. Beamte unten formieren sich zum großen Ze-
remoniell.

TSCHU TO Euer Gnaden, diese zweihundert hohen Beamten
möchten Euch mit dieser Kundgebung begrüßen als den Kaiser
von Tschin.

Licht. Verbeugungen.

GAU DSU *verwandelt:*
Die Macht ist schön.

Läßt das Bauernhemd fallen. Kräftig:
                    Mein Kanzler Tschu Jün
Holt mir den Philosophen Wang herein.

TSCHU JÜN *verneigt sich:* Jawohl, Herr.

Wang wird in einem Käfig am Halsbrett hängend hereingetra-
gen.

GAU DSU Guten Tag.

Wang stöhnt.

Herr Wang, ich muß Euch sagen, wer Ihr seid. Wir haben hier
eben eine Zeremonie erlebt, wie sie großartiger in Tschin noch
nicht gesehen wurde. Ich muß sagen, ich bin gerührt. Ihr sagt:
die Rituale seien ein verlogenes System der Ungleichheit. Nein,
redet nicht, es wird Euch schwerfallen, mir zu entgegnen. Ja,
man muß die Gleichheit im Auge behalten, aber die Verschie-
denheit kennen. Denn ließe man das Volk handeln nach Lust
und Laune, ohne ihm eine Grenze zu setzen, so würde es in
seinem Sinn verwirrt und könnte sich überhaupt nicht mehr
freuen. Das Ritual ist keine Taktik, es ist die heilige Wahrheit
der Klassiker.

Wang stöhnt.

Er will mich nicht reden lassen. Ihr sagt: es sei leicht zu wissen aber schwer zu handeln. Nein, nicht das Handeln ist schwer, das Wissen ist schwer – im Handeln eben muß es gefunden werden. Aber es gibt Leute, die das Neue nur wollen, wenn es hundertmal besser ist als das Alte. Herr Wang: sollen wir das Neue nicht benutzen, Voraussetzungen zu schaffen, daß es hundertmal besser wird?

Wang stöhnt.

Eure Reden – aber Ihr schweigt ja schon – sind eine unverantwortliche Ausdeutung der klassischen Bücher, eine verbotene Privatkommunikation mit den Geistern, ein unbeherrschter, anmaßender Aberglaube. Im Gewande eines Mannes aus dem Volk, das die Kanäle baut, seid Ihr ein Verräter.

Wang reckt die Hand aus dem Käfig.

Was meint er?

TSCHU JÜN Er meint, daß Ihr auf Euer Hemd tretet, Herr, das Hemd des Bauern.

GAU DSU *trampelt verwirrt auf dem Hemd, reißt es unter den Füßen vor:* Stopft ihm das Maul damit. Wang, hier, unter Unsern Füßen, sollt Ihr begraben sein.

Beamte ziehn Wang aus dem Käfig, stoßen ihm das Hemd in den Mund. Andere schaufeln eine Grube, werfen Wang hinein, schaufeln ihn zu. Gau Dsu setzt sich auf den Thron. Wang lacht unter der Erde. Die Beamten treten die Erde fest. Das Lachen dröhnt. Su Su, Jing Jing, Meh Meh zum Thron hinauf. Gau Dsu greift in ihre Brüste.

Zugleich mit heutigem Datum öffnen Wir
Die Blumenhöfe. Als eine schöne
Tradition den angespannten Dienern
Unserer Macht zugänglich nach Verdienst.

*Bau Mu und ihre Mädchen schlagen von innen die Fenster des
»Blumenhofs« auf. Jubel der Beamten.*

MEH MEH

DubisteingroßerMann deinKörperlangt
Dirnichtfürdichwillstduinmeinemsein

BAU MU *aus der Tür:*

Ein göttlicher Beschluß und weise, Hoheit.
Sie werden schindern wie die Kümmeltürken
Den Punkt vor Augen, den sie erfüllen wolln
Mit ihrer Kraft.

MEH MEH

OlaßmichdeinenSpeer
ZurWolkeschleudernbismeinRegenfällt

GAU DSU Wir erlauben Euch zu gehn.

Ausmarsch der Beamten. Einige hechten in die Fenster des »Blumenhofs«.

TSCHU JÜN

Ist es wahr

Und ich betrunken und alles läuft
Nach äußerstem Kampf, der es blutig reißt
Mit wundem Hirn in die neue
Ordnung. Der so maßlose Wille
Hängend im Teer der Tatbestände, menschlichen
Gangs, immer auf den Horizont zu weg-
Schwimmender Zukunft.

Wangs Lachen dröhnt.

Weil der Betrunkene wahr spricht.

10.2

Gau Dsu, allein, schläft im Thron. Vier Geistersoldaten tragen ihn mit dem Thron behende die Stufen herab.

GAU DSU Wohin!

Bezirksgott.

ERSTER GEISTERSOLDAT Der Bezirksgott.

BEZIRKSGOTT Gau Dsu, glaubst du an den Geist der Revolution?

GAU DSU Ja, mein Gott, ich glaube noch an ihn.

BEZIRKSGOTT Dann kann ich dir diese Szene nicht ersparen.

ZWEITER GEISTERSOLDAT Avanti.

Tragen Gau Dsu weiter, gefolgt vom Bezirksgott. Geist, zwanzig Geistersoldaten.

GEISTERSOLDATEN *murmeln:* Der Abtrünnige kommt.

BEZIRKSGOTT Großer Geist, ich bringe dir Gau Dsu.

Geist schweigt. Geistersoldaten ziehn Gau Dsu vom Thron. Er steht strampelnd in der Luft.

GEIST Ich irre mich immer wieder. Ich hoffte, daß du dem Glück gewachsen wärst, Gau Dsu. Gau Dsu, du hast die Erde nicht mehr an den Füßen.

*Geistersoldaten legen Gau Dsu über den Thron, prügeln ihn mit
großen Keulen.*

GAU DSU *panisch:* Geist warum quälst du mich habe ich dir. Nicht
einen großen Dienst erwiesen habe ich. Nicht gekämpft hat sich
das Leben von Millionen. Nicht verändert
Geist schweigt.
Was soll ich tun Geist

GEIST *bedeutet den Geistersoldaten einzuhalten:* Ich wollte dich
töten lassen. Wieder ein Fehler. Ich irre mich zu oft. Die Eunuchen würden die Macht wieder an sich reißen. *Steht ratlos.*
Hysterisch: Du hast unsre Sache verraten. Hau ab, dawai.

DRITTER GEISTERSOLDAT Sollen wir ihm das Schwert lassen,
Großer Geist?
Geist überlegt. Gau Dsu umklammert sein Schwert.

GEIST Nur bis zur nächsten Neuen Zeit.

GAU DSU Ich danke dir, Geist. Ich werde arbeiten, bis ich um-
falle.
Vier Geistersoldaten tragen ihn mit dem Thron zurück.

BEZIRKSGOTT *zum Geist:* Ich kenne die Gegend, Genosse. Frage
der Produktionsweise. Die Massen im Clinch der Arbeit, ausgeschlossen von der gesellschaftlichen Synthesis. Tretmühlen-
kultur. Wir schreiben das Jahr 202 vor dem Messias. Die
Theorie geht auf Krücken. Nicht die Nerven verlieren, Genosse. Bewege dich an die Basis, Salut.

GEIST Bin ich versumpft, meingott. *Vernichtet sich.*

BEZIRKSGOTT Wo ist er?
Geistersoldaten sehen sich an.

VIERTER GEISTERSOLDAT Er lernt wieder einmal.

11

DIE NEUE ZEIT. ENDE DES KAMPFS ZWISCHEN
GAU DSU UND TSCHU JÜN

*Gau Dsu auf dem Thron. Su Su, Jing Jing, Meh Meh kraulen ihn.
Unten Tschu Jün, zwei Zensoren: die Kandidaten aus 7.*

TSCHU JÜN
Zensoren, vor ich mit dem Kaiser handel

Über unaufschiebbare Dinge als wie Zukunft
Versorgt ihn mit der Wahrheit und brutal
Über den Staat.
ZENSOREN

        Jawohl, Herr.
TSCHU JÜN

              Und brutal.

  Ab.
ERSTER ZENSOR
Hoheit, Eure des Lebens Tschins Zensoren
ZWEITER ZENSOR
Berufen, seines Großen Glanzes kleine
Mängel und Schwächen aufzudecken
ERSTER ZENSOR
Intern, versteht sich
ZWEITER ZENSOR

          mit dem Blick nach vorn
ERSTER ZENSOR
Nach oben
GAU DSU

     Was.
ZWEITER ZENSOR

      Die Bauern, Hoheit. Oder
Auch Landbewohner, sozusagen Volk
GAU DSU
Was ist mit Bauern.
ERSTER ZENSOR

        Nichts. Obwohl gewisse
Erscheinungen
ZWEITER ZENSOR

     untypische Vorfälle
ERSTER ZENSOR
Dem Wesen fremd, also befremdlich, un-
Geregelte Ausbrüche
GAU DSU

      Ausbrüche?
ERSTER ZENSOR
Plumpen Volkszorns
ZWEITER ZENSOR

     besser: zorniger Plumpheit

ERSTER ZENSOR
    Dumpfheit Dummheit, unter Bauern üblich
GAU DSU *lacht:*
    Verstehe.
ERSTER ZENSOR
                hindeuten auf gefährliche
ZWEITER ZENSOR
    Mehr oder weniger
ERSTER ZENSOR
                        Versäumnisse
ZWEITER ZENSOR
    O verständlich
ERSTER ZENSOR
                vielmehr Unachtsamkeit
ZWEITER ZENSOR
    Sagen wir: Siebensamkeit
ERSTER ZENSOR
                        der Behörden.
    Die Lage ist fest im Griff.
GAU DSU *stößt die Frauen weg:*
                        Was soll das heißen.
    Gibt es Unruhen.
ZWEITER ZENSOR
                Herr, der Mensch, unruhig
    Liegt er im Mutterleib, und an der Brust
    Im Bette erst, und vollends im Beruf:
    Die Unruhe selber, und der Tote noch
    Im Grab findet nicht Ruh, infern er lebte.
GAU DSU
    Ein Aufstand also. Jetzt präzis die Gründe.
ERSTER ZENSOR
    Ja, Steuern, Zwangsarbeit, Verarmung, klar.
GAU DSU *steht auf:*
    Moment.
ERSTER ZENSOR
                Herr, wie Ihr wollt. Der Grund im Grunde
    Ist die Befindlichkeit der Weiterungen
    Des allgemein bekannten Großen Glanzes
    Der das Land hell macht, aber hell und dunkel

ZWEITER ZENSOR
  Sowie dunkel und hell
ERSTER ZENSOR
                        die Seiten, Herr
ZWEITER ZENSOR
  Der Fortschritt. Die Zufriedenheit sowie
  Die Unzufriedenheit, weil es vorangeht
ERSTER ZENSOR
  Mit beidem. Das Land naß, die Kehle trocken.
  Lacht.
ZWEITER ZENSOR
  Die Schraube an der Mutter.
  Lacht.
ERSTER ZENSOR
                        Leerer Sack.
  Lachen beide.
GAU DSU *tiefernst:*
  Die Bauern, sagt ihr da, sind nicht zufrieden.
ERSTER ZENSOR
  Sowie nicht unzufrieden
ZWEITER ZENSOR
                        unwirsch, Hoheit.
GAU DSU *zu den Frauen, scharf:*
  Laßt mich allein.
  Frauen ab.
                  Obwohl das Land verteilt ist
  Zu gleichen Teilen.
ERSTER ZENSOR
                  Ist, und war
ZWEITER ZENSOR
                        und bleibt
  Und nicht bleibt während es bleibt
GAU DSU
                        Halt. Halt.
  Eilt die Stufen herab, schlägt mit der flachen Hand gegen die
  Stirnen der Zensoren.
  Zensiert ihr eure Zungen. Ist der Posten
  Ne Zumutung für einen Angestellten
  Indem er treu ist. Wahrheit reden müssen
  Vorm vorgesetzten Kaiser. Streicht den Posten

Er ist unmenschlich.
Zensoren gebückt ab. Tschu Jün.

Tschu Jün, altes Orakel
Mit dem Gesicht wie die Schale der Schildkröte.

TSCHU JÜN

Zusammenfassend, Herr: die Bauern toben.
Der Adel sammelt Spieße. Vor den Mauern
Die Hunnen.

GAU DSU *bleich:*

Drei Feinde auf einmal.

TSCHU JÜN

Die Bauern
Auch, Herr? Nennt sie nicht so.

GAU DSU *steigt, sich auf Tschu Jün stützend und ihn mitziehend,
zum Thron hinauf:*

Wie denn, Tschu Jün.

TSCHU JÜN *setzt sich auf den Thron:*

Sie sind nicht uns, wir sind ihnen feind, Gau Dsu.

GAU DSU

Weißt du, was du da sagst.

TSCHU JÜN

Nicht ganz, Herr. Herr
Laßt die Kaufleute singen ihr Gesuch.

GAU DSU

Was Kaufleute. Wir reden hier von Bauern.
Tschu Jün pfeift. Drei Kaufleute.

TSCHU JÜN

Das sind Kaufleute, drei, soviel ich seh.
Uns sehr verbunden, wie man Schuldnern ist.
Verwirrt sie nicht, als wär jetzt Bauer jeder
Der Euch vor den Thron kommt. Liebe Leute
Tragt unserm ungeübten Kaiser die
Materie sachte vor.

GAU DSU

Kein Wort davon.
Die Wassermühlen, wie. Das Eisengießen.
Die Industrie im Acker. Soll der Bauer
Noch einen Presser mehr bezahlen jetzt.
Eher, ich weiß es, steht er im Wasser
Das er tritt, bis zum Hals. Was treibt euch

Das Wasser so zu treiben ohne Beine.
Die Herrn wollen verdienen, geh ich richtig.
Sie schießen uns den Kies vor, weil wir blank sind
Und wollen wieder Kies ziehn aus dem Eisen
Zu selbem Wucher. Wie bei den Barbaren.
Der Kaiser schwitzt sichs aus den Rippen, wie.
Aber er ist ein Bauer, und der Bauer
Weiß: das lebt von seinem Schweiß. So schwitzend
Wie ein Vieh und unnatürlich denkend
Fällt Uns ein Trick ein, der euch jetzt hereinlegt
Und euch das Wasser von der Mühle nimmt.
Nämlich das Eisen wird ein Ding, dem Staat
Gehörig wie die gleich ihm harte Macht.
Ein Monopol, Freunde, ihr seid enteignet
Von einem Bauern. Geht aus Unserm Aug.
Lacht laut. Tschu Jün lacht mit.

TSCHU JÜN

Bleibt. So wird der hochverehrte Bauer
In seinem Lehm stecken bis er schwarz wird
In alter Geschichte. Herr, Ihr seht nicht durch.
Unsere Macht, Herr, hält sie, heißt sie Stillstand.
Die Wendung, mir beliebt, ist Euch unfaßlich
Ich sehs Euch an. Herr, laßt die Bauern fallen
Ihr könnt ihnen nicht helfen in der Haut
Eh sie sich durchwetzt, und sei es mit Schinden.

GAU DSU

Mein Thron.

TSCHU JÜN

          Schon wieder mein. Und meine Dummheit
Daß du ihn hast mit deiner Dummheit, Junge.
Gau Dsu reißt ihn vom Thron.
Gut, stehn wir beide, bis das ausgefochten
Ist, was uns trennt seit wir uns an die Hälse
Greifen.

GAU DSU

        Willst du Uns was erzählen, Knecht.
Wir geben dir das Wort zu einer Rede.

TSCHU JÜN

Als Alexander der Grieche, schleifend
Sein Heer über die Schwelle Asiens

In Gordion stand, altem Fleck in Phrygien
Brachte man in sein Zelt ein verwickeltes Seil
Verknotet vor Urzeiten, mit Worten:
Wer es löst wird siegen. Die Phrygier
Vor sie sich hängen ließen, schoben einen
Toten König vor als Urheber
Namens Gordias, vermutlich in der Panik
Erfunden. Alexander, blaß
Bis unter den Helm, sah das Ding unlösbar.
Am andern Morgen mit dem Schwert zerhieb er
Den Knoten und gelangte nach Indien.
So der Barbar. Dem König Yüan von Sung
Im Haushalt tätig, fettleibig, schenkte
Ein Mann aus Lu ein ähnliches Gewirre
Ohne Anlaß. Der König gab Befehl
Man möge nun, das Ding zu lösen, kommen.
Wie anzunehmen aus unsrer Verknotung
Dieser Storys, kam man nicht zurande.
Einer der vielen Redner, Schüler wieder
Des Redners Erh Shuo, knüpfte, halb blind schon
Das halbe Knäuel auf, erklärend jetzt
Mit seligem Grinsen dem atemlosen Yüan
Daß er die Lösung habe. Nämlich die
Lösung sei: der Knoten sei unlösbar.
Womit man sich zufrieden gab, die Hände
Vor dem Gewirr im Schoß in endloser
Gegenwart und ohne
Zukunft. Alexander allerdings
Starb auf dem Feldzug.
Langes Schweigen. Kaufleute kichern.
GAU DSU
  Wir wollen dir deine Worte vergessen, Freund.
  Umarmt ihn. Tschu Jün fällt erwürgt zuboden. Kaufleute wer-
  den es gewahr, rennen bestürzt hin und her.
  Was saht ihr.
ERSTER KAUFMANN *zitternd:*
            Einen Mann, vor Freude
  Ob Eurer Umarmung starb er.
GAU DSU
            Ja, so ists.

Kaufleute werfen sich nieder.
Weil ihr es saht, würde es mich erfreuen
Ihr liefertet mir schleunig alles Geld
Das auf der Kante liegt.
ZWEITER KAUFMANN

                    Herr, es ist Euer.
GAU DSU
Es ist ein Amt wert, in dem Monopol.
DRITTER KAUFMANN
In Euerm, Herr.
Kaufleute gebückt ab.
GAU DSU

            Das Geld geht seinen Weg
Zu Hsien, dem Bauern, der die Fahne trägt.
Setzt sich gekrümmt auf den Thron.
Eh sich die Welt nicht umwälzt bis zum Dreck
Ist sie uns heillos und der Rücken krumm.
Was nicht für alle taugt, wird wieder stumm.
Das Leben ist nicht mehr wert als sein Zweck.

Vorhang. Während sich die Spieler verbeugen, kommt Wang aus dem Boden.
WANG
Damen und Herrn, Sie sehn, ich lebe und gern.
Legt das Kostüm ab.
Die neuen Zeiten, von den alten wund
Sind neu genug erst, wenn wir aufrecht stehn.
Die Plage dauert und kann uns vergehn.
In unsern Händen halten wir den Grund.

Inhalt des zweiten Bandes

Simplex Deutsch
7

Dmitri
57

Die Übergangsgesellschaft
103

Siegfried Frauenprotokolle
Deutscher Furor
133

Transit Europa.
Der Ausflug der Toten
197

edition suhrkamp
Eine Auswahl

Abelshauser: Wirtschaftsgeschichte der Bundesrepublik
Deutschland 1945–1980. NHB.
es 1241

Abendroth: Ein Leben in der Arbeiterbewegung. es 820

Achebe: Okonkwo oder Das Alte
stürzt. es 1138

Adam/Moodley: Südafrika ohne
Apartheid? es 1369

Adorno: Eingriffe. es 10

– Gesellschaftstheorie und Kul-
turkritik. es 772

– Jargon der Eigentlichkeit. es 91

– Kritik. es 469

– Ohne Leitbild, Parva Aestheti-
ca. es 201

– Stichworte. es 347

Das Afrika der Afrikaner. Gesellschaft und Kultur Afrikas.
es 1039

Andréa: M. D. es 1364

Arbeitslosigkeit in der Arbeitsge-
sellschaft. Hg. von W. Bonß
und R. G. Heinze. es 1212

Aus der Zeit der Verzweiflung.
Zur Genese und Aktualität des
Hexenbildes. es 840

Bachtin: Die Ästhetik des Wor-
tes. es 967

Barthes: Kritik und Wahrheit.
es 218

– Leçon/Lektion. es 1030

– Literatur oder Geschichte.
es 303

– Michelet. es 1206

– Mythen des Alltags. es 92

– Das Reich der Zeichen. es 1077

– Semiologisches Abenteuer.
es 1441

– Die Sprache der Mode. es 1318

Beck: Gegengifte. Die organi-
sierte Unverantwortlichkeit.
es 1468

– Risikogesellschaft. es 1365

Beckett: Endspiel. Fin de Partie.
es 96

– Flötentöne. es 1098

– Mal vu mal dit. Schlecht gesehen, schlecht gesagt. es 1119

– Worstward Ho. es 1474

Benjamin: Aufklärung für Kinder. Rundfunkvorträge.
es 1317

– Briefe. 2 Bände. es 930

– Das Kunstwerk im Zeitalter
seiner technischen Reprodu-
zierbarkeit. es 28

– Moskauer Tagebuch.
es 1020

– Das Passagen-Werk. 2 Bde.
es 1200

– Über Kinder, Jugend und Erziehung. es 391

– Versuche über Brecht. es 172

– Zur Kritik der Gewalt und andere Aufsätze. es 103

Bernhard: Der deutsche Mittags-
tisch. es 1480

– Ein Fest für Boris. es 440

– Prosa. es 213

– Ungenach. Erzählung. es 279

Bertaux: Hölderlin und die Französische Revolution. es 344

Biesheuvel: Schrei aus dem Sou-
terrain. es 1179

Bildlichkeit. Hg. von V. Bohn.
es 1475

Bloch: Abschied von der Utopie?
Vorträge. es 1046

– Kampf, nicht Krieg. Politische
Schriften 1917–1919. es 1167

edition suhrkamp
Eine Auswahl

Böhme: Prolegomena zu einer Sozial- und Wirtschaftsgeschichte Deutschlands im 19. und 20. Jahrhundert. es 253

Bohrer: Plötzlichkeit. Zum Augenblick des ästhetischen Scheins. es 1058

Bond: Gesammelte Stücke. 2 Bde. es 1340

Botzenhart: Reform, Restauration, Krise. Deutschland 1789-1847. NHB. es 1252

Bovenschen: Die imaginierte Weiblichkeit. es 921

Brandão: Kein Land wie dieses. es 1236

Brasch: Engel aus Eisen. Beschreibung eines Films. es 1049

– Frauen – Krieg – Lustspiel. Ein Stück. es 1469

Braun: Verheerende Folgen mangelnden Anscheins innerbetrieblicher Demokratie. es 1473

Brecht: Der aufhaltsame Aufstieg des Arturo Ui. es 144

– Aufstieg und Fall der Stadt Mahagonny. Oper. es 21

– Ausgewählte Gedichte. es 86

– Baal. Drei Fassungen. es 170

– Baal. Der böse Baal der asoziale. es 248

– Der Brotladen. Ein Stückfragment. es 339

– Buckower Elegien. es 1397

– Drei Lehrstücke. es 817

– Die Dreigroschenoper. es 229

– Einakter und Fragmente. es 449

– Furcht und Elend des Dritten Reiches. es 392

– Gedichte und Lieder aus Stükken. es 9

– Gesammelte Gedichte. Bd. 1-4. es 835-838

– Die Geschäfte des Herrn Julius Caesar. es 332

– Die Gesichte der Simone Machard. es 369

– Die Gewehre der Frau Carrar. es 219

– Der gute Mensch von Sezuan. es 73

– Die heilige Johanna der Schlachthöfe. es 113

– Herr Puntila und sein Knecht Matti. es 105

– Im Dickicht der Städte. es 246

– Der Jasager und Der Neinsager. es 171

– Der kauk. Kreidekreis. es 31

– Leben des Galilei. Schauspiel. es 1

– Leben Eduards des Zweiten von England. es 245

– Mann ist Mann. es 259

– Die Maßnahme. es 415

– Die Mutter. es 200

– Mutter Courage und ihre Kinder. es 49

– Der Ozeanflug. es 222

– Prosa. Bd. 1-4. es 182-185

– Schweyk im zweiten Weltkrieg. es 132

– Stücke. Bearbeitungen. Bd. 1/2. es 788/789

– Die Tage der Commune. es 169

– Tagebücher 1920-1922. Autobiographische Aufzeichnungen 1920-1954. es 979

edition suhrkamp
Eine Auswahl

Brecht: Trommeln in der Nacht.
es 490

– Der Tui-Roman. es 603

– Über den Beruf des Schauspie-
lers. es 384

– Über die bildenden Künste.
es 691

– Über experimentelles Theater.
es 377

– Über Lyrik. es 70

– Über Politik auf dem Theater.
es 465

– Über Politik und Kunst. es 442

– Über Realismus. es 485

– Das Verhör des Lukullus. es 740

Brecht-Journal. Hg. von
J. Knopf. es 1191

Brecht-Journal 2. Hg. von
J. Knopf. es 1396

Brunkhorst: Der Intellektuelle
im Land der Mandarine.
es 1403

Buch: Der Herbst des großen
Kommunikators. es 1344

– Waldspaziergang. es 1412

Bürger, P.: Theorie der Avantgarde. es 727

Buro/Grobe: Vietnam! Vietnam?
es 1197

Celan: Ausgewählte Gedichte.
Zwei Reden. es 262

Cortázar: Letzte Runde. es 1140

– Das Observatorium. es 1527

– Reise um den Tag in 80 Welten. es 1045

Deleuze/Guattari: Kafka. es 807

Deleuze/Parnet: Dialoge. es 666

Denken, das an der Zeit ist. Hg.
von F. Rötzer. es 1406

Derrida: Die Stimme und das
Phänomen. es 945

Determinanten der westdeut-
schen Restauration 1945–1949.
es 575

Ditlevsen: Gesichter. es 1165

– Sucht. Erinnerungen. es 1009

– Wilhelms Zimmer. es 1076

Doi: Amae. Freiheit in Gebor-
genheit. es 1128

Dorst: Toller. es 294

Dröge/Krämer-Badoni: Die
Kneipe. es 1380

Dubiel: Was ist Neokonservatis-
mus? es 1313

Duerr: Satyricon. es 1346

– Traumzeit. es 1345

Duras: Eden Cinéma. es 1443

– La Musica Zwei. es 1408

– Sommer 1980. es 1205

– Das tägliche Leben. es 1508

– Vera Baxter oder Die Atlantik-
strände. es 1389

Duras/Porte: Die Orte der Mar-
guerite Duras. es 1080

Eco: Zeichen. es 895

Eich: Botschaften des Regens.
es 48

Elias: Humana conditio. es 1384

Enzensberger: Blindenschrift.
es 217

– Einzelheiten I. Bewußtseins-
Industrie. es 63

– Einzelheiten II. Poesie und Politik. es 87

– Die Furie des Verschwindens.
Gedichte. es 1066

– Landessprache. Gedichte.
es 304

– Palaver. Politische Überlegun-
gen. es 696

– Das Verhör von Habana.
es 553

edition suhrkamp
Eine Auswahl

Enzensberger: Der Weg ins Freie. Fünf Lebensläufe. es 759

Esser: Gewerkschaften in der Krise. es 1131

Faszination der Gewalt. Friedensanalysen Bd. 17. es 1141

Feminismus. Hg. von Luise F. Pusch. es 1192

Feyerabend: Erkenntnis für freie Menschen. es 1011

– Wissenschaft als Kunst. es 1231

Fortschritte der Naturzerstörung. Hg. von R. P. Sieferle. es 1489

Foucault: Psychologie und Geisteskrankheit. es 272

Frank: Gott im Exil. es 1506

– Die Grenzen der Verständigung. es 1481

– Der kommende Gott. es 1142

– Motive der Moderne. es 1456

– Die Unhintergehbarkeit von Individualität. es 1377

– Was ist Neostrukturalismus? es 1203

Frauen in der Kunst. 2 Bde. es 952

Frevert: Frauen-Geschichte. NHB. es 1284

Frisch: Biedermann und die Brandstifter. es 41

– Die Chinesische Mauer. es 65

– Don Juan oder Die Liebe zur Geometrie. es 4

– Frühe Stücke. es 154

– Graf Öderland. es 32

Gerhard: Verhältnisse und Verhinderungen. es 933

Geyer: Deutsche Rüstungspolitik 1860-1980. NHB. es 1246

Goetz: Krieg/Hirn. 2 Bde. es 1320

Goffman: Asyle. es 678

Geschlecht und Werbung. es 1085

Gorz: Der Verräter. es 988

Gstrein: Einer. es 1483

Habermas: Eine Art Schadensabwicklung. es 1453

– Legitimationsprobleme im Spätkapitalismus. es 623

– Die Neue Unübersichtlichkeit. es 1321

– Technik und Wissenschaft als Ideologie. es 287

– Theorie des kommunikativen Handelns. 2 Bde. es 1502

Hänny: Zürich, Anfang September. es 1079

Handke: Die Innenwelt der Außenwelt der Innenwelt. es 307

– Kaspar. es 322

– Phantasien der Wiederholung. es 1168

– Publikumsbeschimpfung und andere Sprechstücke. es 177

– Der Ritt über den Bodensee. es 509

– Wind und Meer. es 431

Henrich: Konzepte. es 1400

Hentschel: Geschichte der deutschen Sozialpolitik 1880-1980. NHB. es 1247

Hesse: Tractat vom Steppenwolf. es 84

Die Hexen der Neuzeit. Hg. von C. Honegger. es 743

Hilfe + Handel = Frieden? Friedensanalysen Bd. 15. es 1097

Hobsbawm: Industrie und Empire 1/2. es 315/316

edition suhrkamp
Eine Auswahl

Imperialismus und strukturelle Gewalt. Hg. von D. Senghaas. es 563

Irigaray: Speculum. es 946

Jahoda/Lazarsfeld/Zeisel: Die Arbeitslosen von Marienthal. es 769

Jakobson: Kindersprache, Aphasie und allgemeine Lautgesetze. es 330

Jasper: Die gescheiterte Zähmung. Wege zur Machtergreifung Hitlers 1930-1934. NHB. es 1270

Jauß: Literaturgeschichte als Provokation. es 418

Johnson: Begleitumstände. Frankfurter Vorlesungen. es 1019

– Der 5. Kanal. es 1336

– Jahrestage. Aus dem Leben von Gesine Cresspahl. 4 Bde. es 1500

– Karsch, und andere Prosa. es 59

– Porträts und Erinnerungen. es 1499

– Versuch einen Vater zu finden. Tonkassette mit Textheft. es 1416

Jones: Frauen, die töten. es 1350

Joyce: Werkausgabe in sechs Bänden. es 1434-1439

– Bd. 1: Dubliner. es 1434

– Bd. 2: Stephen der Held. es 1435

– Bd. 3: Ulysses. es 1100

– Bd. 4: Kleine Schriften. es 1437

– Bd. 5: Gesammelte Gedichte. es 1438

– Bd. 6: Finnegans Wake (englisch). es 1439

– Finnegans Wake. Übertragungen. es 1524

– Penelope. es 1106

Hans Wollschläger liest ›Ulysses‹. Tonbandkassette. es 1105

Kenner: Ulysses. es 1104

Kindheit in Europa. Hg. von H. Hengst. es 1209

Kipphardt: In der Sache J. Robert Oppenheimer. es 64

Kirchhoff: Body-Building. es 1005

Kluge, A.: Gelegenheitsarbeit einer Sklavin. es 733

– Lernprozesse mit tödlichem Ausgang. es 665

– Neue Geschichten. Hefte 1-18. es 819

– Schlachtbeschreibung. es 1193

Kluge, U.: Die deutsche Revolution 1918/1919. NHB. es 1262

Koeppen: Morgenrot. Anfänge eines Romans. es 1454

Kolbe: Abschiede und andere Liebesgedichte. es 1178

– Bornholm II. Gedichte. es 1402

– Hineingeboren. Gedichte 1975-1979. es 1110

Konrád: Antipolitik. es 1293

– Stimmungsbericht. es 1394

Kriegsursachen. Friedensanalysen Bd. 21. es 1238

Krippendorff: Staat und Krieg. es 1305

– »Wie die Großen mit den Menschen spielen.« es 1486

Kristeva: Liebesgeschichten. es 1482

– Die Revolution der poetischen Sprache. es 949

edition suhrkamp
Eine Auswahl

Kritisches Wörterbuch der Französischen Revolution. 5 Bde.
es 1522

Kroetz: Bauern sterben.
es 1388

– Frühe Prosa/Frühe Stücke.
es 1172

– Furcht und Hoffnung der BRD. es 1291

– Heimarbeit. es 473

– Mensch Meier. es 753

– Nicht Fisch nicht Fleisch.
es 1094

– Oberösterreich. es 707

– Stallerhof. es 586

Krolow: Ausgewählte Gedichte.
es 24

Laederach: Fahles Ende kleiner Begierden. es 1075

– Vor Schrecken starr. es 1503

– Der zweite Sinn oder Unsentimentale Reise durch ein Feld Literatur. es 1455

Lefèbvre: Einführung in die Modernität. es 831

Lehnert: Sozialdemokratie zwischen Protestbewegung und Regierungspartei 1848–1983.
NHB. es 1248

Lem: Dialoge. es 1013

Lenz: Leben und Schreiben.
Frankfurter Vorlesungen.
es 1425

Leroi-Gourhan: Die Religionen der Vorgeschichte. es 1073

Leutenegger: Lebewohl, Gute Reise. es 1001

– Das verlorene Monument.
es 1315

Lévi-Strauss: Das Ende des Totemismus. es 128

– Mythos und Bedeutung.
es 1027

Die Listen der Mode. Hg. von S. Bovenschen. es 1338

Literatur und Politik in der Volksrepublik China. es 1151

Löwenthal: Mitmachen wollte ich nie. es 1014

Logik des Herzens. Hg. von G. Kahle. es 1042

Lohn: Liebe. Zum Wert der Frauenarbeit. Hg. von A. Schwarzer. es 1225

Lukács: Gelebtes Denken. es 1088

Maeffert: Bruchstellen. Eine Prozeßgeschichte. es 1387

Mandel: Marxistische Wirtschaftstheorie. 1/2. es 595/596

Marcus: Umkehrung der Moral.
es 903

Marcuse: Ideen zu einer kritischen Theorie der Gesellschaft.
es 300

– Konterrevolution und Revolte.
es 591

– Kultur und Gesellschaft 1.
es 101

– Kultur und Gesellschaft 2.
es 135

– Versuch über die Befreiung.
es 329

Maruyama: Denken in Japan.
es 1398

Mattenklott: Blindgänger.
es 1343

Mayer: Anmerkungen zu Brecht.
es 143

– Gelebte Literatur. Frankfurter Vorlesungen. es 1427

– Versuche über die Oper.
es 1050

318/6/12.88

edition suhrkamp
Eine Auswahl

Mayröcker: Magische Blätter.
es 1202
– Magische Blätter II. es 1421
McKeown: Die Bedeutung der
Medizin. es 1109
Medienmacht im Nord-Süd-
Konflikt. Friedensanalysen
Bd. 18. es 1166
Meier, Chr.: Die Ohnmacht des
allmächtigen Dictators Caesar.
es 1038
Menninghaus: Paul Celan. Magie
der Form. es 1026
– Schwellenkunde. Walter Benja-
mins Passage des Mythos.
es 1349
Menzel/Senghaas: Europas Ent-
wicklung und die Dritte Welt.
es 1393
Milosz: Gedichte. es 1515
– Zeichen im Dunkel. es 995
Mitscherlich: Freiheit und Un-
freiheit in der Krankheit.
es 505
– Krankheit als Konflikt. es 237
– Die Unwirtlichkeit unserer
Städte. es 123
– Sozialgeschichte der Jugend.
NHB. es 1278
Moderne chinesische Erzählun-
gen. 2 Bde. es 1010
Möller: Vernunft und Kritik.
NHB. es 1269
Moser: Eine fast normale Fami-
lie. es 1223
– Der Psychoanalytiker als spre-
chende Attrappe. es 1404
– Romane als Krankengeschich-
ten. es 1304
Muschg: Literatur als Therapie?
es 1065

Die Museen des Wahnsinns und
die Zukunft der Psychiatrie.
es 1032
Mythos ohne Illusion. Mit Bei-
trägen von J.-P. Vernant u.a.
es 1220
Mythos und Moderne. Hg. von
K. H. Bohrer. es 1144
Nakane: Die Struktur der japani-
schen Gesellschaft.
es 1204
Nathan: Ideologie, Sexualität
und Neurose. es 975
Der Neger vom Dienst. Hg. von
R. Jestel. es 1028
Die neue Friedensbewegung.
Friedensanalysen Bd. 16.
es 1143
Ngũgĩ wa Thiong'o: Der ge-
kreuzigte Teufel. es 1199
– Verborgene Schicksale. es 1111
Nizon: Am Schreiben gehen.
Frankfurter Vorlesungen.
es 1328
Oehler, Dolf: Pariser Bilder I.
es 725
– Ein Höllensturz der Alten
Welt. Pariser Bilder II. es 1422
Oppenheim: Husch, husch, der
schönste Vokal entleert sich.
es 1232
Paetzke: Andersdenkende in Un-
garn. es 1379
Paley: Ungeheure Veränderungen
in letzter Minute. es 1208
Paz: Der menschenfreundliche
Menschenfresser. es 1064
– Suche nach einer Mitte. es 1008
– Zwiesprache. es 1290
Peripherer Kapitalismus. Hg.
von D. Senghaas. es 652

edition suhrkamp
Eine Auswahl

Petri: Schöner und unerbittlicher Mummenschanz. Gedichte. es 1528

– Zur Hoffnung verkommen. Gedichte. es 1360

Politik der Armut. Hg. von S. Leibfried und F. Tennstedt. es 1233

Populismus und Aufklärung. Hg. von H. Dubiel. es 1376

Powell: Edisto. es 1332

– Eine Frau mit Namen Drown. es 1516

Psychoanalyse der weiblichen Sexualität. Hg. von J. Chasseguet-Smirgel. es 697

Pusch: Das Deutsche als Männersprache. es 1217

Raimbault: Kinder sprechen vom Tod. es 993

Ribeiro, D.: Unterentwicklung Kultur und Zivilisation. es 1018

– Wildes Utopia. es 1354

Ribeiro, J. U.: Sargento Getúlio. es 1183

Rodinson: Die Araber. es 1051

Roth: Die einzige Geschichte. Theaterstück. es 1368

– Das Ganze ein Stück. Theaterstück. es 1399

– Krötenbrunnen. Ein Stück. es 1319

Rubinstein: Immer verliebt. es 1337

– Nichts zu verlieren und dennoch Angst. es 1022

– Sterben kann man immer noch. es 1433

Rühmkorf: agar agar – zaurzaurim. es 1307

Russell: Probleme der Philosophie. es 207

– Wege zur Freiheit. es 447

Schindel: Geier sind pünktliche Tiere. es 1429

– Im Herzen die Krätze. es 1511

– Ohneland. es 1372

Schlaffer: Der Bürger als Held. es 624

– Die Bande. Erzählungen. es 1127

Schönhoven: Die deutschen Gewerkschaften. NHB. es 1287

Schrift und Materie der Geschichte. Hg. von C. Honegger. es 814

Schröder: Die Revolutionen Englands im 17. Jahrhundert. NHB. es 1279

Schubert: Die internationale Verschuldung. es 1347

Das Schwinden der Sinne. Hg. von D. Kamper und C. Wulf. es 1188

Sechehaye: Tagebuch einer Schizophrenen. es 613

Senghaas: Konfliktformationen im internationalen System. es 1509

– Von Europa lernen. es 1134

– Weltwirtschaftsordnung und Entwicklungspolitik. es 856

– Die Zukunft Europas. es 1339

Simmel: Schriften zur Philosophie und Soziologie der Geschlechter. es 1333

Sloterdijk: Der Denker auf der Bühne. es 1353

– Eurotaoismus. es 1450

edition suhrkamp
Eine Auswahl

Sloterdijk: Kopernikanische Mobilmachung und ptolemäische Abrüstung. es 1375
– Kritik der zynischen Vernunft. 2 Bde. es 1099
– Zur Welt kommen – Zur Sprache kommen. es 1505
Söllner: Kopfland. Passagen. Gedichte. es 1504
Sport – Eros – Tod. Hg. von G. Hortleder und G. Gebauer. es 1335
Staritz: Geschichte der DDR 1949-1985. NHB. es 1260
Stichworte zur ›Geistigen Situation der Zeit‹. 2 Bde. Hg. von J. Habermas. es 1000
Struck: Kindheits Ende. es 1123
– Klassenliebe. es 629
Szondi: Theorie des modernen Dramas. es 27
Techel: Es kündigt sich an. Gedichte. es 1370
Tendrjakow: Sechzig Kerzen. es 1124
Theorie des Kinos. Hg. von K. Witte. es 557
Thiemann: Kinder in den Städten. es 1461
– Schulszenen. es 1331
Thompson: Die Entstehung der englischen Arbeiterklasse. 2 Bde. es 1170
Thränhardt: Geschichte der Bundesrepublik Deutschland. NHB. es 1267
Tiedemann: Studien zur Philosophie Walter Benjamins. es 644
Todorov: Die Eroberung Amerikas. es 1213

Treichel: Liebe Not. Gedichte. es 1373
Typologie. Hg. von V. Bohn. es 1451
Vargas: Gegen Wind und Wellen. es 1513
Vernant: Die Entstehung des griechischen Denkens. es 1150
– Mythos und Gesellschaft im alten Griechenland. es 1381
Versuchungen 1/2. Aufsätze zur Philosophie Paul Feyerabends. Hg. von H. P. Duerr. es 1044/1068
Verteidigung der Schrift. Kafkas »Prozeß«. Hg. von F. Schirrmacher. es 1386
Vom Krieg der Erwachsenen gegen die Kinder. Friedensanalysen Bd. 19. es 1190
Walser, Martin: Eiche und Angora. es 16
– Ein fliehendes Pferd. Theaterstück. Mitarbeit U. Khuon. es 1383
– Geständnis auf Raten. es 1374
– Heimatkunde. es 269
– Lügengeschichten. es 81
– Selbstbewußtsein und Ironie. Frankfurter Vorlesungen. es 1090
– Über Deutschland reden. es 1553
– Wer ist ein Schriftsteller? es 959
– Wie und wovon handelt Literatur. es 642
Weiss, P.: Abschied von den Eltern. es 85
– Die Ästhetik des Widerstands. es 1501
– Avantgarde-Film. es 1444

edition suhrkamp
Eine Auswahl

Weiss, P.: Die Besiegten. es 1324
– Fluchtpunkt. es 125
– Das Gespräch der drei Gehenden. es 7
– Der neue Prozeß. es 1215
– Notizbücher 1960-1971. 2 Bde. es 1135
– Notizbücher 1971-1980. 2 Bde. es 1067
– Rapporte. es 276
– Rapporte 2. es 444
– Der Schatten des Körpers des Kutschers. es 53
– Stücke I. es 833
– Stücke II. 2 Bde. es 910
– Die Verfolgung und Ermordung Jean Paul Marats ... es 68
Sinclair (P. Weiss): Der Fremde. es 1007
Peter Weiss im Gespräch. Hg. von R. Gerlach und M. Richter. es 1303

Wellershoff: Die Auflösung des Kunstbegriffs. es 848
Die Wiederkehr des Körpers. Hg. von D. Kamper und C. Wulf. es 1132
Wippermann: Europäischer Faschismus im Vergleich 1922-1982. NHB. es 1245
Wirz: Sklaverei und kapitalistisches Weltsystem. NHB. es 1256
Wissenschaft im Dritten Reich. Hg. von P. Lundgreen. es 1306
Wittgenstein: Tractatus logico-philosophicus. es 12
Wünsche: Der Volksschullehrer Ludwig Wittgenstein. es 1299
Ziviler Ungehorsam im Rechtsstaat. Hg. von P. Glotz. es 1214